KB076706

PROGRAM

시간	프로그램	
09:00 ~ 09:30	등록	
09:30 ~ 10:10	탄소중립연료로서 바이오연료 개관	서동진 박사 한국과학기술연구원
10:10 ~ 10:50	바이오연료 기술 표준화 동향	도진우 선임 한국석유관리원
10:50 ~ 11:30	해운분야 탄소중립 바이오선박유 개발과 적용 동향	김재곤 박사 한국석유관리원
11:30 ~ 12:10	지속가능한 바이오매스 개발 동향	이진형 박사 한국세라믹기술원
12:10 ~ 13:10	중식 (도시락 제공)	
13:10 ~ 13:50	초본계/목질계를 활용한 바이오매스 전처리 공정	오경근 대표 (주)슈가엔
13:50 ~ 14:30	지속가능한항공유(SAF) 개발 동향	김재훈 교수 성균관대학교
14:30 ~ 15:10	바이오항공유 제조공정-HEFA 공정 중심으로	한기보 박사 고등기술연구원
15:10 ~ 15:30	휴식	
15:30 ~ 16:10	바이오선박유 실무_바이오디젤/중유 중심	김덕근 박사 한국에너지기술연구원
16:10 ~ 16:50	기술경제성평가(TEA) 개론 및 바이오연료 적용 사례	임영일 교수 한경대학교
16:50 ~ 17:30	전주기평가(LCA) 개론 및 바이오연료 적용 사례	한지훈 교수 포항공과대학교
17:30 ~ 17:35	폐회	

CONTENTS

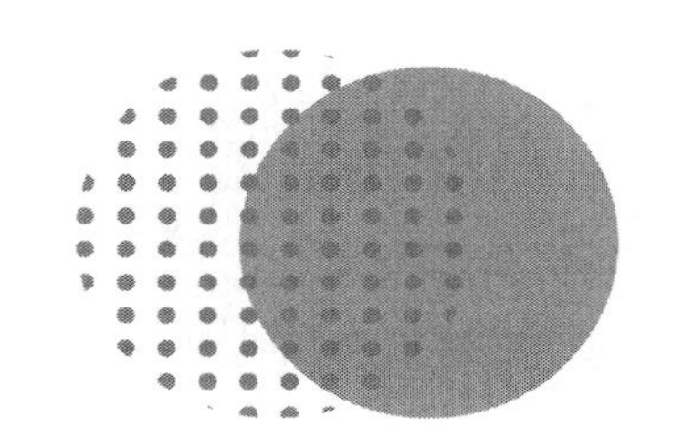

서동진 박사

한국과학기술연구원 청정에너지연구센터
책임연구원

2016~	한국바이오연료포럼 운영위원장/부회장
2015	한국청정기술학회 회장
1991	한국과학기술원 화학공학과 박사

바이오매스(Biomass)는 Bio(생물)와 Mass(물질, 양)가 합성된 용어로서 태양에너지를 받은 식물과 미생물의 광합성에 의해 생성되는 식물체, 균체와 이를 먹고 사는 동물체를 포함하는 유기성 생물체의 총칭이다. 일반적으로는 에너지화할 수 있는 동식물체를 말하지만, 볏짚, 톱밥, 음식물 쓰레기, 하수 슬러지, 축산 분뇨 등 유기성 부산물과 폐기물도 포함된다. 인류가 불을 발견한 이래 바이오매스는 가장 중요한 에너지원이 되고 있으며 지금도 그때와 같이 조리와 난방을 위하여 바이오매스를 사용하고 있다. 바이오매스를 연료로 사용하는 가장 간단한 방법은 직접 연소시켜 열을 얻거나 발전기를 돌려 전기를 생산하는 것이지만 실제로는 다양한 전환 공정에 의하여 액체나 기체 형태의 연료로 사용할 수 있다. 재생에너지의 대명사처럼 여겨지는 태양광과 풍력이 전기만을 생산하고 시공간적인 제약에 따라 불안정하고 간헐적이지만 바이오연료는 손쉽게 저장, 수송, 활용이 가능한 화석연료의 완벽한 대체에너지라는 큰 장점을 가지고 있다. 본 발표에서는 이러한 바이오연료에 관한 세부적인 발표에 앞서 개괄적으로 바이오연료의 특징과 종류에 대하여 살펴보고 특히 국내에 보급된 바이오연료의 현황과 전망을 간략히 소개하고자 한다.

바이오연료
전주기기술
무 료 교 육

탄소중립연료로서 바이오 연료 개관

서동진 박사
한국과학기술연구원

바이오연료 전주기 기술 무료 교육

탄소중립연료로서 바이오연료 개관

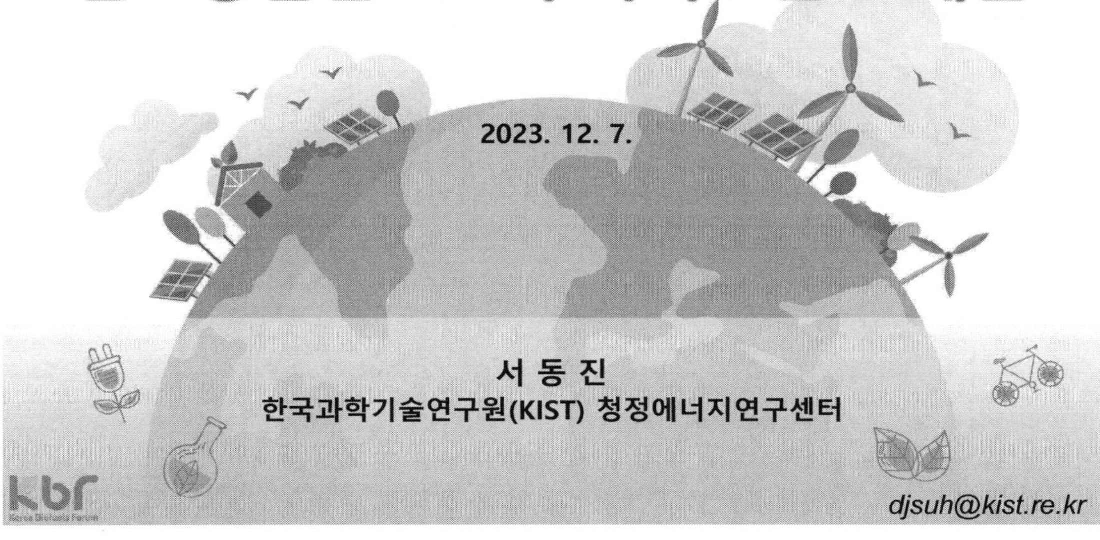

2023. 12. 7.

서 동 진
한국과학기술연구원(KIST) 청정에너지연구센터

kbf
Korea Biofuels Forum

djsuh@kist.re.kr

발표 순서

KIST 한국과학기술연구원

kbf
Korea Biofuels Forum

탄소중립과 바이오경제

바이오연료의 종류

국내 바이오연료의 현황

바이오디젤

바이오중유

개발 중인 바이오연료

전망 및 제언

KIST 한국과학기술연구원

kbf Korea Biofuels Forum

세계 및 국내 에너지 믹스

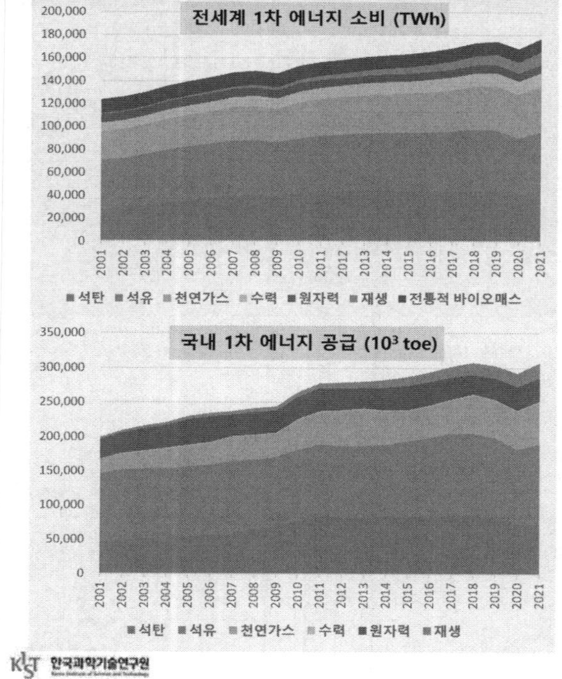

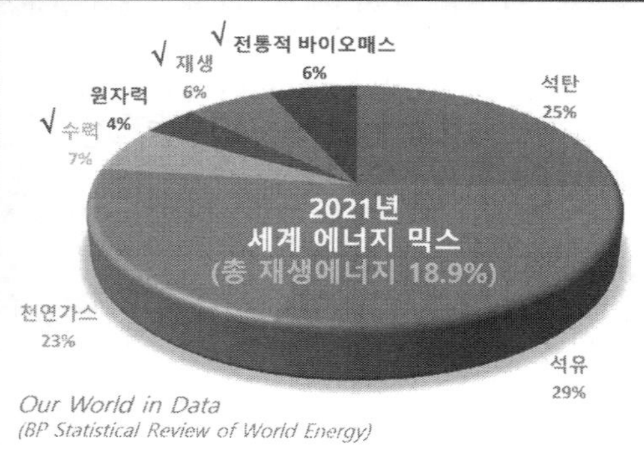

Our World in Data
(BP Statistical Review of World Energy)

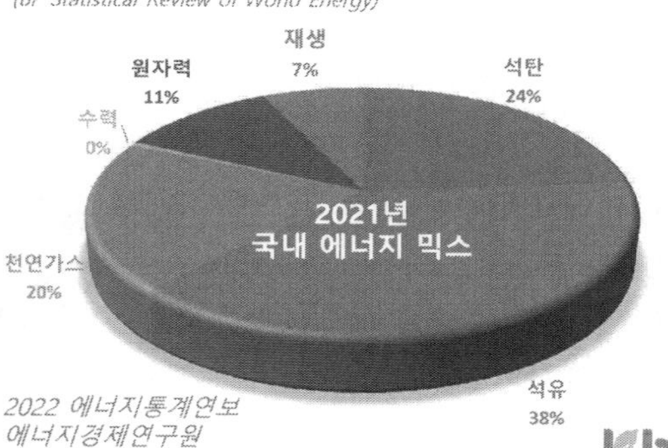

2022 에너지통계연보
에너지경제연구원

KIST 한국과학기술연구원

kbf Korea Biofuels Forum

신·재생에너지

화석연료의 고갈에 대비한 대체에너지 자원
온실가스로 인한 지구온난화 및 기후변화 대응

- **신에너지** (새로운 에너지 전환 기술)
  - 수소
  - 연료전지
  - 석탄 가스화/액화

- **재생에너지** (고갈되지 않는 에너지 자원)
  - 태양광
  - 태양열
  - 풍력
  - 지열
  - 수력
  - 수열
  - 해양 (조력, 파력, 해수온도차 발전)
  - 바이오
  - 폐기물

국내 재생에너지 생산량

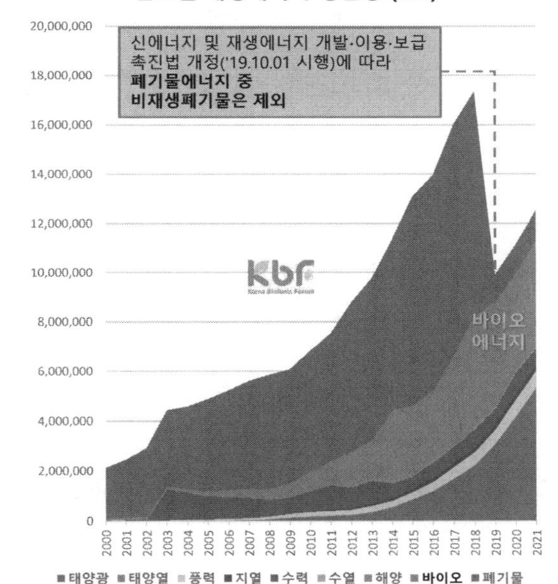

재생에너지 종류별 비중

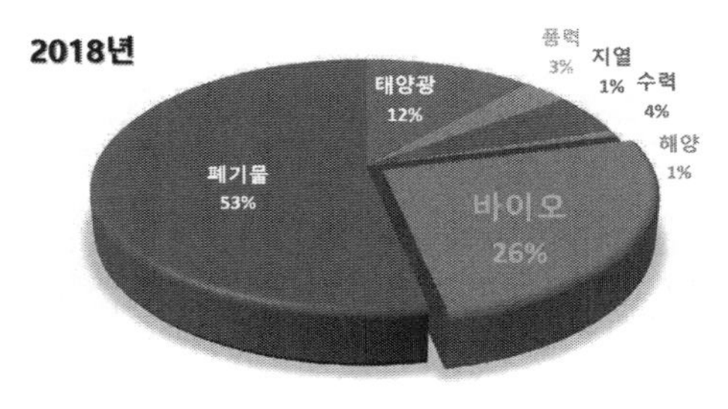

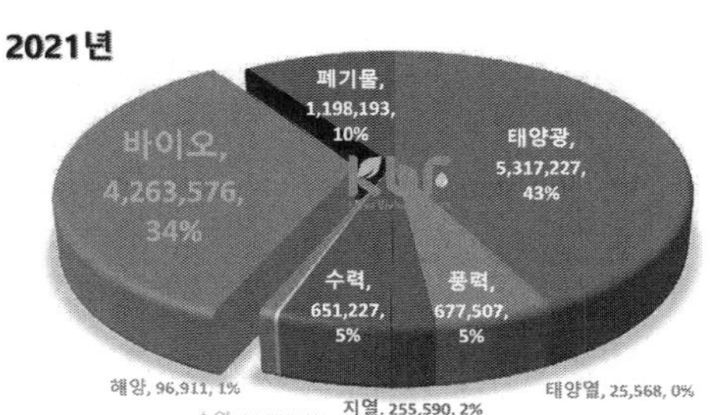

한국에너지공단 신재생에너지센터 자료 (2023. 4)

바이오연료와 다른 재생에너지

- 안정적인 에너지 생산이 불가능, 간헐적 (저장장치 필요)
- 시공간적인 제약이 많음
- 전기와 열 생산이 가능하나 현재로서는 화학물질은 불가능

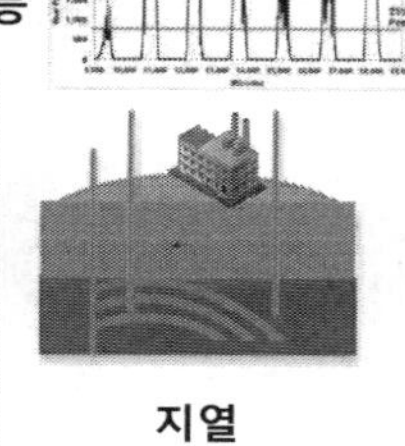
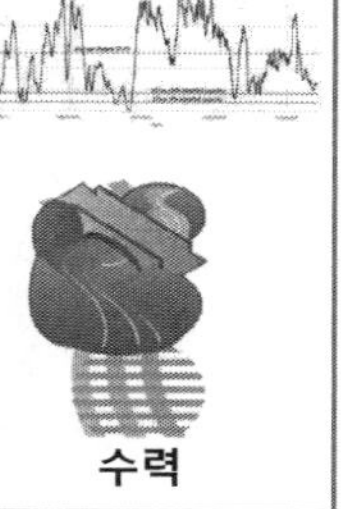

태양에너지 | 풍력 | 바이오연료 | 지열 | 수력

- 탄소중립형 재생에너지
- 전기, 열 뿐만 아니라 고체, 액체, 기체의 어떤 형태로도 사용 가능
- 시공간적 한계가 없고 유기성 폐기물도 원료로 사용 가능
- 화석연료의 완벽한 대체가 가능한 화학물질을 만들 수 있는 자원

- 화석연료에 비해 산소 함유로 낮은 에너지 밀도 및 안정성
- 당질계 및 전분계 바이오매스는 식량 자원과의 경쟁 이슈
- 땅, 물, 비료 등이 필요하여 전과정 검토가 필요
- 대규모 생산을 위해서는 생물학적 다양성 고려 필요

KIST 한국과학기술연구원 | kbf Korea Biofuels Forum

바이오경제 2.0과 화이트 바이오

구분	상징	분야
레드(Red)바이오	피	바이오 의약품, 바이오 의료기기 ⇨ 기존 바이오산업
그린(Green)바이오	식물, 곡물	바이오 식품, 바이오 농업, 생명 자원
화이트(White)바이오	깨끗함	바이오 소재, 바이오 에너지

→ 바이오 경제 2.0

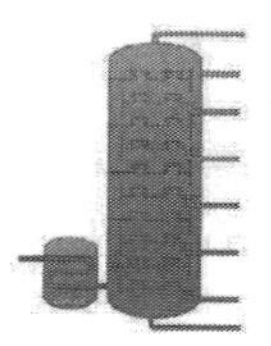

석유
연료 및 에너지: 휘발유, 경유, 제트유 등 탄화수소 연료
화학물질: 기초 및 정밀화학 제품 폴리머, 플라스틱 등

바이오매스
연료 및 에너지: 바이오에탄올, 바이오디젤, 바이오가스 등 바이오연료
화학물질: 석유대체 바이오화학물질 바이오폴리머, 바이오플라스틱 등 (식량, 사료)

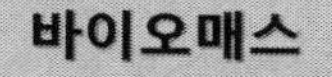

KIST 한국과학기술연구원 | kbf Korea Biofuels Forum

바이오경제 2.0 추진방향 (산업부 발표)

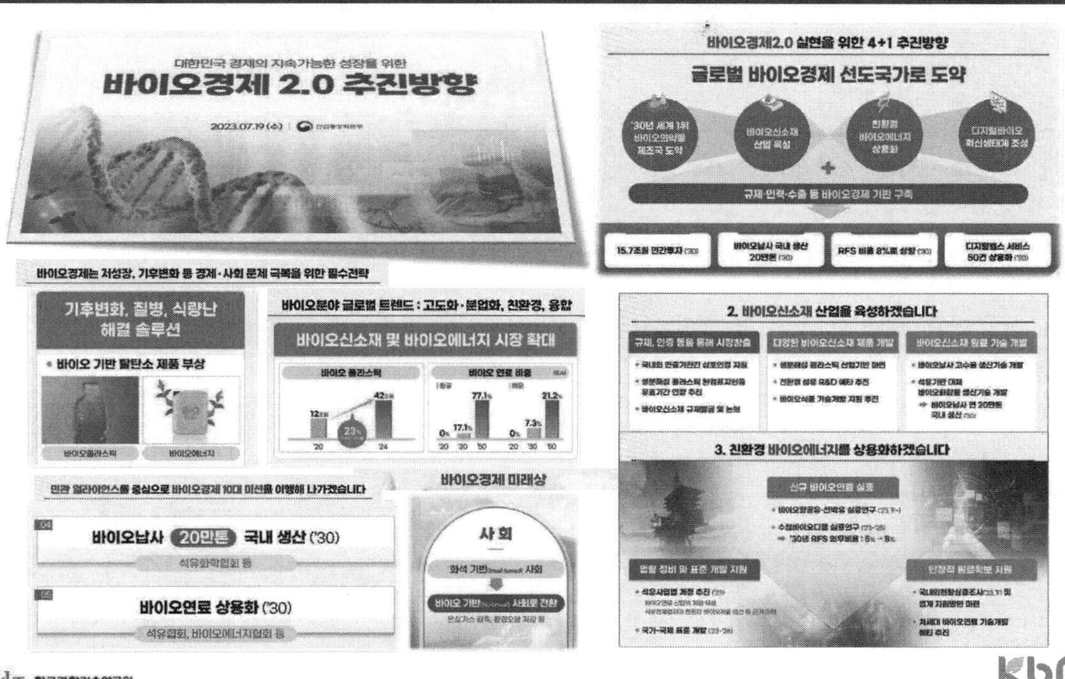

탄소중립과 바이오경제

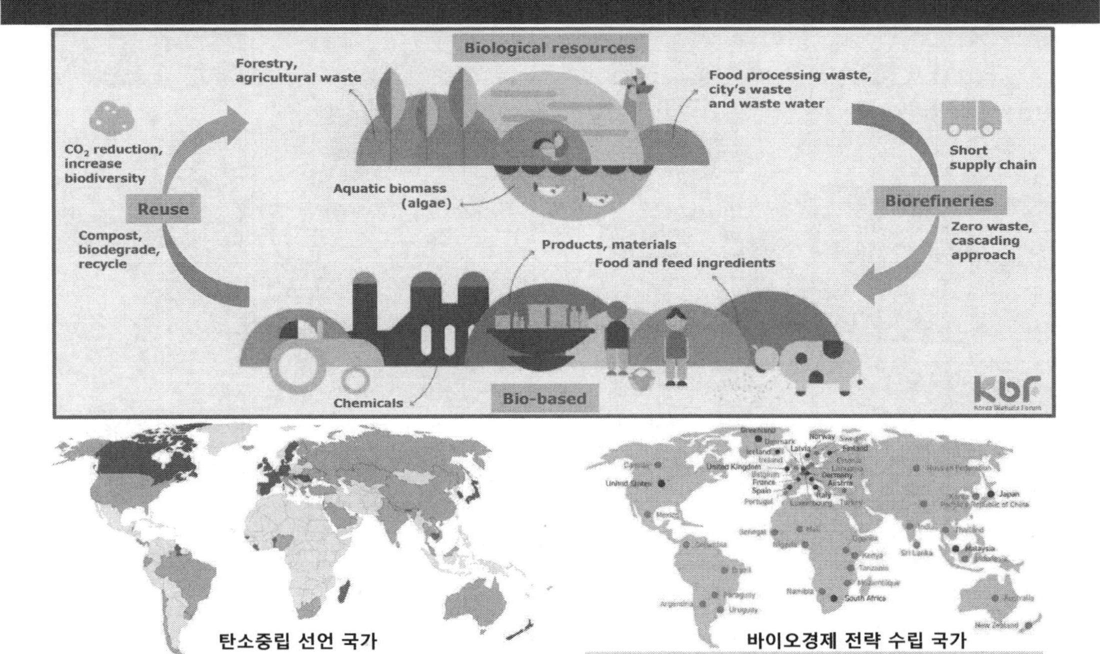

탄소중립과 바이오경제

바이오연료의 종류

국내 바이오연료의 현황

바이오디젤

바이오중유

개발 중인 바이오연료

전망 및 제언

한국과학기술연구원

바이오매스 전환 공정과 생성물

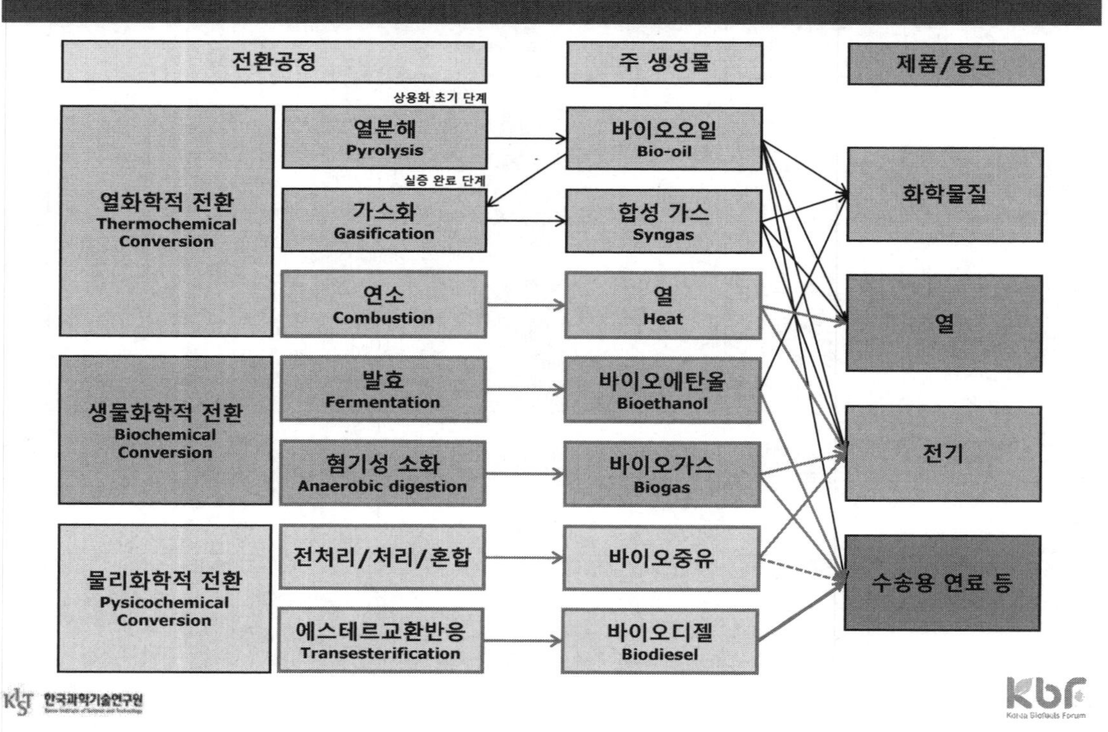

한국과학기술연구원

주요 바이오연료

- **액체**
  바이오에탄올 (Bioethanol)
  바이오디젤 (Biodiesel)
  바이오중유
  바이오오일 (Bio-oil) – 열분해 오일 (Pyrolysis oil)

- **기체**
  바이오가스
  (Biogas)

- **고체**
  목재펠릿 (Wood pellet)
  우드칩 (Woodchip)
  목재 (Wood), 폐목재
  숯 (Charcoal)
  목재브리켓 (Wood briquette)
  반탄화 바이오매스 (Torrefied biomass)

바이오에탄올 (휘발유 대체) / 바이오디젤 (경유 대체)

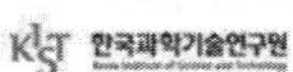

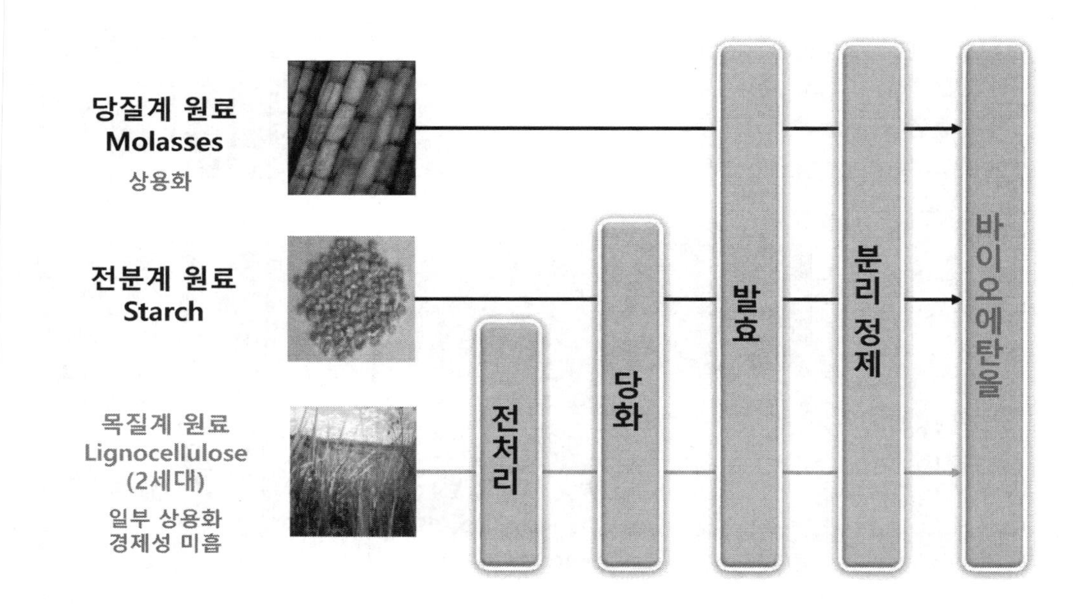
바이오에탄올 생산 과정
당질계 원료
Molasses
상용화
전분계 원료
Starch
목질계 원료
Lignocellulose
(2세대)
일부 상용화
경제성 미흡
전처리
당화
발효
분리 정제
바이오에탄올
한국과학기술연구원
KBF

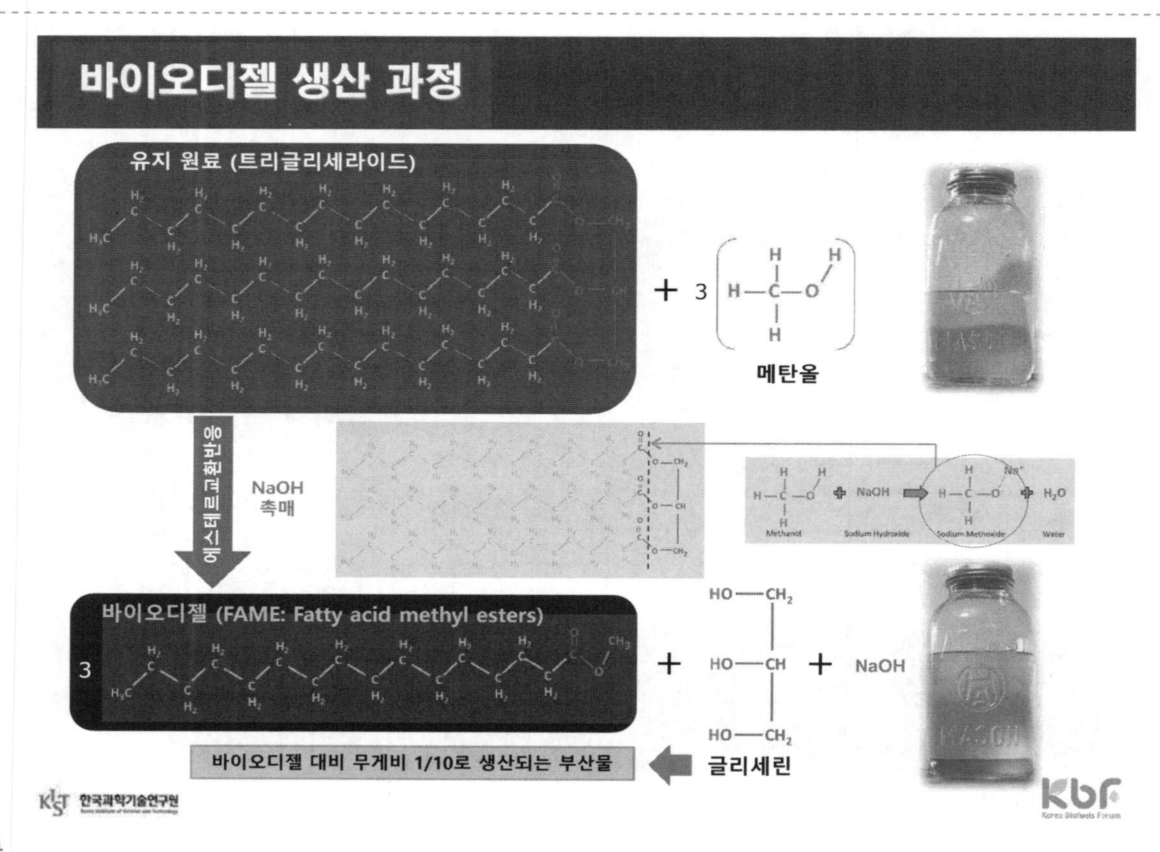
바이오디젤 생산 과정
유지 원료 (트리글리세라이드)
+ 3
메탄올
에스테르교환반응
NaOH
촉매
Methanol
NaOH
Sodium Hydroxide
Sodium Methoxide
Water
바이오디젤 (FAME: Fatty acid methyl esters)
3
+
+ NaOH
바이오디젤 대비 무게비 1/10로 생산되는 부산물
글리세린
한국과학기술연구원
KBF

국가별 바이오에탄올/바이오디젤 생산량 (2000년 이후)

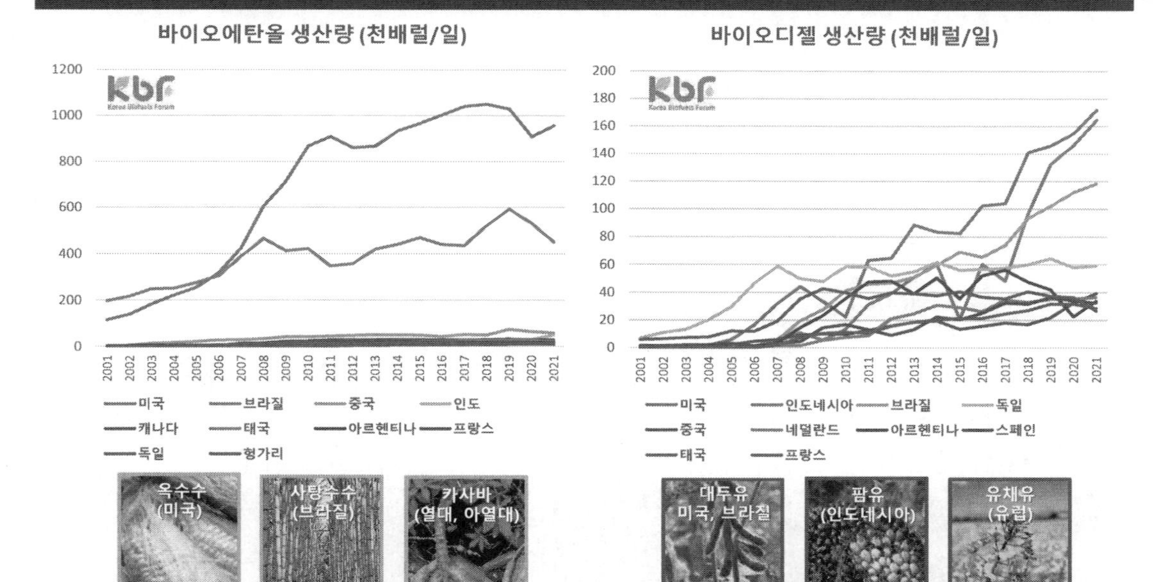

Source: U.S. Energy Information Administration

바이오중유 생산 과정

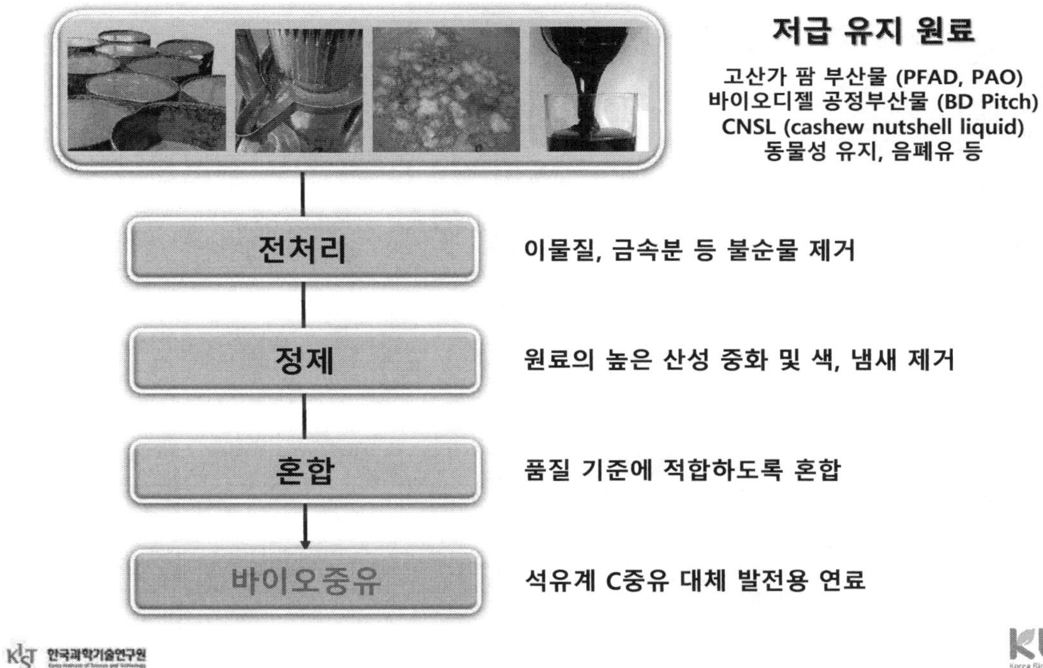

기체 바이오연료 (바이오가스)

- 유기물질(폐기물)을 산소가 없는 분위기에서 미생물 발효(혐기성 소화: anaerobic digestion) 시켜 얻은 메탄이 주성분이 가연성 가스

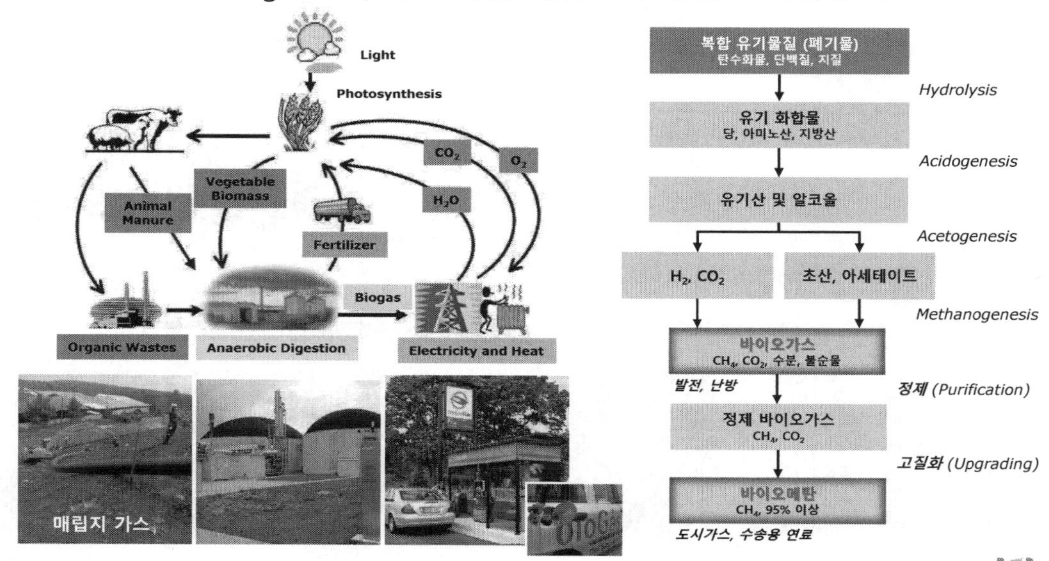

KIST 한국과학기술연구원

고체 바이오연료 (우드칩과 목재펠릿)

2,700 kcal/kg
수분함량 25%

빠른 연소
발열량 대비 가격 저렴
낮은 에너지 밀도, 품질 불안정
다양한 원료 가능
지역 경제에 도움

파쇄, 선별 등 단순한 제조 공정
현장에서 바로 이동식 파쇄기로 제조 가능
산림작업 및 목재가공 중 생산된 원목 및 산림부산물에서 제조
근거리 이송을 통한 환경설비 및 연소안정성을 갖춘 설비에 사용

4,500 kcal/kg
수분함량 10%

형태/크기 균일, 운송/보관 용이
높은 에너지 밀도, 품질 안정
톱밥을 압축성형하여 제조
(리그닌이 접착제의 역할을 하여 별도 첨가제 불필요)

파쇄, 선별, 분쇄, 건조, 압축성형 등 여러 공정 필요
환경설비가 없거나 최소한의 환경설비를 갖춘 가정용 보일러에 사용
열병합발전, 대형발전소에 이르기까지 다양한 활용 가능

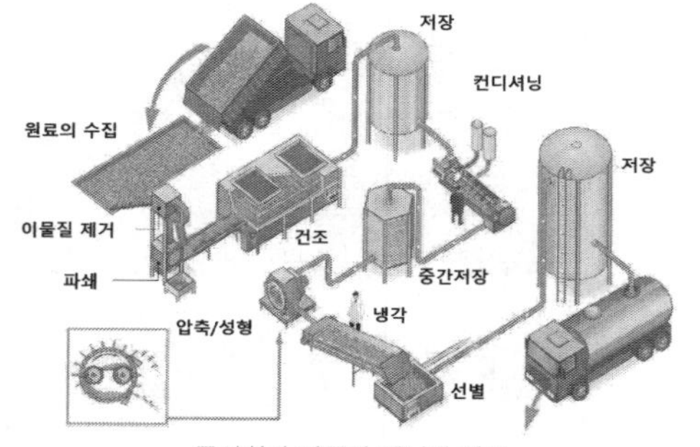

주식회사 나무와 에너지 자료

KIST 한국과학기술연구원

국내 바이오연료 구분

구분	설명
바이오가스 (Biogas)	혐기적 소화작용에 의해 바이오매스에서 생성되는 메탄과 이산화탄소의 혼합형태인 기체 (이러한 혼합기체로부터 분리된 메탄을 바이오메탄가스라고 함. 그 외 바이오가스의 형태는 퇴비가스, 습지가스, 폐기물 등으로부터 자연적으로 생성되는 것과 제조된 가스도 있음)
매립지가스 (LFG: Land Fill Gas)	쓰레기 매립지에 매립된 폐기물 중 유기물질이 혐기성 분해 과정에 의해 분해되어 발생되는 가스를 말하며 그 성분은 주로 메탄(CH_4 40~60%)과 이산화탄소(CO_2 30~50%)로 구성
바이오디젤 (Biodiesel)	자연에 존재하는 각종 기름(fat, lipid) 성분을 물리적 화학적 처리 과정(에스테르공정)을 거쳐 석유계 액체연료로 변환시킨 것
우드칩 (Woodchip)	목제품 제조원료 및 연료 생산을 목적으로 잘게 절삭한 목재조각
성형탄 (成形炭)	바이오매스를 집적화하여 압착시켜 만든 고체 연료
임산연료	연료로 사용되는 흑탄, 백탄, 장작, 지엽
목재펠릿 (Wood pellet)	유해물질에 의해 오염되지 않은 목재(木材)를 압축 성형하여 생산하는 작은 원통 모양의 표준화된 목질계 고체 바이오연료
폐목재	*2011년부터 폐기물에서 바이오로 분류
흑액 (Black liquor)	우드칩을 원료로 사용하는 화학펄프 공장의 펄프 제조공정에서 목재 중 섬유질은 펄프로 생산되고 나머지 리그닌 등 유기물과 사용된 약품의 혼합물을 농축해 만든 연료
하수슬러지 고형연료	하수슬러지를 이용하여 제조(건조)한 고체형태의 연료
Bio-SRF (Biomass-Solid Refuse Fuel)	가연성 고형폐기물(폐지류, 농업폐기물, 폐목재류, 식물성 잔재물, 초본류 폐기물 등)을 사용하여 품질 등급 기준에 적합하게 제조한 고형연료 제품
바이오중유	동·식물성 유지를 메탄올 또는 에탄올과 반응시켜 만든 바이오연료

Source: 한국에너지공단 2015년 신·재생에너지 보급통계 (2016년판)

국내 바이오연료 생산 현황

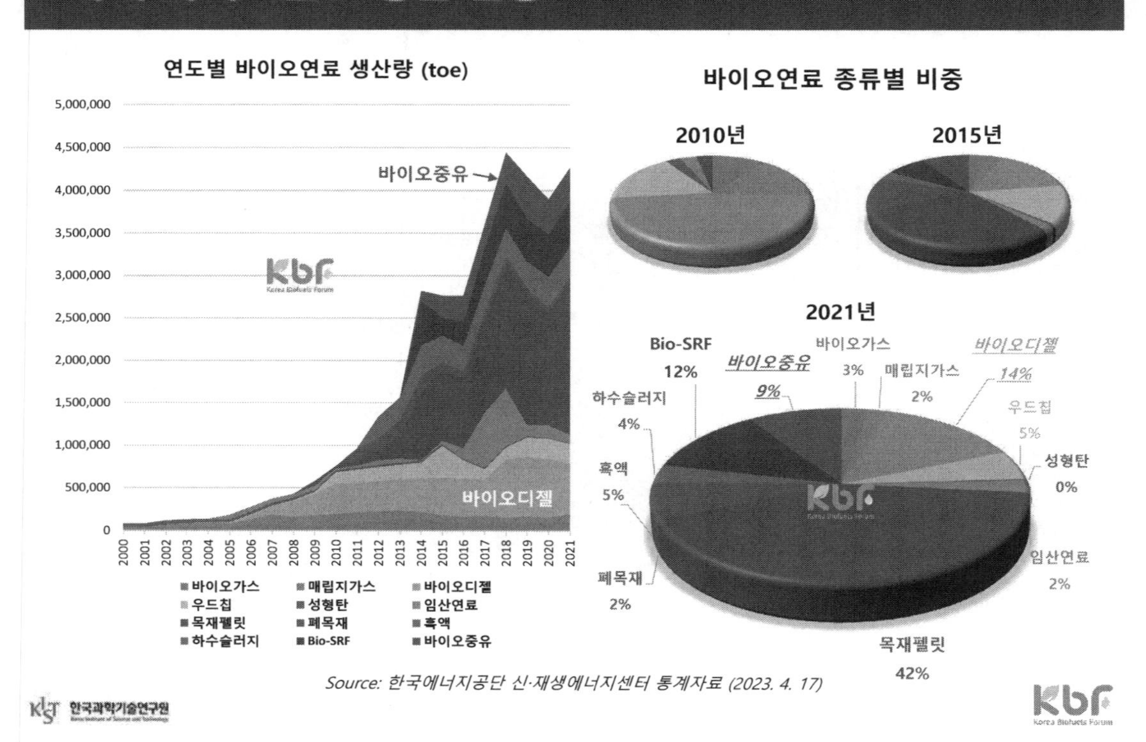

Source: 한국에너지공단 신·재생에너지센터 통계자료 (2023. 4. 17)

국내 신재생에너지 보급 활성화 제도

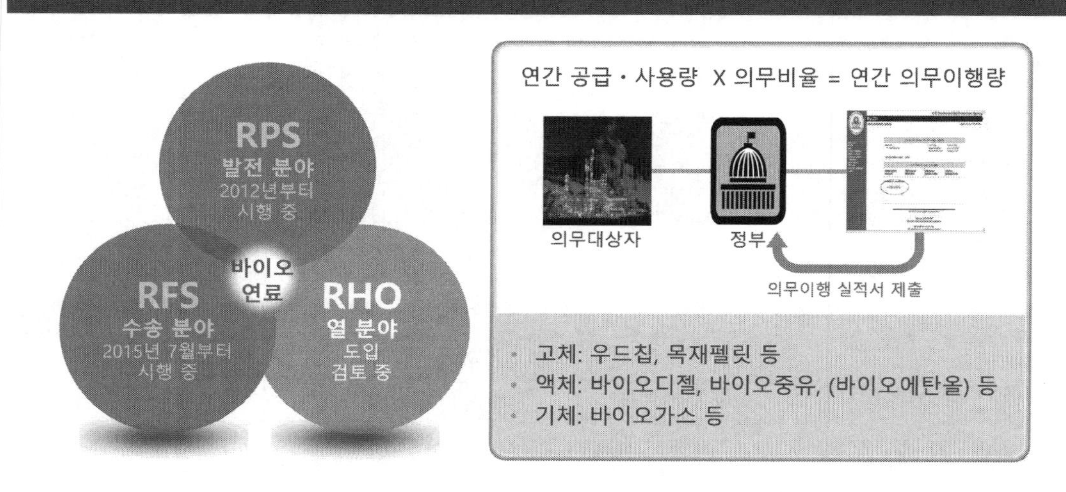

- RPS (Renewable Portfolio Standard) 신재생에너지 공급 의무화 제도
- RFS (Renewable Fuel Standard) 신재생연료 혼합 의무화 제도
- RHO (Renewable Heat Obligation) 열에너지 공급 의무화 제도

신·재생에너지 공급 의무화 제도 (RPS)

- 개요: 일정규모(500MW) 이상의 발전설비를 보유한 발전사업자에게 총 발전량의 일정량 이상을 신·재생에너지를 이용하여 공급하도록 의무화한 제도
- 법적 근거: 신에너지 및 재생에너지 개발·이용·보급 촉진법 (제12조의5 ~ 제12조의9)
- 공급의무자 범위 (2022년 24개사): 발전자회사 (6), 공공기관 (2), 민간 발전사업자 (16)

- 연도별 의무공급량 = 총 발전량 (신재생에너지 발전량 제외) × 의무비율 (%)

해당연도	'12	'13	'14	'15	'16	'17	'18	'19	'20	'21	'22	'23	'24	'25	'26	'27	'28	'29	'30~
최초 비율 (%)	2.0	2.5	3.0	3.0	3.5	4.0	5.0	6.0	7.0	8.0	9.0	10.0							
'20 개정										9.0	10.0	11.0							
'21. 10 개정											12.5	14.5	17.0	20.5	25.0				
'23. 01 개정												13.0	13.5	14.0	15.0	17.0	19.0	22.5	25.0

2022년 RPS: 의무 비율 12.5%, 공급의무자 총 24개, 의무공급량 58,749,261 MWh (78,724,010 REC)

신·재생에너지 공급인증서 (REC)

- RPS 제도 하에서 신·재생에너지 공급의무자가 의무공급량을 이행하는 방법
  1. 직접 신·재생에너지 발전을 하는 경우 (각종 현실적 제약)
  2. 다른 신·재생에너지 발전사업자로부터 공급인증서(REC)를 구입하는 경우

  공급의무자가 의무를 불이행한 경우에는 평균 거래 가격의 150% 이내의 과징금 부과
- 신·재생에너지 공급인증서 (REC, Renewable Energy Certificate)

  신·재생에너지 발전 설비로 얻어내는 1MWh의 전기 생산에 대한 인증서

  전력거래량에 가중치를 곱한 값을 1MWh로 나누어 REC로 발급

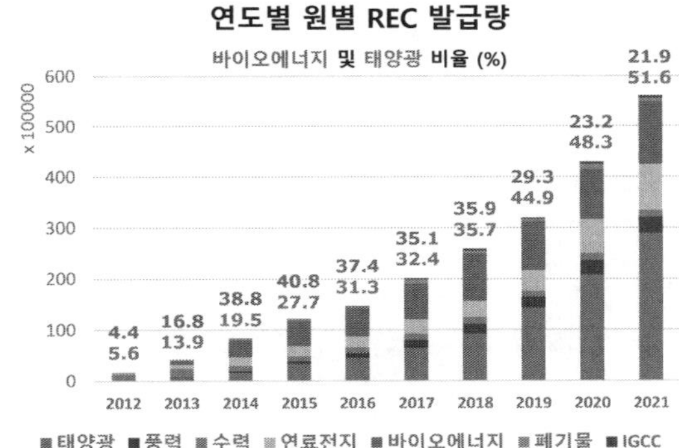

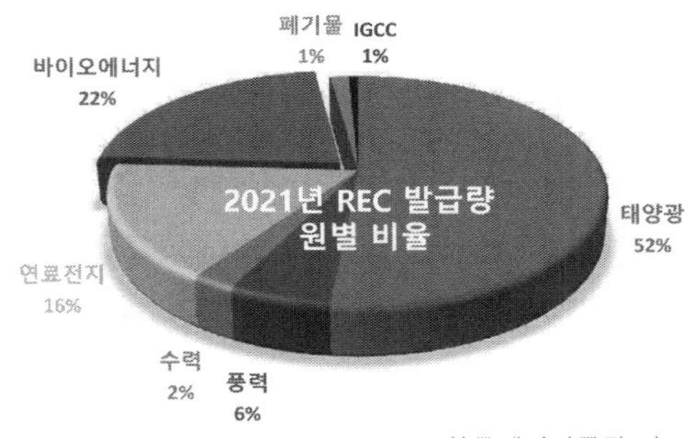

한국에너지공단 자료

목재펠릿을 이용한 RPS 이행

발전소 배출시설 대기오염물질 발생량 (kg/t)

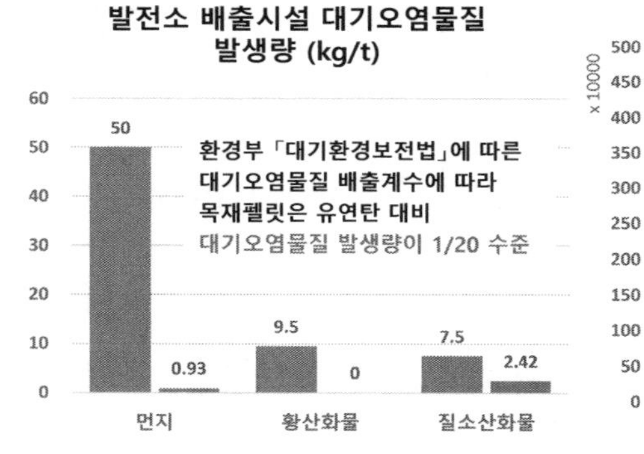

■ 석탄(유연탄) ■ 목재펠릿

연도별 목재펠릿 생산량 (톤)

x 10000

수입 국가 순위: 영국 >> 대한민국 > 일본 > 네덜란드
수입량의 70% 이상은 베트남산

자급률(%)

연도	2009	2010	2011	2012	2013	2014	2015	2016	2017	2018	2019	2020	2021	2022
자급률(%)	41.5	38.5	54	30	12	5	5.3	3	3.8	5.9	8.7	10.2	17.2	15.9

■ 국산 ■ 수입산

산림청 자료

IPCC 산정방법에 따라 목재펠릿 1톤을 사용 시
석탄 604.65kg을 대체 이산화탄소 1.48톤 감축

기후변화협약(UNFCCC)이나 유엔 산하 정부간협의체 (IPCC)에서는 목재를 탄소중립 연료임을 인정하고 화석연료 대체에너지로 권고함

2021년 바이오에너지 REC 발급량은 1,229만 REC로
신·재생에너지 REC 총발급량 5,603만 REC의 21.9%
(2015년 40.8% 최대 후 매년 감소 중)

❑ 바이오에너지 REC 가중치

구분	가중치
목재펠릿·우드칩 전소 / 혼소	1.0 / -
미이용 산림바이오매스 전소 / 혼소	2.0 / 1.5
Bio-SRF 전소, 흑액	0.25
매립지가스 / 바이오가스	0.5 / 1.0
바이오중유	1.0
생물기원 유기성 폐기물*	1.0

*가축분뇨 고체연료, 하수슬러지 고형화 연료

KIST 한국과학기술연구원

kbf Korea Biofuels Forum

국내 주요 바이오연료의 화석연료 대체 보급 현황

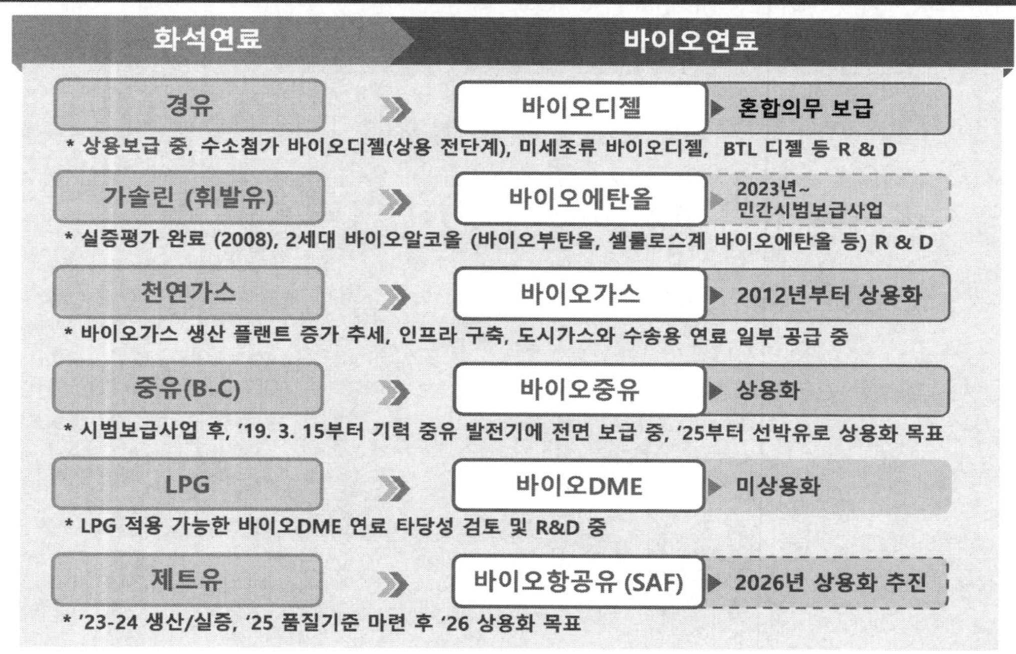

KIST 한국과학기술연구원

kbf Korea Biofuels Forum

바이오디젤 산업 현황

- 국내 바이오디젤 판매량 (2022년): 총 797,622kL (2021년 대비 5.7% 증가), 7개사
- 바이오디젤 수출량 (2022년): 총 218,623kL (2021년 대비 1.5% 증가)
  주요 수출국은 미국 (53,475kL), EU (165,148kL), 총 5,014억원 (2021년 대비 44% 증가)

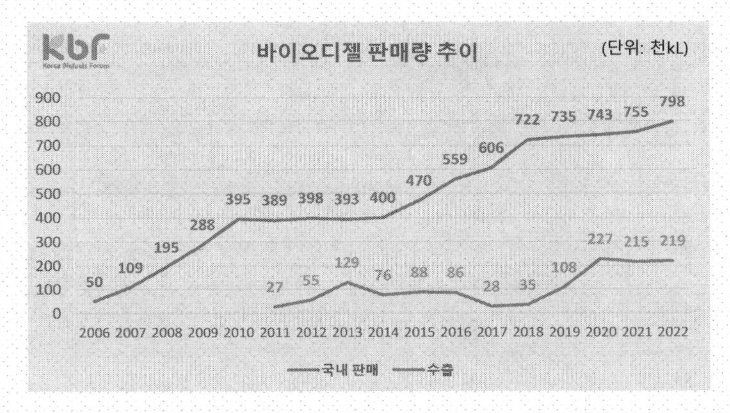

- 전세계 바이오디젤 시장: 2020년 기준 47백만톤
  유럽 14.7백만톤, 미국 8.1백만톤,브라질 6.3백만톤, 인도네시아 7.7백만톤
  국내 시장은 전세계 기준 1.4% 수준으로 경제력 및 국가 위상 고려 크게 미흡

국내 바이오디젤 보급량

❑ **2022년 기준 국내 바이오디젤 생산업체는 7개사 (가동률 ~60%)**

BD100 RFS제도 시행 이후 2021년 7월부터 3.5% 혼합의무화(RFS)로 연간 755천kL 보급

연도 (RFS 이전)	'06. 7~12.	'07	'08	'09	'10	'11	'12	'13	'14	'15
바이오디젤 (천kL)	46	109	195	288	395	389	398	393	400	470
혼합비율 (%)	0.5	0.5	1.0	1.5	2.0	2.0	2.0	2.0	2.0	2.0 → 2.5

연도 (RFS 이후)	'15	'16	'17	'18	'19	'20	'21	'22
바이오디젤 (천kL)	470	559	605	722	735	743	755	798
혼합비율 (%)	2.0 → 2.5	2.5	2.5	3.0	3.0	3.0	3.0 → 3.5	3.5

BD20 BD20에 혼합되어 보급된 바이오디젤은 2012년 면세 이후 점진적으로 사용량이 감소되어 현재 사용 전무한 상태

RFS 시행 이후 바이오디젤 보급 추이 및 향후 계획

RFS 시행 로드맵

2020년 코로나 사태로 결정 연기

'신에너지 및 재생에너지 개발·이용·보급 촉진법 시행령' 일부 개정령(안) 2021년 2월 1일부터 입법예고

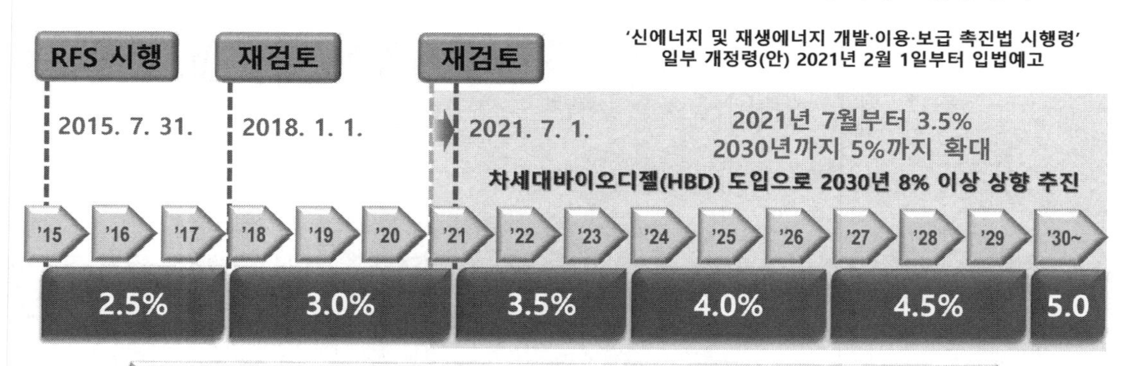

● 매 3년 마다 신·재생에너지 기술개발 수준, 연료수급 상황 고려 혼합의무비율 재검토

Source: 신·재생에너지법 시행령

국내 바이오디젤의 원료

- 원료는 대부분 수입 팜유 및 팜 부산물과 국내 폐식용유이며 국산화율은 30% 수준 회복
- 초기 원료였던 대두유는 거의 사용하지 않고 국산 폐식용유와 수입 비식용 팜 부산물이 증가

- 바이오디젤 주요 생산업체(5개 바이오에너지협회 회원사, 시장점유율 82%)의 원료 현황 -

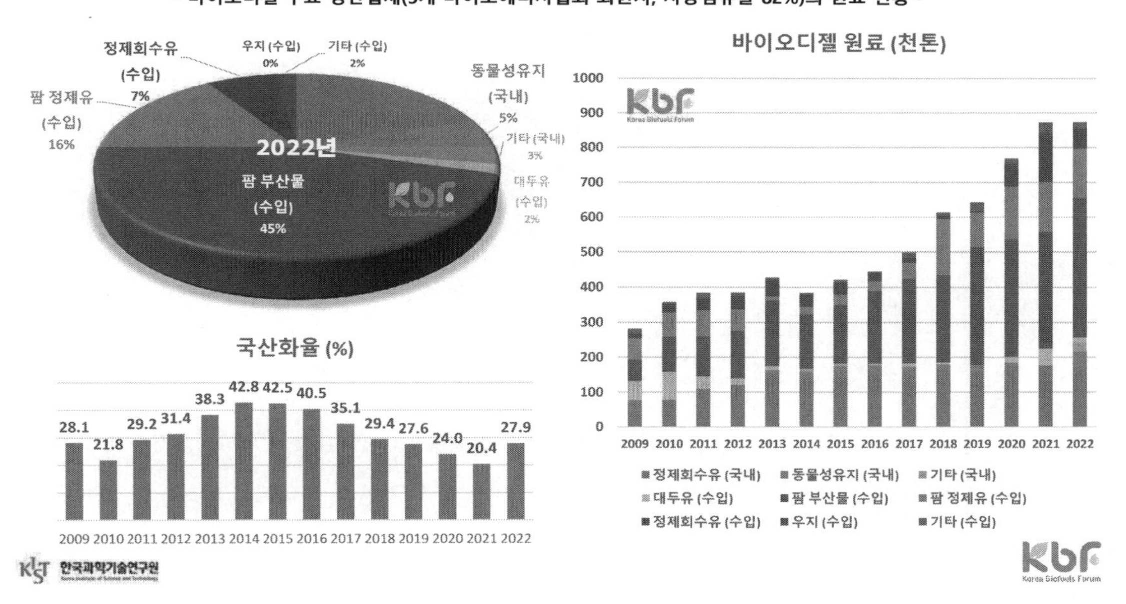

KIST 한국과학기술연구원

Kbf Korea Biofuels Forum

KIST 한국과학기술연구원

Kbf Korea Biofuels Forum

발전용 바이오중유의 현황 및 산업 전망

- ❑ 기존 기력발전기 기준 설정된 '국가전력수급기본계획'에 따라 점차적 기력발전기 폐지 예정
  - 2022년 총 459,353kL 보급 (2021년 대비 14% 감소)
  - 동서발전 울산기력의 폐지 및 LNG 복합화력 가동 등으로 바이오중유 발전량 급감 예상

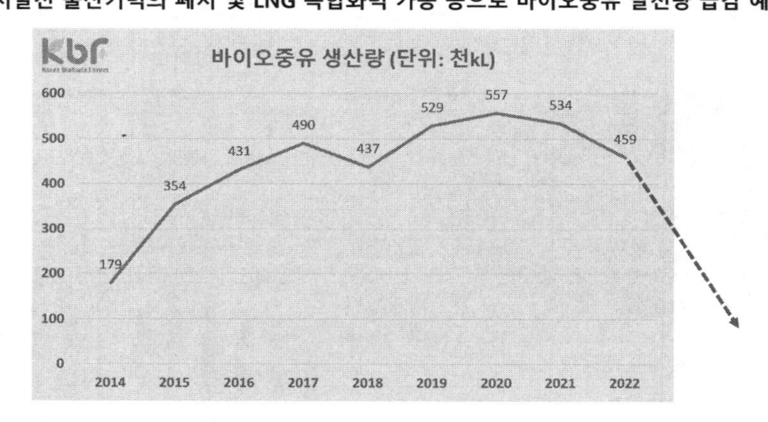

- ❑ 바이오중유 수요는 2022년 이후 계속하여 2014년 소요량인 18만kL보다 낮아질 것으로 예상
  → 국내 재생에너지 정책의 실질적 퇴보

바이오중유의 원료

- ❑ 유가 및 원료(팜유)의 가격에 따라 원료물질 종류 및 사용량이 달라짐
- ❑ 생산 기술력 향상에 따라 저가 원료물질 (부산물, 음폐유 등) 사용 증가

- 바이오중유 주요 생산업체(4개 바이오에너지협회 회원사, 시장점유율 85%)의 원료 현황 -

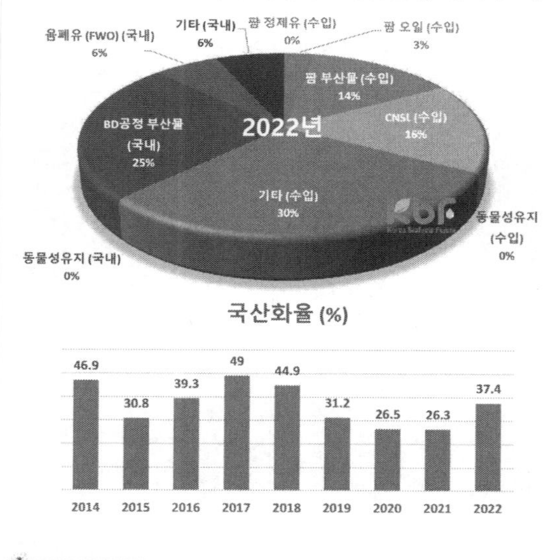

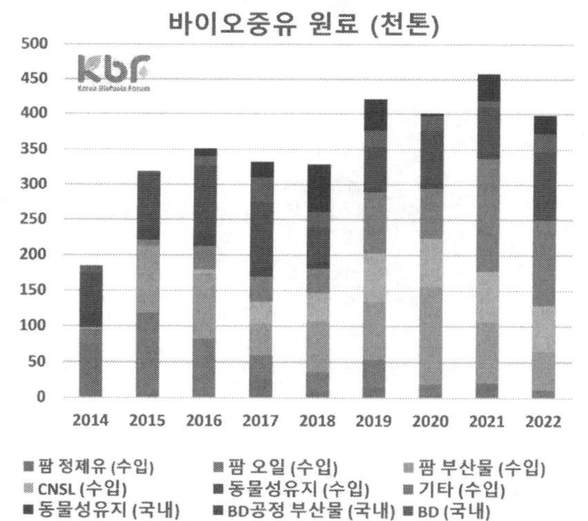

한국과학기술연구원

Kbr Korea Biofuels Forum

세계 유일의 자원순환형 바이오중유 생산 시스템

- 고산가 팜 부산물 (PFAD, PAO), 바이오디젤 공정 부산물 (Pitch), Oleochemical 부산물 등 비식용이며 저가의 폐기물에 가까운 원료를 품질기준에 맞게 반응·정제·혼합 제조하여 생산
- 폐식용유는 물론 음폐유 및 동물성 유지도 원료로 활용

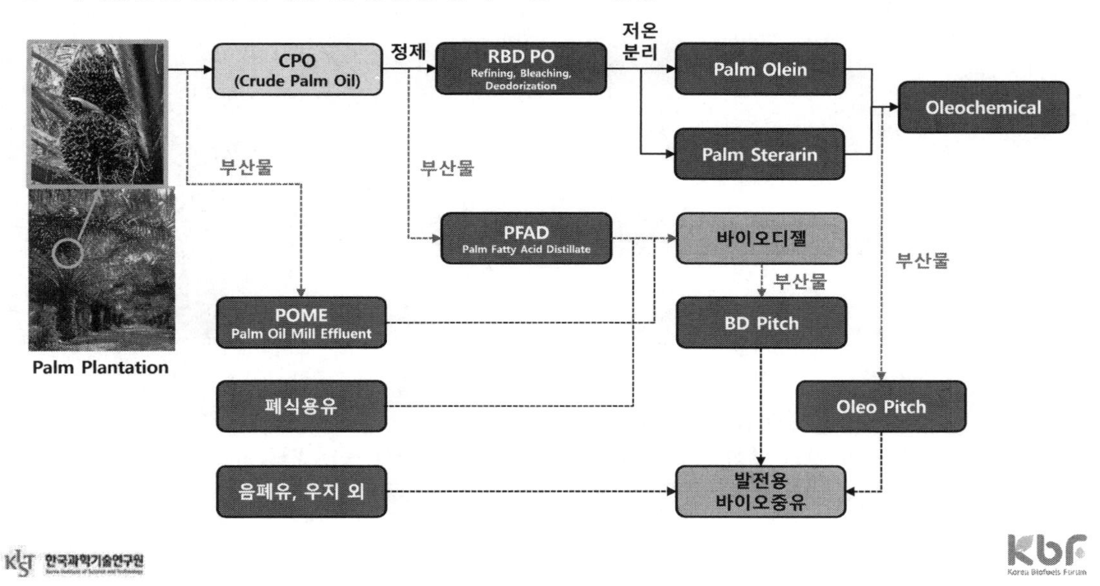

KIST 한국과학기술연구원 　　　　kbf Korea Biofuels Forum

발전용 바이오중유 시범보급사업

- 기간: 2014년 1월 1일 ~ 2019년 3월 14일
- 발전사업자 (5개사): 발전 4사 (중부, 서부, 남부, 동서) 및 한국지역난방공사
- 생산업자 (21개사): BD 공급사, 유지사 등 제조설비(고형불순물 제거 설비, 수분 제거설비, 혼합조 및 저장시설)를 갖춘 사업장 (총 생산능력 2,731,560 kL)
- 관리기관: 한국석유관리원

2018년 21개사 등록 (소요량 대비 56배 규모 생산 능력)
11개사 생산, 판매

5개 발전사업자

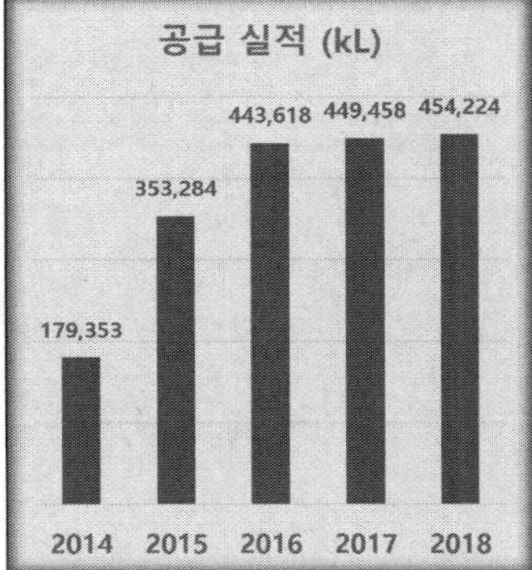

RPS 이행 기여도 (%)

2014	2015	2016	2017	2018
4.2	7.8	8.8	8.5	6.6

KIST 한국과학기술연구원 　　　　kbf Korea Biofuels Forum

바이오중유의 보급과 오염물질 저감 효과

REUTERS

COMMODITIES NEWS

S.Korea to allow biofuel oil for power generation from March 15

SEOUL, March 7 (Reuters) -

* South Korean utilities will be allowed to use biofuel oil for power generation as part of the government's efforts to reduce emissions and encourage the usage of cleaner energy sources, an energy ministry official said on Thursday

8 2019년 7월 8일 월요일 이투뉴스

제주화력, 바이오 중유로 온실가스·미세먼지 감축

벙커C유 대체로 바이오 중유 보급한 첫 사례

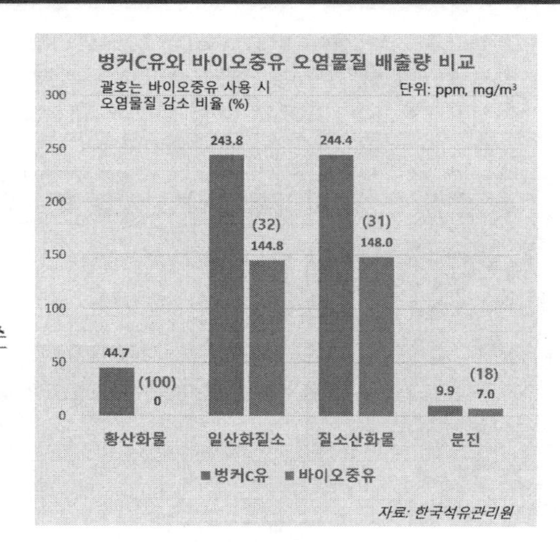

- 기존 발전소의 보일러 연료만의 대체를 통한 친환경 발전
- 신규 설비에 의한 민원 발생 가능성 없으며 순차적 전환기간 동안 다양한 원료 개발 가능
- 누출 시 3주 이내 90% 생분해 (해양오염 방지)

KIST 한국과학기술연구원

kbf Korea Biofuels Forum

세계적 수준의 바이오중유 발전 및 친환경성 확인

- 바이오중유 사용에 따른 탈질·탈황 설비 가동 중단
  - 바이오중유 100% 전소, 중부발전 제주기력#3호기
- 발전용 바이오중유 LCA(전주기) 연구 결과 (에코네트워크)
  - 지구온난화지수 (Global Warming Potential: GWP) 범주에서 바이오중유 발전은 기존 중유 화력발전 대비 온실가스 81.6% 저감 효과 발생
  - 비생물자원 소모지수 (Abiotic resource Depletion Potential: ADP) 차원에서 바이오중유 발전은 기존 중유 화력발전 대비 85.9% 저감 효과 발생
  - 탄소배출권 사업 타당성 검토 통한 국외 온실가스 배출권 확보 및 해외시장 진출 가능

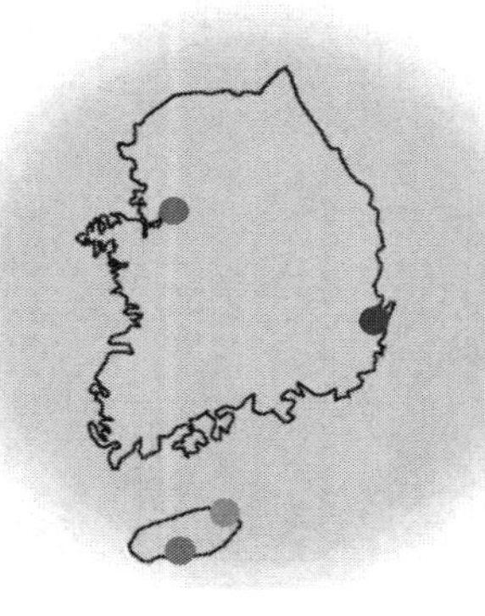

발전소	기술수준
중부발전 (제주) 제주기력3호기	바이오중유 전소 세계 최초 (79MW) 상업 운전 (2014. 06)
남부발전 (남제주) 남제주기력1호기	바이오중유 전소 세계 최대 (100MW) 상업 운전 (2014. 10.)
동서발전 (울산) 울산기력6호기	세계 최대 (400MW) 바이오중유 전소 실증 성공
서부발전 (평택) 평택기력1호기	국내 최초 (350MW) 15% 혼소 성공 (2015. 08)

KIST 한국과학기술연구원

선박용 바이오중유 상용화 배경

- IMO2020에 따른 전세계 해운업계 동향 (IMO: International Maritime Organization, 국제해사기구)
  선박용 연료의 황 함량 규제 대폭 강화(3.5% → 0.5%)로 인한 SO_X 규제 및 대응
  - 저유황유 연료 대체
  - 스크러버 설치
  - LNG 선박

Low Sulfur Fuel | Exhaust gas cleaning systems (Scrubbers) | Liquid Natural Gas

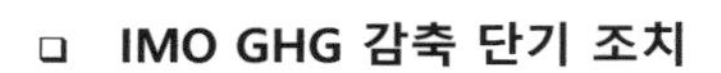

- IMO GHG 감축 단기 조치
  - 국제 해운 온실가스 총배출량 저감
    2008년 대비 2050년까지 온실가스 배출량 50% 저감 (수정(안): 2050년 Net Zero)
  - Carbon Intensity <평균 운송 업무(Transport Work)당 이산화탄소 배출량>
    2008년 대비 2030년까지 40%, 2050년까지 70% 감축

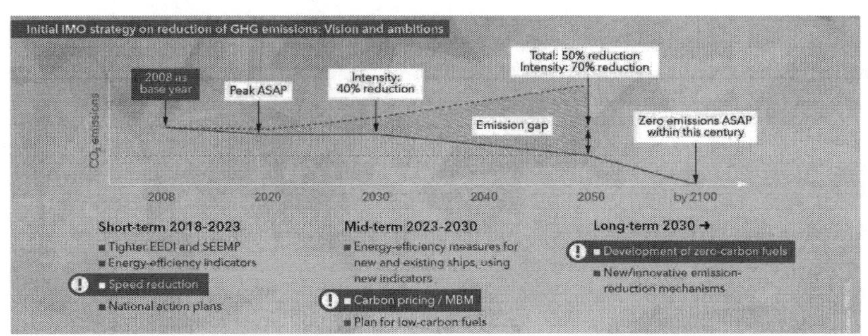

한국과학기술연구원

선박용 바이오중유 상용화 추진 현황

한국과학기술연구원

Kbf Korea Biofuels Forum

바이오연료 개발 현황

바이오연료	대체 화석연료	개발 수준	기관
2nd Gen. Bioethanol	Gasoline	Pilot	창해에탄올/KIST
2nd Gen. Biobutanol	Gasoline	Demonstration	GS칼텍스 (세계 최초)
Hydrotreated BD (HBD)	Diesel	Demonstration	SK이노베이션
Pyrolysis oil (Bio-oil)	Diesel/B-C	Demonstration	대경에스코
Bio-Jet fuel	Jet fuels	Pilot	고등기술연구원/ADD
F-T Diesel (BTL)	Diesel	Applied	한국화학연구원
Pure Vegetable Oil (PVO)	Diesel/Heavy oil	Applied	농촌진흥청
BioDME	Diesel/LPG	Basic	한국가스공사, 고등기술연구원
Microalgal biofuels	Diesel/Jet fuels	Basic/Applied	KAIST, 인하대
Macroalgal biofuels	Gasoline/others	Basic	부경대

목질계 바이오에탄올 (2세대 바이오연료)

사탕수수 및 옥수수 기반 1세대 바이오에탄올에 비해 경제성 미흡으로 대부분 상용 공정 가동 중단

- 전세계 상용 설비 10개소 이하, 미국 POET-DSM 설비 (20MGY) 규모 1/10로 축소하여 가동
- 브라질 바가스 (사탕수수 에탄올 목질계 부산물) 원료 활용 설비 가동 중

세계 최초 상용 규모 20 MGY 설비 (2013)
Crescentino, 이태리, 2017년 가동 중단

세계 최대 규모 30MGY DuPont 설비 (2015)
Nevada, IA, 미국, 2017년 가동 중단

KIST-창해에탄올 인도네시아 ODA사업 수행
(2010. 6. 30 ~ 2012. 12. 31)

열대농업부산물(팜 EFB)을 이용한 바이오에탄올 생산 파일럿 플랜트 설치 및 운전 (100 kg/일)

창해에탄올 국내 목질계 원료(거대억새)를 이용한 바이오에탄올 생산 실증 (1 톤/일)

인도네시아 세르퐁 소재
목질계 바이오에탄올 파일럿 플랜트

창해에탄올
목질계 바이오에탄올 파일럿 플랜트

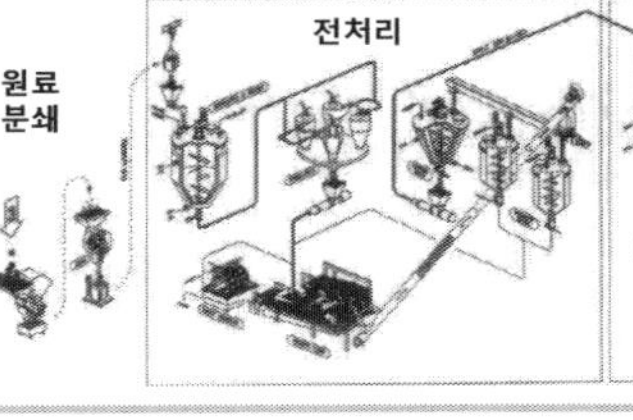
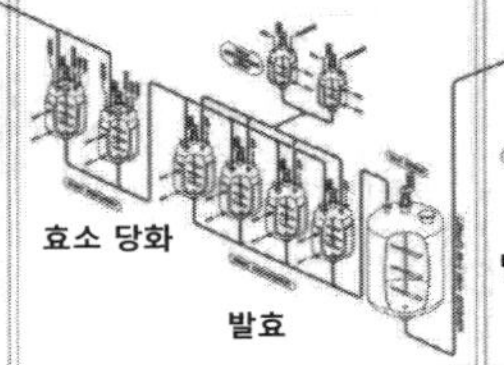
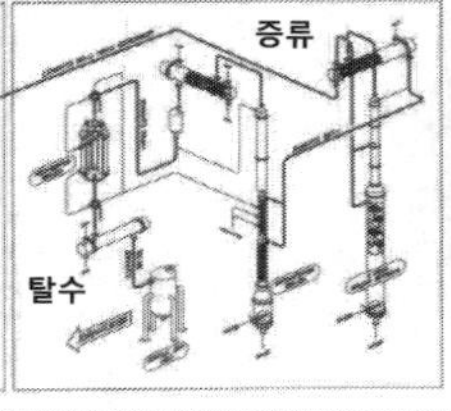

인도네시아 파일럿 플랜트 준공식

목질계 바이오부탄올

GS칼텍스는 2007년부터 약 10년 간의 연구를 통해 바이오부탄올 생산 핵심기술 확보 및 파일럿 규모 기술 개발을 완료하고, 세계 최초로 준상용급 목질계 바이오부탄올 실증 플랜트를 구축·운전함

- Ideation (2006)
- 1세대 (당질계) 핵심기술 개발 (2010~2013)
- 1세대 (당질계) 파일럿 (2010~2013)
- 2세대 (목질계) 파일럿 (2014~2015)
- 2세대 (목질계) 실증 (2016~)

바이오에탄올 단점
친수성 (물과 혼합), 부식성, 낮은 에너지 함량 (휘발유의 2/3)

- 높은 에너지 함량 (에탄올의1.4배, 휘발유와 비슷)
- 에탄올에 비하여 6배 낮은 휘발성
- 휘발유의 완벽한 대체 연료
- 기존 파이프라인을 통한 이송 가능

목질계 바이오부탄올 실증 플랜트

- 생산규모: 부탄올 400톤/년 (ABE 기준 약 500톤/년)
- 원료: 국내 폐목재 및 해외 바이오매스 (EFB 등, 약 3,000톤/년)

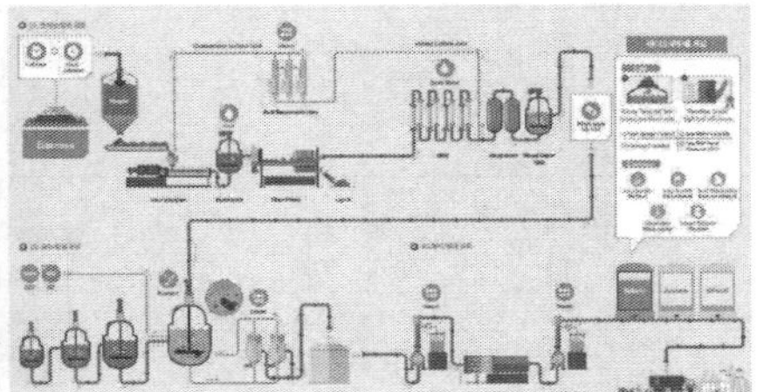
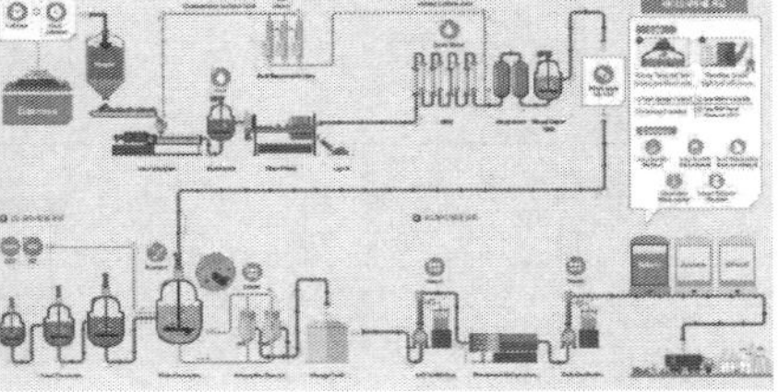

수첨 바이오디젤 (HBD: Hydrotreated Biodiesel)

수첨 바이오디젤 상용 생산

- 핀란드 Neste Oil (NExBTL) HVO 공정: 선도기업
  연간 19만톤 규모 공장 2기 가동 (2007, 2009) Porvoo, 핀란드
  네덜란드 로테르담, 싱가포르에 각각 80만톤 규모 설비 가동
- 미국 UOP와 ENI (Green Diesel) Ecofining 공정
- 브라질 Petrobras (H-Bio)

수소첨가반응을 통해 동식물성 유지 중 산소 제거
→ 기존 석유계 연료와 조성 유사하여 품질 제약 거의 없음

SK이노베이션 독자 촉매/공정 기술 개발 후
울산 공장 내 실증 완료함

- 수첨 탈산소 촉매 기술 개발 (2007~2009년)
- 촉매/공정 최적화 및 저온성상 개선 공정 개발 (2009)
- 실증 플랜트 (규모 20BBL/D) 건설 및 시운전 성공 (2012)

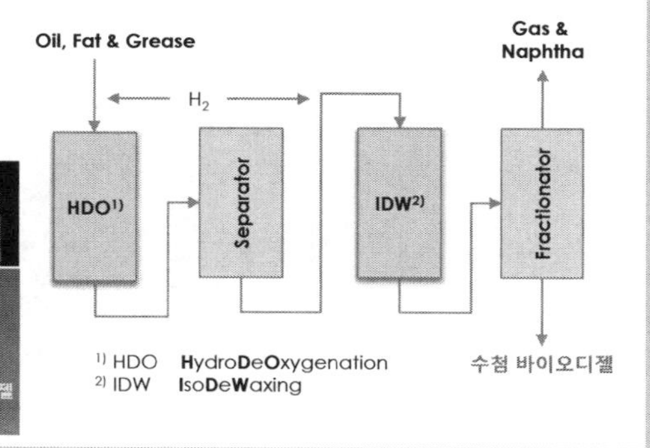

KIST 한국과학기술연구원 | kbf Korea Biofuels Forum

바이오매스 열분해유 (바이오오일)

일부 상용화, 열병합 발전 등에 활용
고품질화는 연구 개발 중

캐나다 Ensyn/Envergent (8 MWth, 30 MWth)
핀란드 VTT/Valmet/Fortum (30 MWth)
네덜란드 BTG-BTL/Empyro (25MWth)

국내 대경에스코에서 원료 20톤/일 규모 실증 성공

촉매 업그레이딩 반응으로 수송용 연료 수준까지 전환
1단계 보일러, 2단계 엔진 및 터빈에 활용 연구 개발
다양한 원료의 적용 가능성 확인

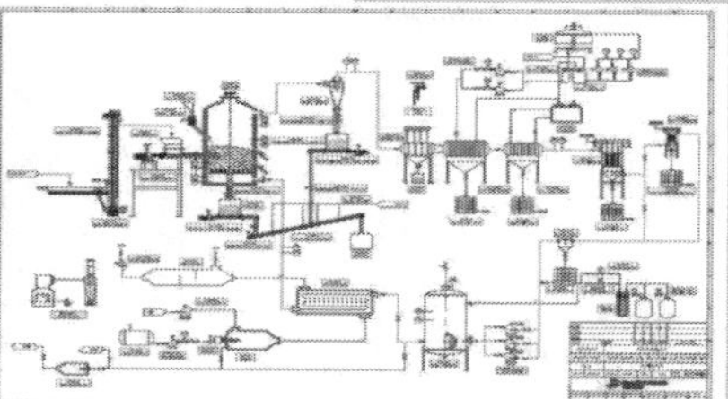

KIST 한국과학기술연구원 | kbf Korea Biofuels Forum

바이오항공유 (SAF: Sustainable Aviation Fuel)

연도	2025	2030	2035	2040	2045	2050
EU SAF target (vol.%)	2	6	20	34	42	70

영국: 10% (2030), 75% (2050)
미국: 30억 배럴 (2030), 350억 배럴 (2050)
노르웨이(0.5), 스웨덴(2.6), 프랑스(1.0) SAF 시행중 (2023)
일본: 10% (2030)

국내: 생산/실증 (2023-4), 품질기준 (2025), 상용화 (2026)

주요 바이오항공유 제조 공정
- HEFA (Hydroprocessed Esters and Fatty Acids)
- ATJ (Alcohol-to-Jet)

World Energy 소유 상용급 바이오항공유 생산 플랜트 (2018, 연간 3500만 갤런 생산)

CO_2 배출량

Source: IEA 2020

2000 | 2018

Services, Households, Other sectors, Industry, Air transport, Transport, Electricity/heat

3.05% 7.90% 7.18% 16.72% 2.92% 24.92% 40.23%

2.54% 6.07% 6.67% 18.38% 24.64% 41.71%

3.01% Air transport
18.17% Road transport
2.64% Shipping
0.81% Other transport

고등기술연구원 ADD 용역과제 수행
('15.12 ~ '20.06)
- 팜유 적용 바이오항공유 제조기술 국산화
- 파일럿급 플랜트 설치 및 운전 (2.5톤/년)
- 톤급 바이오항공유 품질규격화 제조/납품
- 항공 터빈엔진 테스트 완료

식물성 유지계 바이오항공유 제조 설비
(고등기술연구원 내)

ADD, 팜유 이용해 바이오항공유 대량 제조기술 확보

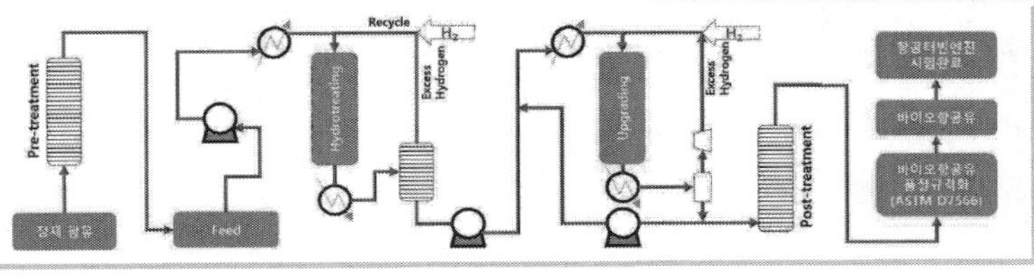

2017년 대한항공이 국내 최초로 시카고 공항에서 옥수수 유래 바이오항공유 (ATJ-SPK, Gevo) 5% 혼합 연료로 여객 수송 완료
식물 추출 '바이오 연료' 넣은 국적기 첫 비행

KIST 한국과학기술연구원

kbf Korea Biofuels Forum

바이오선박유 및 바이오항공유 관련 최근 보도

8월부터 바이오항공유·선박유 투입 시범운항한다 2023-06-28

친환경 바이오연료 활성화 얼라이언스 3차 전체회의 개최
국제 운항 항공기·선박 대상 바이오연료 실증 연구 추진
실증연구 결과 바탕으로 조속한 시일 내 국내 상용화 (바이오선박유 2025년, 바이오항공유 2026년 목표)

	바이오선박유 실증	바이오항공유 실증
기간	2023. 7. ~ 2024. 12. (1.5년)	2023. 8. ~ 2024. 7. (1년)
참여 기관	- 단석산업, JC케미칼, KG ETS, 이맥솔루션, 애경케미칼, SK에코프라임 등 바이오에너지업계 - GS칼텍스 등 정유업계 - HMM, 장금상선 등 해운업계	- 한국석유관리원 주관 - 인천국제공항공사, 한국공항공사 - SK에너지, GS칼텍스, 한화토탈에너지스, S-OIL, HD현대오일뱅크 등 정유업계 - 대한항공 등 항공업계
내용	- 바이오선박유 품질 검증 - 육상실증(선박용 엔진 평가)을 통한 성능·안전성 검증 - 해상실증(선박 적용)을 통한 안전성·내구성 검증	- 항공기-바이오항공유(SAF) 시범 투입·운항 - SAF 품질·성능·안전성 검증 - SAF 제반 인프라(혼합·운송·저장·급유 등) 점검 - 한국~구주/미주 노선 중 추후 확정 예정 (이후 노선 추가 계획)
정부	- 산업부는 실증연구 결과를 바탕으로 품질기준을 마련하는 등 신규 바이오연료의 국내 상용화를 위한 법·제도 기반을 정비할 예정 - 산업부, 국토부, 해수부 공동 바이오연료의 원활한 보급 및 활용 확대를 위한 지원정책 마련	

한국과학기술연구원

바이오연료 관련 최근 보도

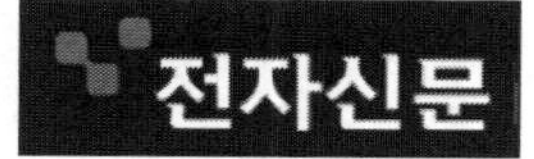

산업부 "상반기 '바이오경제 2.0 전략' 발표" 예정
바이오경제 미래전략포럼 개최
레드·그린·화이트 바이오 산업이10~20년내에 2~4조달러 규모 경제가치 창출
2023-04-26

이창양 "바이오경제 2.0 추진, 산업 전반 혁신 성장 박차"
LG화학 오송공장 찾아 바이오소재·에너지 등 산업 육성 계획 밝혀
2023-01-03

바이오디젤 의무혼합 2030년 8%...
2025년 바이오선박유, 2026년 바이오항공유 도입 추진
2022-10-13

동서발전, 폐목재를 바이오매스 연료로 생산
연 4000t 탄소배출 감소 효과
울주군과 '자원화 사업' 협약
2023-01-06

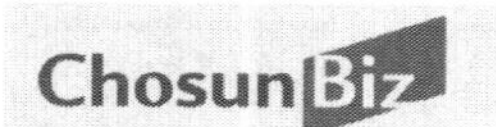

선박 대체 연료로 바이오연료 주목...수소는 연안수송에 적합
암모니아 연료 열량, 석유 연료의 80% 수준
수소는 저온 저장 및 부피 문제로 장거리 운항 제한돼
2022-11-19

아이뉴스24

항공·해운은 '전기'로 대체 불가...바이오 연료 사업 확대 나서는 정유업계
바이오디젤 가격 3년 만에 2배 이상↑...
글로벌 환경 규제 강화에 수요 급증
2022-11-07

한국과학기술연구원

바이오매스 원료 확보

- 국내 활용 가능 산림 및 농업부산물 자원의 확보
  - 임도의 개발 및 확대, 계획에 의한 체계적인 접근
- 국내 업체가 개발한 해외농장을 통한 바이오매스 원료 확보 검토
  - 해외자원개발의 의미 부여, 1차 가공 후 도입 방법
- 바이오매스의 안정적인 수입원 확보
  - 바이오매스 전환기술과 연계된 수입원의 다각화
- 당질계 및 전분계 1세대 바이오매스 자원에 대한 재고
  - 차세대 바이오매스의 전환 기술 한계 극복, 전과정 분석
- 셀룰로오스계 바이오매스 확보를 위한 체계적 접근
  - 에너지 작물, 미활용 바이오매스 폐자원 등
- 바이오매스 원료로서의 해조류 양식 및 전환에 대한 중장기적인 접근
  - 세계적인 양식 기술의 활용, 양식과 전환의 병행

KIST 한국과학기술연구원

Kbf Korea Biofuels Forum

바이오연료의 활성화 방안

- 바이오매스 및 바이오연료에 대한 인식 제고
  - 바이오매스에 대한 막연한 환경오염원 인식 개선
  - 기저부하를 대체할 수 있는 유일한 재생에너지원임을 홍보
  - 탄소중립 달성을 위한 가장 현실적인 재생에너지
- 상용화를 위한 제도적, 법적 기반 마련
  - 바이오에탄올의 도입 및 다양한 바이오연료의 개발, 보급을 위한 정책적인 지원
- 바이오디젤, 바이오중유 같은 폐자원 순환 시스템 개발 및 보급 확대
  - 자원 재활용 방안을 종합적으로 고려
  - 기존 기력발전소 폐지 계획을 바이오중유 전용으로 전환
- 환경 규제 강화 및 온실가스 감축 환경에 효과적 대응
  - IMO2020 따른 선박용 연료 황 함량 규제 강화 (3.5% → 0.5%) 등
  - 대체 불가한 바이오선박유 및 바이오항공유의 개발 및 보급
- Stand alone 보다는 Hybrid/Integrated 설비 활용
  - 저가 연료의 한계성 극복을 위한 고가 화학물질의 병행 생산

KIST 한국과학기술연구원

Kbf Korea Biofuels Forum

바이오연료에 바른 인식이 필요

단편적 지식에 의한 바이오연료에 대한 곡해

바이오연료는 착한 기름이다.

탄소중립 조기 실현에
기여할 수 있는
가장 현실적인 에너지원

감사

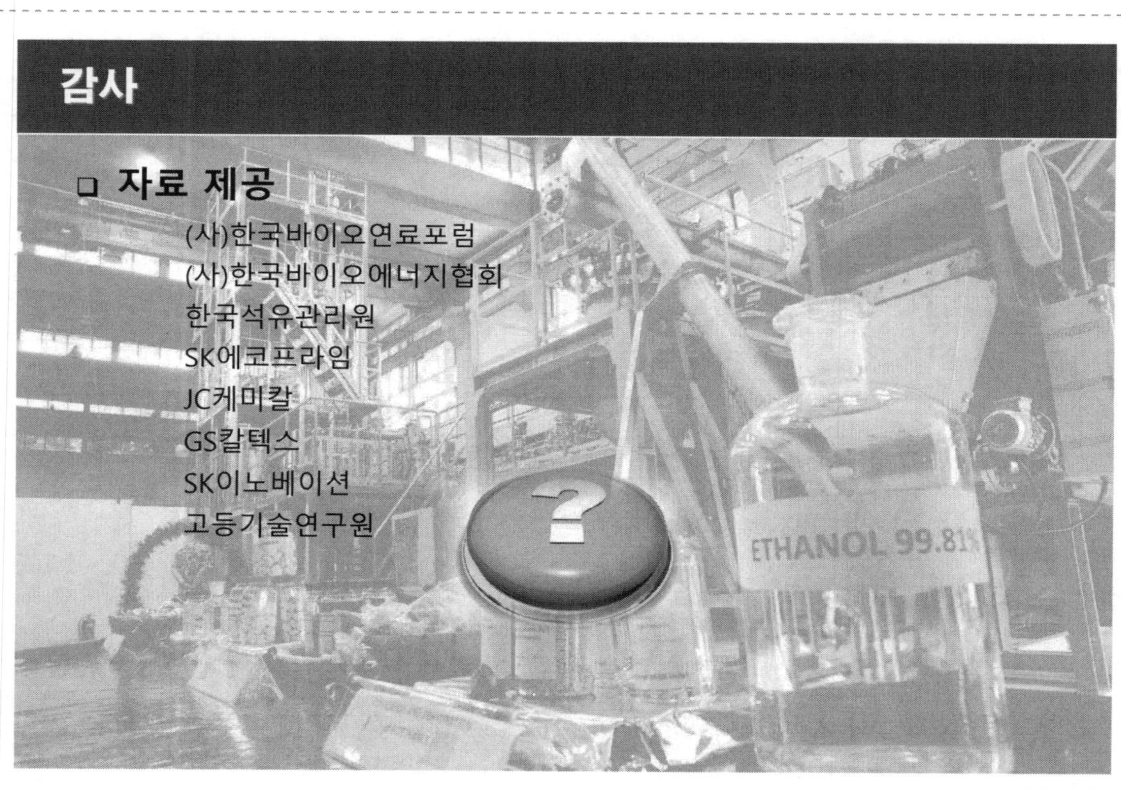

- 자료 제공
  - (사)한국바이오연료포럼
  - (사)한국바이오에너지협회
  - 한국석유관리원
  - SK에코프라임
  - JC케미칼
  - GS칼텍스
  - SK이노베이션
  - 고등기술연구원

도진우 선임

한국석유관리원 미래기술연구소 선임연구원

2012~	한국석유관리원 미래기술연구소
2005	부경대학교 응용지질학 석사

최근 전지구적인 기후위기에 대응하기 위한 탄소중립 기술개발이 활발히 진행되고 있다. 국제에너지기구(IEA)에 따르면, 2050년까지 탄소 배출량 제로에 도달하기 위해서는 필수적인 감축 수단이 필요하고, 특히, 청정 기술 개발추진을 통해 화석연료에서 바이오 에너지로의 빠른 전환이 요구됨을 전망하고 있다. 또한, 장거리 운송으로 인해 전기로 에너지 수요를 충족하기 어려운 항공 및 해운 분야에서는 저배출 연료인 바이오연료에 의존할 수 할 수 밖에 없으며, 이러한 바이오연료는 기존 화석연료의 유통 인프라 및 사용 기술과 호환 가능한 장점이 있다.

국제사회의 탄소중립 목표 이행에 발맞추어 세계 각국에서는 국가별 온실가스감축목표(NDC)를 설정하여 공포하고 효율적인 감축수단 기술 개발을 추진하고 있다.

우리나라에서는 산업부에서 「친환경 바이오연료 확대방안('22.10.)」을 발표하여 탄소감축 수단으로서 친환경 바이오연료의 역할이 필수적임을 인지하고, 바이오연료 확대를 통한 석유의존도 완화 및 에너지 안보 제고를 추진하고 있다.

표준(standards)은 무게, 질량, 범위, 품질 등의 측정 원칙이나, 공정, 분석 방법 등의 기술, 혹은 사회 문화적 관습이나 가치 등이 이해관계자들의 합의에 의해 결정된 것을 뜻하며 표준 제정을 통해 공통된 기준을 설정하고 일상 생활에서 활용할 수 있다.

이러한 표준은 제품의 안정적인 품질관리, 제품 특성 분석을 위한 정확한 시험방법 제공 등의 장점을 가지고 있으며, 연구개발(R&D)을 통해 개발한 다양한 기술들의 상용화를 위해서 표준화는 매우 중요한 역할을 한다.

본 강의에서는 표준에 대한 이해와 함께 바이오연료 기술과 관련한 국내외 표준화 현황을 살펴보고자 한다.

바이오연료
전주기기술
무료교육

바이오연료 기술 표준화 동향

도진우 선임
한국석유관리원

국가표준기술력향상사업

바이오연료 기술 표준화 동향

2023. 12. 7. (목)

도 진 우

목 차

1. 표준(Standards)

2. 국내외 바이오연료 표준화 현황

목 차

1. 표준(Standards)

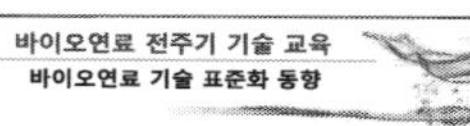

표준(Standards)

정의:
무게·질량·범위·품질 등의 측정 원칙이나, 공정·분석 방법 등의 기술, 혹은 사회 문화적 관습이나 가치 등이 이해관계자들의 합의에 의해 결정된 것

산업표준이란?
광공업품의 종류, 형산, 품질, 생산방법, 시험·검사 · 측정 방법 및 산업 활동과 관련된 서비스의 제공 방법·절차 등을 통일하고 단순화하기 위한 기준[국가표준기본법 제3조]

표준 예시

A4용지

- 1975년 용지 사이즈를 국제표준으로 등록
- 전세계에 통용되는 용지 및 용지 활용 기계(복사기 등)들의 효율성을 강화함

KS에서 정한 종이 크기

size	A열 용지 (mm)	B열 용지 (mm)	size	A열 용지 (mm)	B열 용지 (mm)
0	841x1189	1000x1414	6	105x148	125x176
1	594x841	707x1000	7	74x105	88x125
2	420x594	1000x707	8	52x74	37x52
3	297x420	500x353	9	37x52	26x37
4	210x297	250x353	10	44x62	31x44
5	148x210	176x250			

A0
841 × 1189 mm
33.1 × 46.8 in

픽토그램

- 2004년 한국의 공공안내그림표지(KS A 0901)를 제정비한 후 2005년 국제표준으로 채택

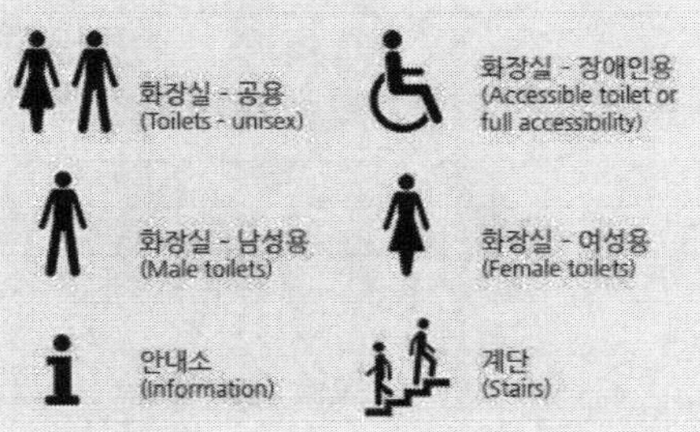

화장실 - 공용 (Toilets - unisex)
화장실 - 장애인용 (Accessible toilet or full accessibility)
화장실 - 남성용 (Male toilets)
화장실 - 여성용 (Female toilets)
안내소 (Information)
계단 (Stairs)

(출처) KSA

4

표준(Standards)

국가표준 이란?

국가사회의 모든 분야에서 정확성, 합리성 및 국제성을 높이기 위하여 국가적으로 공인된 과학적·기술적 공공기준으로서 산업표준, 측정표준, 참조표준 등 '국가표준기본법'에서 규정하는 모든 표준을 말한다.

'국가는 국가표준제도를 확립한다.'

- 헌법 第127조 第2항 -

5

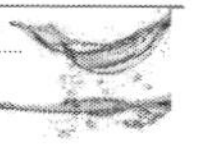

표준 법령체계

헌법
국가표준 기본법
산업표준화법
표준, 인증 관련법령
헌법 제127조제2항
국가는 국가표준 제도를 확립한다.
국가표준 정의, 기본계획 수립, 국가표준과 국제표준 부합화, 국가표준 활용의무, 국가표준체계의 총괄관리 등 규정
산업표준심의회 운영, KS의 적합성인증 운영, 산업표준화 및 품질경영 촉진, 범부처 국가표준운영 등
산업표준화법, 방송통신발전 기본법, 계량에 관한 법률, 전기용품 및 생활용품 안전관리법, 어린이제품안전특별법, 기타 소관부처 표준 · 인증관련 법

(출처) KATS

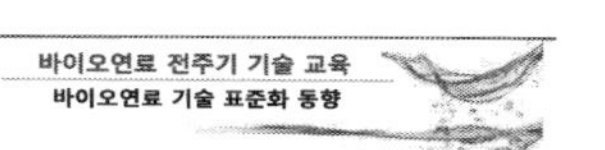

[참고] 표준과 기술기준

표준	기술기준
•공인된 표준화 기구나 생산자 협회 혹은 표준 관련 협회에서 기술적·전문적 사항들이 충분히 검토된 후 이해관계자들이 참여한 가운데 합의 방식으로 공식 제정 •또는 시장 내 우위에 있거나 지배력이 큰 조직이 사용하는 기술명세를 표준으로 활용(사실상표준)	•법령에 근거하여 제품의 특성, 관련 공정 및 생산 방법과 이에 적용되는 관련 행정 조치를 나타낸 기술 명세로서 그 준수는 의무적 · 강제적

표준: 임의표준과 강제표준으로 구분
강제표준: 법으로 규정하여 생산자에게 의무화하는 표준(기술기준)
임의표준: 생산자가 자율적 판단으로 선택하는 표준(KS, ISO, IEC 등)

표준 구분

- 표준
  - 과학기술적 표준
    - 성문 표준
      - 산업 표준
      - 보건 안전 기준
      - 환경 기준
    - 측정 표준
      - 국제 단위계 (S)
      - 표준 가준 물질
      - 법정 계량 단위
    - 참조 표준
      - 표준 참조 자료
  - 인문사회적 표준
    - 언어 부호 법규
    - 능력 태도 행동 규범 책임
    - 전통 관습 가치 권리 의무

(출처) KSA

표준의 종류

- 측정표준: 산업 및 과학기술 분야에서 양의 측정단위 또는 특정량의 값을 정의하고, 현시하며, 보존 및 재현하기 위한 기준으로 사용되는 물적 척도, 측정기기, 표준물질, 측정방법 또는 측정체계[국가표준기본법제3조]
- 참조표준: 측정데이터 및 정보의 정확도와 신뢰도를 과학적으로 분석·평가하여 공인된 것으로서 국가사회의 모든 분야에서 널리 지속적으로 사용되거나 반복 사용할 수 있도록 마련된 물리화학적 상수, 물성값, 과학기술적 통계 등
- 성문표준: 광공업품의 종류, 형상, 품질, 생산방법, 시험·검사·측정방법 및 산업활동과 관련된 서비스의 제공방법·절차 등을 통일하고, 단순화하기 위한 기준

바이오연료 전주기 기술 교육
바이오연료 기술 표준화 동향

표준 분류

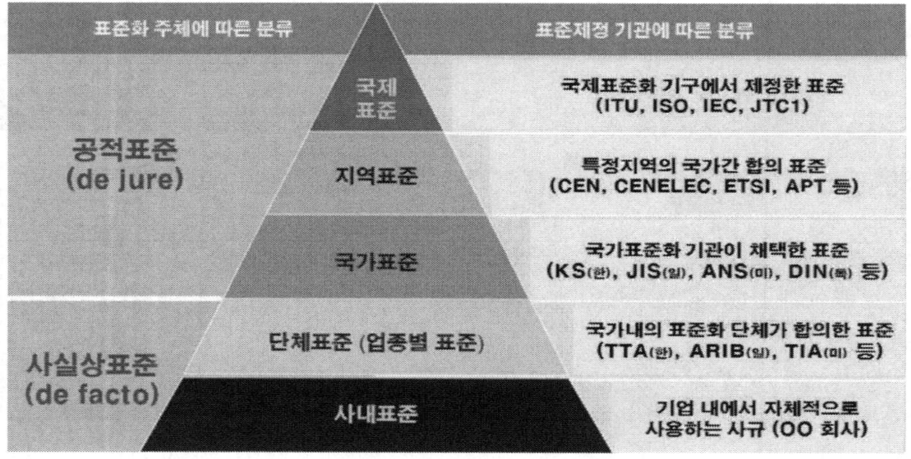

표준화 주체에 따른 분류
표준제정 기관에 따른 분류
공적표준
(de jure)
사실상표준
(de facto)
국제
표준
지역표준
국가표준
단체표준 (업종별 표준)
사내표준
국제표준화 기구에서 제정한 표준
(ITU, ISO, IEC, JTC1)
특정지역의 국가간 합의 표준
(CEN, CENELEC, ETSI, APT 등)
국가표준화 기관이 채택한 표준
(KS(한), JIS(일), ANS(미), DIN(독) 등)
국가내의 표준화 단체가 합의한 표준
(TTA(한), ARIB(일), TIA(미) 등)
기업 내에서 자체적으로
사용하는 사규 (OO 회사)

(출처) 국립전파연구원

10

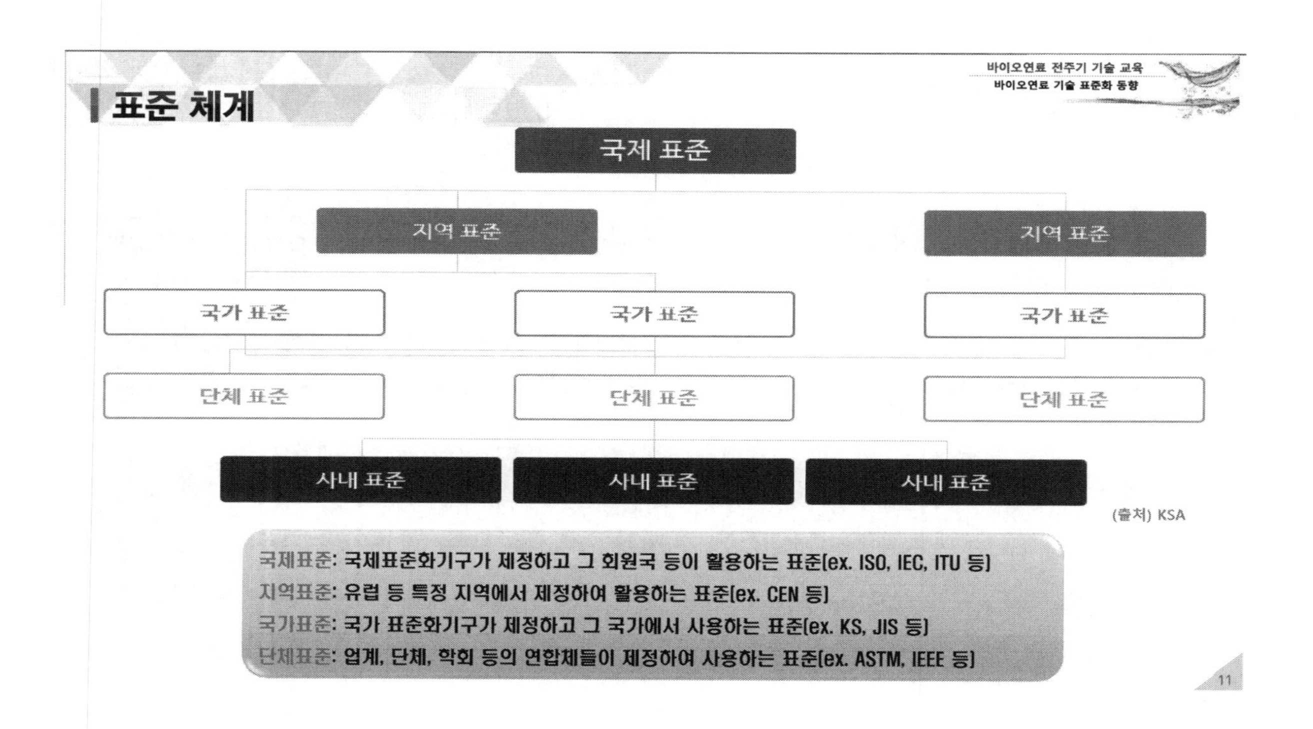

바이오연료 전주기 기술 교육
바이오연료 기술 표준화 동향
표준 체계
국제 표준
지역 표준
지역 표준
국가 표준
국가 표준
국가 표준
단체 표준
단체 표준
단체 표준
사내 표준
사내 표준
사내 표준
(출처) KSA
국제표준: 국제표준화기구가 제정하고 그 회원국 등이 활용하는 표준[ex. ISO, IEC, ITU 등]
지역표준: 유럽 등 특정 지역에서 제정하여 활용하는 표준[ex. CEN 등]
국가표준: 국가 표준화기구가 제정하고 그 국가에서 사용하는 표준[ex. KS, JIS 등]
단체표준: 업계, 단체, 학회 등의 연합체들이 제정하여 사용하는 표준[ex. ASTM, IEEE 등]
11

[참고] 세계 3대 표준화기구

WSC(World Standards Cooperation): 세계표준협력체

	ISO(국제표준화기구)	IEC(국제전기기술위원회)	ITU(국제전기통신연합)
설립연도	1947	1906	1865
담당분야	전기기술 분야(IEC), 통신 분야 (ITU)를 제외한 모든 기술 분야	전기 및 전자 기술 분야	통신 분야
지위	비정부간 국제기구	비정부간 국제기구	정부간 국제기구
회원국 ('22.10 기준)	166개국(정회원:125, 통신회원:38, 구독회원:3) * 한국 1963년 가입	88개국(정회원:62, 준회원:26) * 한국 1963년 가입	193개 회원국, 900여개 민간회원(기관,기업, 전문가 등)
표준 등 발간 수 ('22.10 기준)	24,541종	10,992종	5,707종
위원회 수 ('22.10 기준)	TC : 258개, SC : 551개	TC : 110개, SC : 102개	ITU-R, SG: 6개, ITU-T, SG: 11개, ITU-D, SG: 2개

국제표준화기구(ISO, IEC)는 민간주도 국제기구로 모든 회원국의 대표기관은 정부기관이 아니므로, 산업계 등 민간의 참여가 중요

(출처) KATS

표준의 역할과 효과

호환성 확보: 기능, 성능을 유지하면서 장치나 기기의 부품 등 구성 요소를 다른 기기의 요소와 서로 바꾸어 쓸수 있는 상용성 확보
기본 품질 보장: 제품이나 서비스의 최소한의 품질 요건을 마련하고 만족시킴
정보 제공: 소비자와 표준 사용자들에게 중요 정보 제공
새로운 무역규범: 환경, 보건, 안전 등에 관해 자국에 유리한 국제표준을 제정하여 무역 경쟁의 수단으로 활용

\+

사회 통합: 보건, 안전, 환경 등 사회의 건강과 안녕을 위한 규범 마련
사회적 책임 이행: 기업의 윤리 의식을 구체적으로 실천할 수 있는 사회적 책임 표준을 추진(ISO 26000 등)
기업 경영전략: 표준 제정 과정에서 시장의 기회와 위험 요인을 반영하기 때문에 전략적 경영활동이 가능
기술혁신도구: 기술 경제적 혜택을 극대화할 수 있는 최신의 기술을 선택

(출처) KSA

표준화의 기본 원칙

- 합의성: 이해관계자 등의 합의 도출
- 공개성: 제정 과정은 모든 이해관계자에게 공개
- 독립성: 특수 이익을 위한 압력으로부터 독립적 수행
- 정당성: 절차는 공정하게 구성 및 참여자들간 공형성 확보
- 효율성: 적은 비용과 시간으로 수행
- 투명성: 모든 제정 과정은 투명하게 진행
- 개방성: 모든 이해관계자들이 참여 가능
- 시장연계성: 시장의 가치와 경제성에 적합
- 시의성: 시대적 요건에 맞게 적절하게 제정

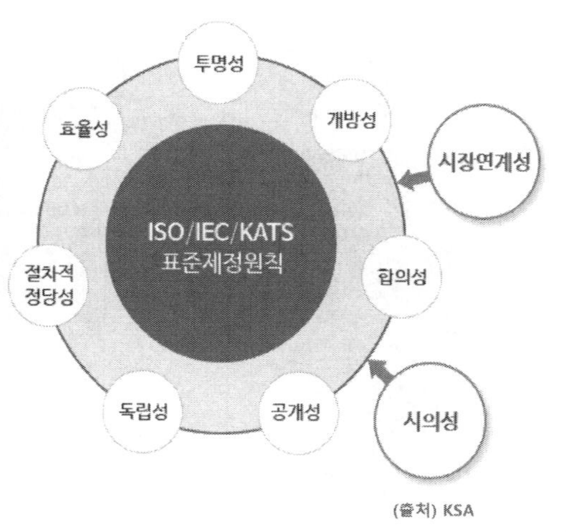

(출처) KSA

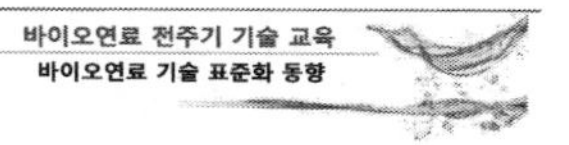

표준화의 주요 이해관계자

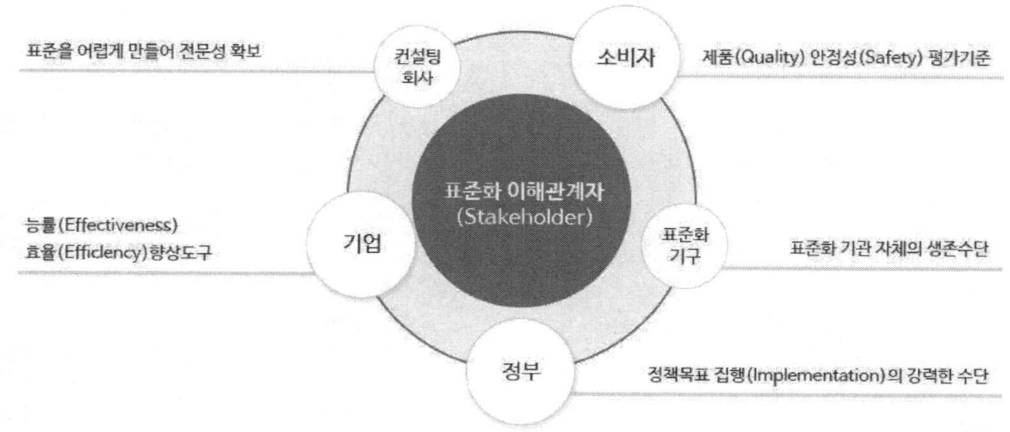

(출처) KSA

바이오연료 전주기 기술 교육
바이오연료 기술 표준화 동향

한국산업표준(KS)

산업표준의 분류 I

대분류	중분류
기본부문(A)	기본일반/방사선(능)관리/가이드/인간공학/신인성관리/문화/사회시스템/기타
기계부문(B)	기계일반/기계요소/공구/공작기계/측정계산용기계기구 · 물리기계/일반기계/산업기계/농업기계/열사용기기 · 가스기기/계량 · 측정/산업자동화/기타
전기부문(C)	전기전자일반/측정 · 시험용 기계기구/전기 · 전자재료/전선 · 케이블 · 전로용품/전기 기계기구/전기응용 기계기구/전기 · 전자 · 통신부품/전구 · 조명기구/배선 · 전기기기/반도체 · 디스플레이/기타
금속부문(D)	금속일반/원재료/강재/주강 · 주철/신동품/주물/신재/2차제품/가공방법/분석/기타
광산부문(E)	광산일반/채광/보안/광산물/운반/기타
건설부문(F)	건설일반/시험 · 검사 · 측량/재료 · 부재/시공/기타
일용품부문(G)	일용품일반/가구 · 실내장식품/문구 · 사무용품/가정용품/레저 · 스포츠용품/악기류/기타
식료품부문(H)	식품일반/농산물가공품/축산물가공품/수산물가공품/기타
환경부문(I)	환경일반/환경평가/대기/수질/토양/폐기물/소음진동/악취/해양환경/기타
생물부문(J)	생물일반/생물공정/생물화학 · 생물연료/산업미생물/생물검정 · 정보/기타

바이오연료 전주기 기술 교육
바이오연료 기술 표준화 동향

한국산업표준(KS)

산업표준의 분류 II

섬유부문(K)	섬유일반/피복/실 · 편직물 · 직물/편 · 직물제조기/산업용 섬유제품/기타
요업부문(L)	요업일반/유리/내화물/도자기 · 점토제품/시멘트/연마재/기계구조 요업/전기전자 요업/원소재/기타
화학부문(M)	화학일반/산업약품/고무 · 가죽/유지 · 광유/플라스틱 · 사진재료/염료 · 폭약/안료 · 도료잉크/종이 · 펄프/시약/화장품/기타
의료부문(P)	의료일반/일반의료기기/의료용설비 · 기기/의료용 재료/의료용기 · 위생용품/재활보조기구 · 관련기기 · 고령친화용품/전자의료기기/기타
품질경영부문(Q)	품질경영 일반/공장관리/관능검사/시스템인증/적합성평가/통계적기법 응용/기타
수송기계부문(R)	수송기계일반/시험검사방법/공통부품/자전거/기관 · 부품/차체 · 안전/전기전자장치 · 계기/수리기기/철도/이륜자동차/기타
서비스부문(S)	서비스일반/산업서비스/소비자서비스/기타
물류부문(T)	물류일반/포장/보관 · 하역/운송/물류정보/기타
조선부문(V)	조선일반/선체/기관/전기기기/항해용기기 · 계기/기타
항공우주부문(W)	항공우주 일반/표준부품/항공기체 · 재료/항공추진기관/항공전자장비/지상지원장비/기타
정보부문(X)	정보일반/정보기술(IT)응용/문자세트 · 부호화 · 자동인식/소프트웨어 · 컴퓨터그래픽스/네트워킹 · IT상호접속/정보상호기기 · 데이터 저장 매체/전자문서 · 전자상거래/기타

17

한국산업표준(KS)

산업표준의 구분

- 제품표준 : 제품의 향상·치수·품질 등을 규정한 것
- 방법표준 : 시험·분석·검사 및 측정방법, 작업표준 등을 규정한 것
- 전달표준 : 용어·기술·단위·수열 등을 규정한 것

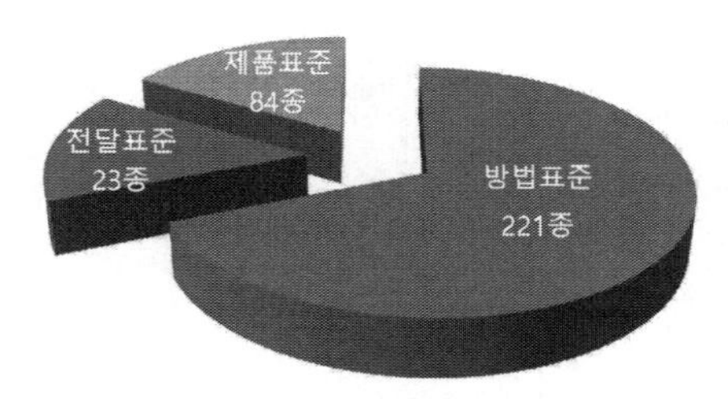

[석유제품 및 윤활유 분야의 산업표준 현황]

바이오연료 전주기 기술 교육
바이오연료 기술 표준화 동향

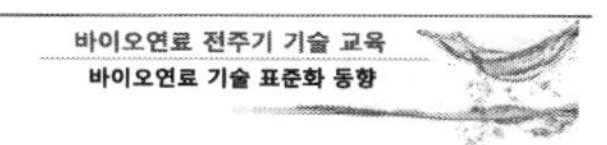

표준활용 예시

석유제품 분야

자동차용 휘발유, 자동차용 경유 등 석유제품 분야의 KS 표준은 석유 및 석유대체연료 사업법에서 정하는 품질기준 항목에 대한 표준 시험방법을 제시하고 있으며, 방위사업청 등 국가기관에서 석유제품 구매 시 품질 가이드라인으로써 활용하고 있음

윤활유 분야

내연기관용 윤활유(엔진오일), 유압작동유 등 윤활유 분야의 KS 표준은 석유 및 석유대체연료 사업법에서 품질기준 및 품질기준 항목에 대한 인용 자료, KS 제품 인증 시의 기준 등으로 활용되고 있음

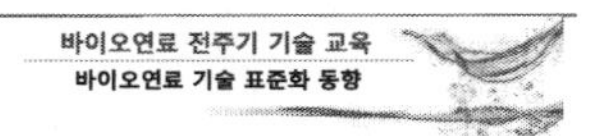

표준개발 및 보급 체계

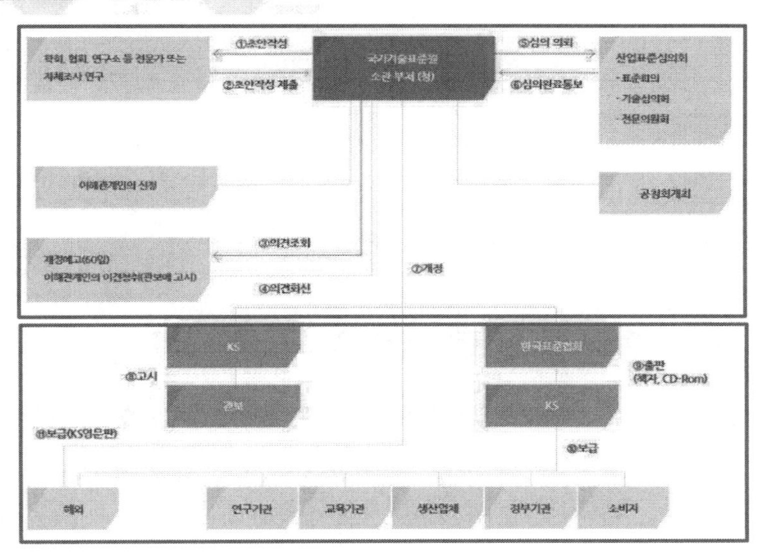

바이오연료 전주기 기술 교육
바이오연료 기술 표준화 동향

표준개발 절차

- **표준(안) 검토, 심의 및 고시**

국가기술표준원은 표준(안)의 예고 고시를 통해 의견수렴 과정을 거친 후, 기술심의회에서 표준안 심의를 거쳐 표준 최종안을 고시

관리원에서는 정비 대상 표준을 발굴, 표준(안) 작성 후, 기술위원회 및 전문위원회를 통해 기술적 검토 후 표준 수정안을 제공

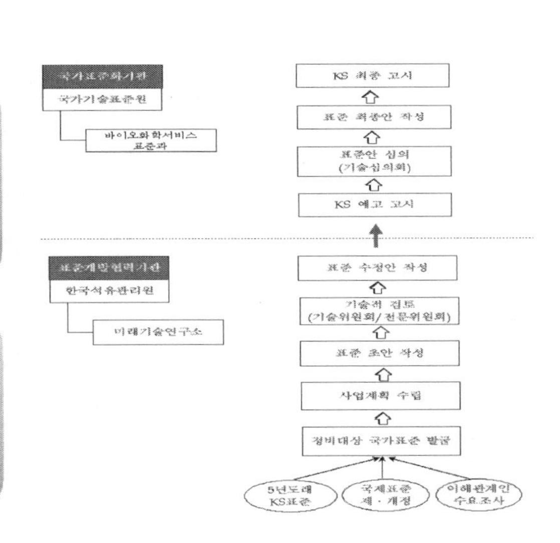

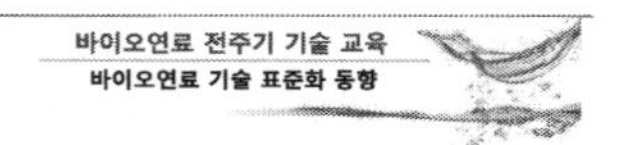

한국산업표준 체계

◈ 한국산업표준㉿

- (근거) 헌법(제127조제2항), 국가표준기본법, 산업표준화법
- (개요) '62년부터 공산품의 통일.단순화를 위해 KS 보급 시작 → '22년 기준 21,436종 운영

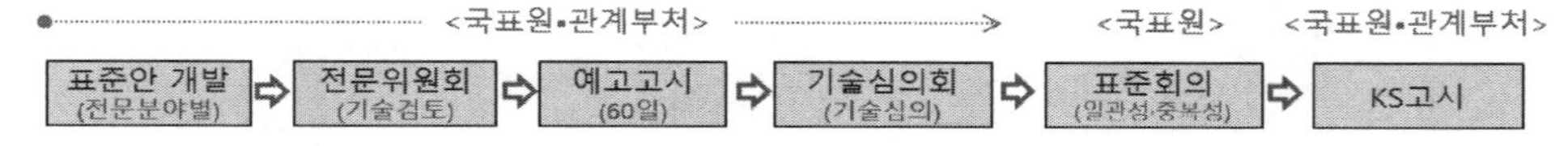

※ 제정 대상에 따른 분류 : 방법표준, 전달표준, 제품표준

- (운영) ▲ 산업통상자원부 국가기술표준원이 정책, 예산, 표준 제정 등을 총괄(National Body)
  ▲ 부처간 표준 중복, KS - 기술기준간 상이로 인한 기업 부담 해소 → 관계부처 위탁('15년)
  ▲ 전문성.대표성을 보유한 민간기관을 '표준협력개발기관(COSD)'으로 지정.운영(67개)

구분	과기부	농식품부	환경부	고용부	국토부	해수부	식약처	산림청	기상청	농진청	합계
KS(종)	1,135	531	620	37	238	42	937	449	11	9	**4,009**
주요 분야	정보통신	농식품	수질.토양	작업장공기	건설.교통	수산식품	의료기기	목제제지	기상	농기계	-

(출처) KATS

22

표준개발협력기관

「국가표준행정체계개편방안」수립, 민간역량을 적극 활용하기 위해 표준개발협력기관제도 운영('08.6월)

- 국표원은 표준정책·기획, 심의·고시 및 국제표준화 등 주력
- 표준개발협력기관(COSD*)으로 표준개발 관리 능력이 있는 기관, 단체 등을 지정하고 국가표준 제.개정안 개발 업무 위탁
  - * COSD : Co-operating Organization for Standards Development
- 법적근거 : 산업표준화법 제5조(산업표준의 제정 등)에서 표준개발협력기관 제도 신설

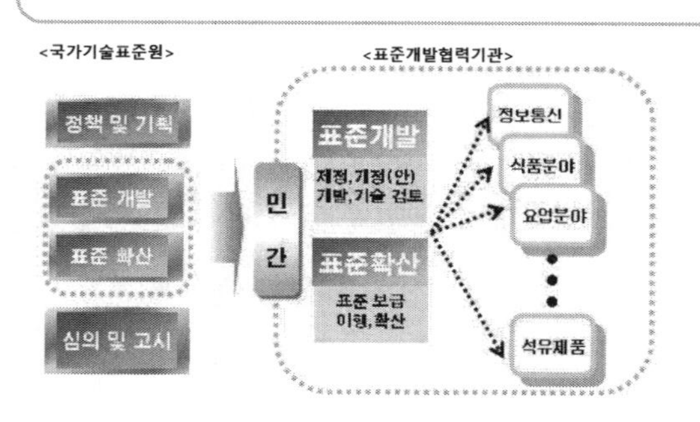

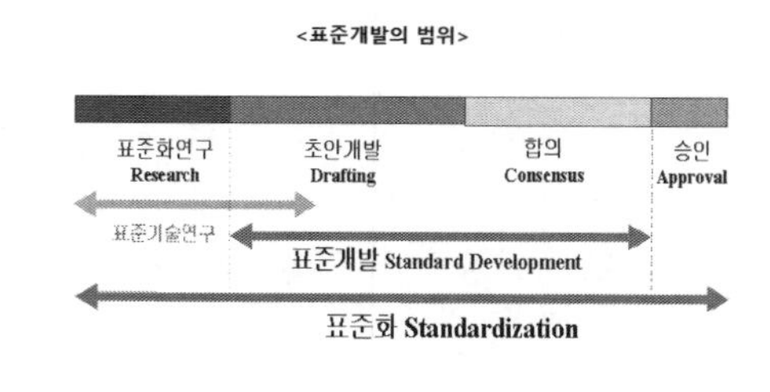

(출처) KATS

23

표준개발협력기관

◆ 「산업표준화법」 시행령 제18조 제6항 규정에 근거하여 「표준개발협력기관지정 · 운영요령」을 제정 운영중(2018.2월 전부개정)

- 초기 3년간 운영성과를 토대로 효율화 방안 수립, 업종별(협. 단체) 협의체 중심의 운영체계('12부터) → 대표협력기관(대표기관) 운영 체계로 개편('18.2.~)

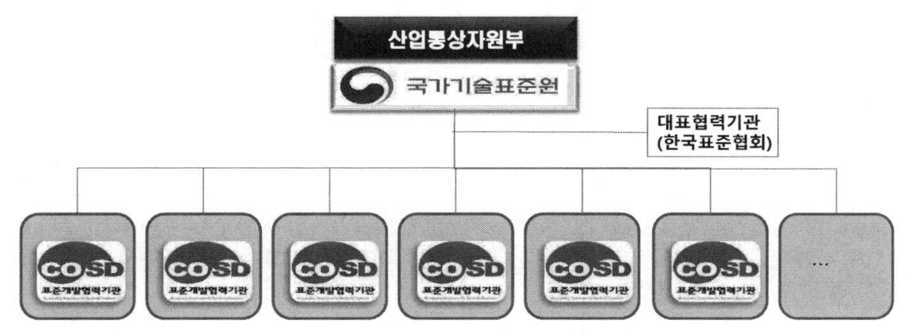

KS 15,877종(78.3%)에 대하여 67개 기관에 총 71개 COSD 지정 운영 중

(출처) KATS

목 차

2. 국내외 바이오연료 표준화 현황

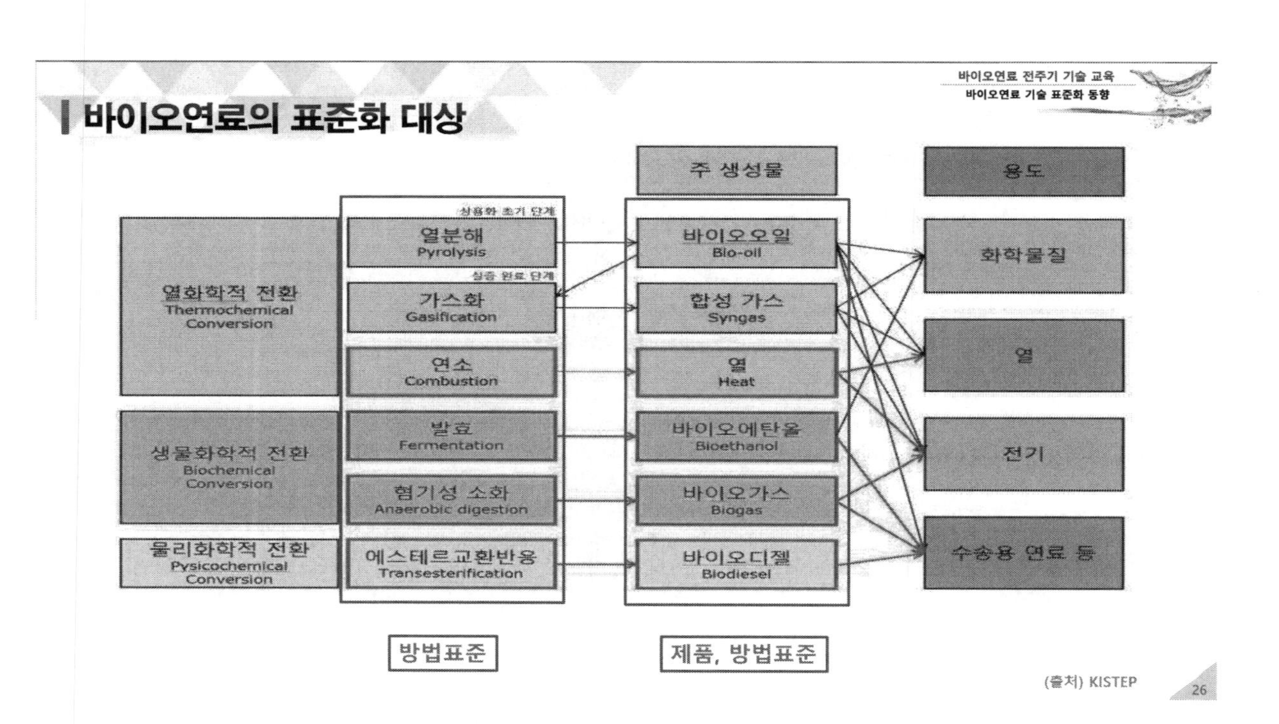

해외 표준화 동향

국제표준화기구(ISO) 현황

ISO TC28

- **석유제품 및 윤활유**
  Petroleum and related products, fuels and lubricants from natural or synthetic sources
- **회원국**
  (간사국) 네덜란드,
  (P-멤버) 29개국 (O-멤버) 54개국
- **설립연도: 1947년**
- **범위**
  - 원유
  - 석유 기반 액체 및 액화 연료
  - 천연 또는 합성 원료 기반 비석유계 액체 및 액화 연료
  - 수송용 가스 연료
  - 냉장 또는 압축에 의해 액화 가스 연료의 측정
  - 석유 기반 윤활유 및 유체 (유압유와 그리스 포함)
  - 천연 또는 합성 원료 기반 비석유계 윤활유 및 유체(유압유와 그리스 포함)

분과위원회 및 작업반 현황

- **분과위원회(Sub-committee)**
  (SC2) 석유 및 관련 제품 측정
  (SC4) 분류와 규격
  (SC5) 냉각 탄화수소와 비석유계 기반 액화가스 연료의 측정
  (SC7) 액체 바이오연료
- **작업반(Working Group)**
  전체 33개의 작업반 운영중

표준 현황

- **TC28 표준**
  (제정완료) 283종
  (개발중) 49종
- **TC28/SC7 표준**
  (제정완료) 5종
  *(바이오디젤, 에탄올, FAME 관련 시험방법)
  (개발중) 4종
  *(에탄올 관련 시험방법)
- **TC28/SC7 표준 목록**

도로용 바이오연료 중심 표준화 진행 중

27

해외 표준화 동향

국제표준화기구(ISO) 에너지 분야 현황

ISO TC193

☑ **천연가스**
natural gas

☑ **회원국**
(간사국) 네덜란드,
(P-멤버) 28개국 (O-멤버) 29개국

☑ **설립연도: 1988년**

☑ **범위**

- 천연가스
- 천연가스 대체물
- 비재래식 가스와 재생가스 같은 기체 연료와 천연가스 혼합물
- 응축 가스

분과위원회 및 작업반 현황

☑ **분과위원회(Sub-committee)**
(SC1) 천연가스 분석
* (SC1/WG25) 바이오메탄
(SC3) 생산부문

☑ **작업반(Working Group)**
전체 23개의 작업반 운영중

ISO/TC 193/SC 1	Analysis of natural gas
ISO/TC 193/SC 3	Upstream area
ISO/TC 193/TG 1 ⓘ	Hydrogen
ISO/TC 193/WG 2 ⓘ	Quality designation
ISO/TC 193/WG 4 ⓘ	Vocabulary
ISO/TC 193/WG 5 ⓘ	Odorization
ISO/TC 193/WG 7 ⓘ	Energy determination
ISO/TC 193/WG 8 ⓘ	Knock resistance
ISO/TC 193/WG 9 ⓘ	Inferential devices

표준 현황

☑ **TC193 표준**
(제정완료) 56종
(개발중) 16종

☑ **TC193/SC1/WG25 표준**
(제정완료) 1종
*(바이오메탄의 아민(amine) 함량 시험방법)
(개발중) 7종
*(바이오메탄의 성분 분석 시험방법)

☑ **TC193/SC1/WG25 개발 중인 표준**

도로·해운 중심의 바이오메탄 표준화 추진 중

해외 표준화 동향

국제표준화기구(ISO) 에너지 분야 현황

ISO TC255

☑ **바이오가스**
Biogas

☑ **회원국**
(간사국) 중국
(P-멤버) 21개국 (O-멤버) 21개국

☑ **설립연도: 2010년**

☑ **범위**

- 바이오매스로부터 혐기성 소화, 가스화, 전력으로부터 가스화에 의해 생산된 바이오가스 표준화

작업반 현황

☑ **작업반(Working Group)**
용어, 정의 등 전체 6개의 작업반 운영중

구분	명칭
TC255/WG1	Terms, definitions and classification scheme for the production, conditioning and utilization of biogas
TC255/WG2	Flares for biogas plants
TC255/WG3	Domestic biogas installations(household and small farm scale)
TC255/WG4	Safety and environmental aspects
TC255/WG5	Biogas systems – Non-household
TC255/WG6	Biomass gasification

표준 현황

☑ **TC255 표준**
(제정완료) 4종
(개발중) 1종

☑ **TC255 표준 목록**

표준번호	표준명
20675(2018)	Biogas-biogas production, conditioning, upgrading and utilization - Terms, definitions and classification scheme
22580(2020)	Flares for combustion of biogas
23590(2020)	Household biogas system requirements: design, installation, operation, maintenance and safety
24252(2021)	Biogas systems - Non-household and non-gasification

바이오가스의 활용 중심으로 표준화 추진 중

해외 표준화 동향

해외 바이오연료 관련 표준화 현황(ISO, ASTM, CEN)

구분	표준번호	표준명
CEN	CEN/TR 17103:2017	Fast pyrolysis bio-oil for stationary internal combustion engines - quality determination

구분	표준번호	표준명
ASTM	D8274-20a	Standard test method for determination of biodiesel (fatty acid methyl esters) content in diesel fuel oil by portable rapid mid-infrared analyzer

구분	표준번호	표준명
ISO	ISO/TS 17306(2016)	Petroleum products — Biodiesel — Determination of free and total glycerin and mono-, di- and tracylglycerols by gas chromatography
ISO	ISO/TS 17307(2016)	Petroleum products — Biodiesel — Determination of total esters content by gas chromatography
ISO	ISO 17308(2015)	Petroleum products and other liquids — Ethanol — Determination of electrical conductivity
ISO	ISO 17315(2014)	Petroleum products and other liquids — Ethanol — Determination of total acidity by potentiometric titration
ISO	ISO 20424(2019)	Fatty acid methyl esters (FAME) — Determination of sulfur content — Inductively coupled plasma optical emission spectrometry (ICP-OES) method
ISO	ISO 20675:2018	Biogas - Biogas production, conditioning, upgrading and utilization - Terms, definitions and classification scheme
ISO	ISO 22580:2020	Flares for combustion of biogas
ISO	ISO 23590:2020	Household biogas system requirements: design, installation, operation, maintenance and safety
ISO	ISO 24252:2021	Biogas systems - Non-household and non-gasification

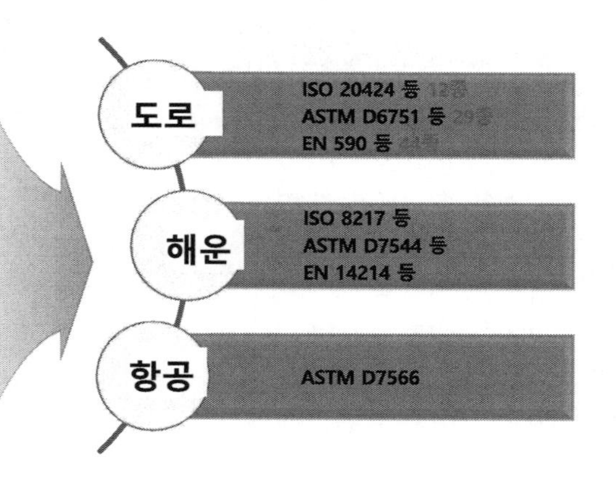

도로, 해운, 항공 등 全수송분야의 바이오연료 표준화 추진 중

해외 표준화 동향

국제표준화기구(ISO TC28, TC193, TC255) 표준 목록

표준번호	개발연도	표준명	TC	표준유형	주제어	적용 분야
ISO/TS 17306	2016	Petroleum products — Biodiesel — Determination of free and total glycerin and mono-, di- and tracylglycerols by gas chromatography	액체바이오연료	방법	바이오디젤	도로, 해운, 발전
ISO/TS 17307	2016	Petroleum products — Biodiesel — Determination of total esters content by gas chromatography	액체바이오연료	방법	바이오디젤	도로, 해운, 발전
ISO 17308	2015	Petroleum products and other liquids — Ethanol — Determination of electrical conductivity	액체바이오연료	방법	에탄올	도로
ISO 17315	2014	Petroleum products and other liquids — Ethanol — Determination of total acidity by potentiometric titration	액체바이오연료	방법	에탄올	도로
ISO 20424	2019	Fatty acid methyl esters (FAME) — Determination of sulfur content — Inductively coupled plasma optical emission spectrometry (ICP-OES) method	액체바이오연료	방법	FAME	도로, 해운, 발전
ISO 20675	2018	Biogas – Biogas production, conditioning, upgrading and utilization – Terms, definitions and classification scheme	바이오가스	전달	바이오가스	도로, 해운, 발전
ISO 22580	2020	Flares for combustion of biogas	바이오가스	전달	바이오가스	도로, 해운, 발전
ISO 23590	2020	Household biogas system requirements: design, installation, operation, maintenance and safety	바이오가스	전달	바이오가스	도로, 해운, 발전
ISO 24252	2021	Biogas systems – Non-household and non-gasification	바이오가스	전달	바이오가스	도로, 해운, 발전
ISO/TS 2610	2022	Analysis of natural gas -Biomethane - Determination of amines content	천연가스(바이오메탄)	방법	바이오메탄	도로, 해운, 발전
ISO 2613-1	2023	Analysis of natural gas - Silicon content of biomethane - Part 1: Determination of total silicon by atomic emission spectroscopy(AES)	천연가스(바이오메탄)	방법	바이오메탄	도로, 해운, 발전
ISO 2614	2023	Analysis of natural gas - Biomethane - Determination of terpenes' content by micro gas chromatography	천연가스(바이오메탄)	방법	바이오메탄	도로, 해운, 발전

총 12종의 바이오연료 관련 표준 제정(방법 8종, 전달 4종)

해외 표준화 동향

미국재료시험협회(ASTM D02) 표준 목록

표준번호	표준명	표준유형	주제어	적용 분야
D8274-20a	Standard test method for determination of biodiesel (fatty acid methyl esters) content in diesel fuel oil by portable rapid mid-infrared analyzer	방법	바이오디젤	도로, 해운, 발전
D7806-20	Standard tet method for determination of biodiesel (fatty acid methyl ester) and triglyceride content in diesel fuel oil using mid-infrared spectroscopy (FTIR transmission method)	방법	바이오디젤	도로, 해운, 발전
E873-82(2019)	Standard test method for bulk densified particulate biomass fuels	방법	바이오연료	
E1757-19	Standard practice for preparation of biomass for compositional analysis	방법	바이오매스	도로, 해운, 발전
D4806-21a	Standard specification for denatured fuel ethanol for blending with gasolines for use as automotive spark-ignition engine fuel	제품	에탄올	도로
D7039-15a(2020)	Standard test method for sulfur in gasoline, diesel fuel, jet fuel, kerosine, biodiesel, biodiesel blends, and gasoline-ethanol blends by monochromatic wavelength dispersive X-ray fluorescence spectrometry	방법	바이오, 연료	도로, 해운, 발전
E3066-20	Standard practice for evaluating relative sustainability involving energy or chemicals from biomass	방법	바이오매스	도로, 해운, 발전
E1758-01(2020)	Standard test method for determination of carbohydrates in biomass by high performance liquid chromatography	방법	바이오매스	도로, 해운, 발전
E1755-01(2020)	Standard test method for ash in biomass	방법	바이오매스	도로, 해운, 발전
E1721-01(2020)	Standard test method for determination of acid-incoluble residue in biomass	방법	바이오매스	도로, 해운, 발전
E1821-08(2020)	Standard test method for determination of carbohydrates in biomass by gas chromatography	방법	바이오매스	도로, 해운, 발전
E1756-08(2020)	Standard test method for determination of total solids in biomass	방법	바이오매스	도로, 해운, 발전
....	....	....	....	....

총 의 바이오연료 관련 표준 제정( )

해외 표준화 동향

유럽표준화기구(CEN TC19) 표준 목록

표준번호	표준번호	표준유형	주제어	적용 분야
EN 17057:2018	Automotive fuels and fat and oil derivates - Determination of saturated monoglycerides content in Fatty Acid Methyl Esters (FAME) - Method by GC-FID	방법	FAME	도로, 해운, 산업
EN 16997:2017	Liquid petroleum products - Determination of the sulfur content in Ethanol (E85) automotive fuel- Wavelength dispersive X-ray fluorescence spectrometric method	방법	에탄올	도로
EN 16934:2017	Automotive fuels and fat and oil derivates - Determination of steryl glycosides in fatty acid methyl esters (FAME) - Method by GC-MS with prior purification by SPE	방법	FAME	도로, 해운, 산업
EN 16900:2017	Fast pyrolysis bio-oils for industrial boilers - Requirements and test methods	제품	열분해 바이오오일	도로, 해운, 산업
EN 16761-2:2015	Automotive fuels - Determination of methanol in automotive ethanol (E85) fuel by gas chromatography - Part 2: Method using heart cut technique	방법	에탄올	도로
EN 16761-1:2015	Automotive fuels - Determination of methanol in automotive ethanol (E85) fuel by gas chromatography - Part 1: Method using single column technique	방법	에탄올	도로
EN 16734:2022	Automotive fuels - Automotive B10 diesel fuel - Requirements and test methods	제품	바이오디젤	도로, 해운, 산업
EN 16709:2015+A1:2018	Automotive fuels - High FAME diesel fuel (B20 and B30) - Requirements and test methods	제품	바이오디젤	도로, 해운, 산업
EN 16568:2023	Automotive fuels - Blends of Fatty acid methyl ester (FAME) with diesel fuel - Determination of oxidation stability by rapidly accelerated oxidation method at 120 °C	방법	FAME	도로, 해운, 산업
EN 16300:2012	Automotive fuels - Determination of iodine value in fatty acid methyl esters (FAME) - Calculation method from gas chromatographic data	방법	FAME	도로, 해운, 산업
EN 16294:2012	Petroleum products and fat and oil derivatives - Determination of phosphorus content in fatty acid methyl esters (FAME) - Optical emission spectral analysis with inductively coupled plasma (ICP OES)	방법	FAME	도로, 해운, 산업
EN 16270:2015	Automotive fuels - Determination of high-boiling components including fatty acid methyl esters in petrol and ethanol (E85) automotive fuel - Gas chromatographic method	방법	에탄올	도로
....	....	....	....	....

총 의 바이오연료 관련 표준 제정(방법 34종, 제품 10종)

해외 표준화 동향

바이오연료 국가표준(KS) 현황

현황

번호	표준번호	표준명
1	KS M 2412	가스크로마토그래피에 의한 B100 바이오디젤 메틸에스테르의 유리 및 총 글리세린 정량 시험방법
2	KS M 2619	바이오디젤 연료유
3	KS M 2890	바이오메탄
4	KS M 2964	자동차용 경유 및 바이오디젤 연료유 중의 지방산메틸에스테르 시험방법 – 고성능액체크로마토그래피법(HPLC)
5	KS M 2965	바이오디젤

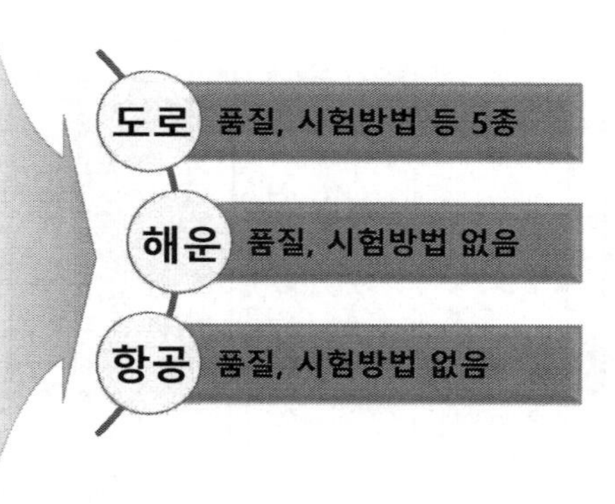

도로분야 중심 바이오연료 표준화 제정, 해운·항공분야 표준화 추진 필요

감사합니다.
바이오연료 전주기기술 교육
바이오연료 기술 표준화 동향
K Petro 한국석유관리원
미래기술연구소
Research Institute of Future Technology

김재곤 박사

한국석유관리원 미래기술연구소 팀장

2020~	한국바이오연료포럼 총무이사
2004~2006	Univ. of Pittsburgh 화학과 Post-doc.
2003	부산대학교 화학과 이학박사

2050년까지 산업, 수송, 건물 등 부문별 총 에너지 소비량은 전체적으로 증가할 것이며, 특히 전기, 바이오 에너지, 수소 등이 꾸준히 증가할 것으로 전망하고 있다. 특히, 수송분야(도로, 해운 및 항공)에서는 2050년 에너지 사용의 60% 이상을 전기가 차지하지만, 수소와 바이오 에너지도 일정 비율로 사용될 것으로 예상된다. 해운과 항공부문에서는 기존 석유연료를 대체하여 차세대 바이오연료, 합성연료 및 암모니아 등의 에너지 사용량이 빠르게 증가될 것으로 전망하고 있다. 국제해운부문은 전 세계 온실가스 배출량의 2.5 ~ 3%를 차지하고 있으며, 향후 증가할 것으로 예상된다. 2021년 COP26에서는 2025년까지 최소 6개의 녹색항로(Green Corridors)를 개발하고, 2050년까지 해운부문의 온실가스 배출량 Net-Zero 달성 목표가 제안되었으며, 이는 현재 국제해사기구(International Maritime Organization, IMO)의 감축목표(2050년까지 50% 감축, 2008년 대비)를 훨씬 상회하고 있다. 최근 우리 정부는 2030 국가 온실가스 감축목표(NDC) 상향안('21년 10월, 관계부처 합동)에서 수송부문의 대응방안으로 해운 · 항공부문 친환경 연료 보급확대를 제시하였다. 이에 따라 산업부에서는 탄소감축 수단으로서 친환경 바이오연료의 역할이 필수적임을 인지하고, 바이오연료 확대를 통한 석유의존도 완화 및 에너지 안보 제고를 위해 친환경 바이오연료 확대 방안 을 수립(2022.10.13.) 하였다. 이에 대응하여, 최근 국내 · 외 선사에서는 기존 내연기관의 선박과 인프라를 활용할 수 있는 바이오연료를 일정 비율 혼합하여 사용하고 있다. 본 강의에서는 국내외 바이오연료의 개발 및 보급 동향, 관련 정책 등을 살펴보고, 향후 선박에서 사용될 수 있는 국내 바이오선박유의 보급전략에 대해 논하고자 한다.

바이오연료
전주기기술
무료교육

해운분야 탄소중립 바이오선박유 개발과 적용 동향

김재곤 박사
한국석유관리원

2023 KBF 바이오연료 전주기 기술교육

해운분야 탄소중립 바이오선박유의 개발과 적용 동향

- 2023. 12. 07.
- 김 재 곤

K Petro 한국석유관리원
미래기술연구소 Research Institute of Futurue Technology

Contents

K Petro

1 바이오연료 정책

2 바이오선박유 개발동향

3 바이오선박유 보급 전략

1

Contents

2

글로벌 탄소중립 대응 에너지 mix

➢ 2050 Net Zero 실현 바이오연료 도입 전망

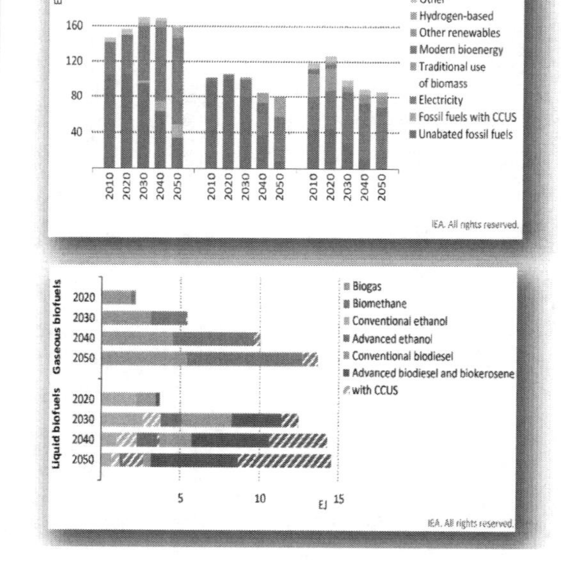

► Biofuel Roadmap (IEA, 2021 Net Zero by 2050)

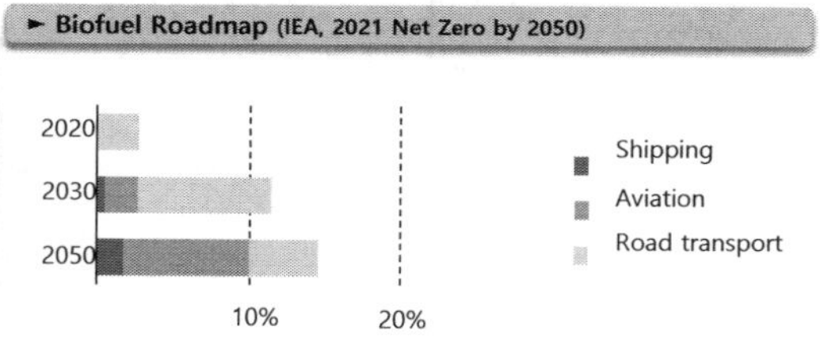

► Global Biofuel Demand Outlook in the Maritime Sector

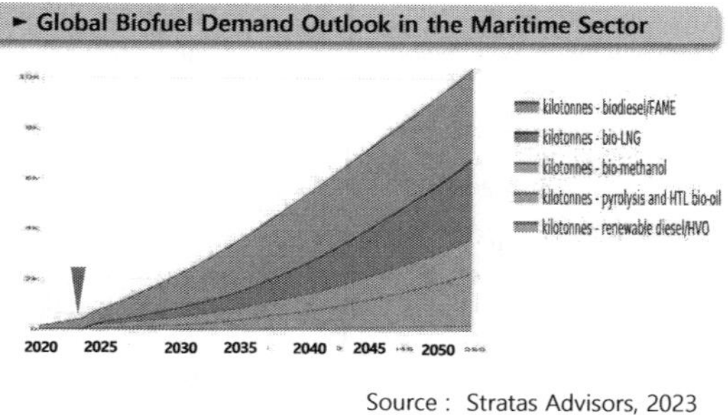

Source : Stratas Advisors, 2023

3

글로벌 항공분야 탄소감축 정책

K Petro
Korea Petroleum Quality & Distribution Authority

국제항공 탄소상쇄 및 저감 계획(CORSIA*)

*Carbon Offsetting and Reduction Scheme for International Aviation

CONTRIBUTION OF MEASURES FOR REDUCING INTERNATIONAL AVIATION NET CO_2 EMISSIONS

International Aviation Net CO_2 Emissions [MT]

Operational Improvements

Aircraft Technology

No reaction

Sustainable Aviation Fuels and CORSIA

Carbon Neutral Growth from 2020

Basket of Measures

Goals 1st – 2050년까지 연료효율(연료소비량/수송실적)을 전년도 대비 2% 개선
2nd – 온실가스 배출량을 2050년까지 2020년 수준으로 유지하는 탄소중립성장

Preparation 2017-2018	MRV Only 2019-2020	Pilot phase 2021-2023	First phase 2024-2026	Second phase 2027-2035
Monitoring, Reporting & Verification to set the Baseline	All States	Voluntary Participation (81 states as of June 2019)		Mandatory Participation

EU 수송부문 대체연료 혼합비율 목표(Fit for 55)

Targeted share of renewable H2 and synthetic fuels 2.6% by 2030

Targeted share of advanced biofuels 2.2% by 2030

(EU) 수송부문 전반의 '30년 e-Fuel 및 바이오연료 전환 비율 목표 제시

EU '지속가능한 항공연료' 혼합비율 목표(Fit for 55)

New targets for sustainable aviation fuels (as % of fuel mix)

Sustainable aviation fuels (SAF) / Specific sub-mandate on e-fuels (e-fuel)

	2025	2030	2035	2040	2045	2050
Sustainable aviation fuels	2%	5%	20%	32%	38%	63%
e-fuels		0.7%	5%	8%	11%	28%

(유럽) 연료의 높은 에너지 밀도, 동력 시스템 안정성이 요구되는 항공기는 전동화 전환 어려움 ⇒ EU는 e-Fuel 혼합의무화 제시

- (EU) 'Fit for 55'('21.7), '지속가능한 항공연료' 63%(e-Fuel 28%) 혼합 의무화 제시

일본 그린성장전략 e-Fuel 로드맵

	2021年	2022年	2023年	2024年	2025年	~2030年	~2040年	~2050年
연료의 탄소중립화	합성연료 제조기술 개발 / 합성연료의 위산적 제조기술의 개발					대규모 제조의 실증	도입 확대·비용 저감	자립 상용

(일본) 탄소중립을 위한 그린성장전략('21.6)에 e-Fuel을 상정하고 향후 10년간 기술 개발·실증의 집중적 실시 및 '40년까지 상용화 목표 제시

"항공부문 SAF 적극 도입 필요"

4

글로벌 해운분야 탄소감축 정책

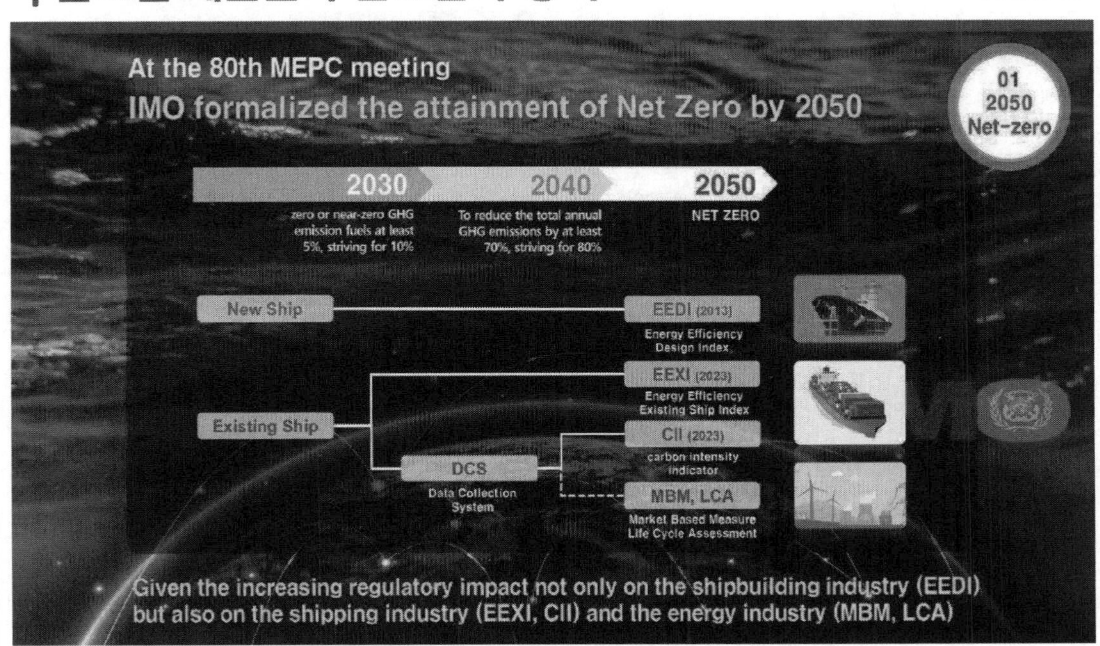

At the 80th MEPC meeting
IMO formalized the attainment of Net Zero by 2050
01
2050
Net-zero
2030
zero or near-zero GHG emission fuels at least 5%, striving for 10%
2040
To reduce the total annual GHG emissions by at least 70%, striving for 80%
2050
NET ZERO
New Ship
EEDI (2013)
Energy Efficiency Design Index
Existing Ship
EEXI (2023)
Energy Efficiency Existing Ship Index
CII (2023)
carbon intensity indicator
DCS
Data Collection System
MBM, LCA
Market Based Measure
Life Cycle Assessment
Given the increasing regulatory impact not only on the shipbuilding industry (EEDI) but also on the shipping industry (EEXI, CII) and the energy industry (MBM, LCA)

글로벌 해운부문 GHG 감축 방향

- IMO는 국제해운에서 발생하는 온실가스를 단계적으로 감축하여 '50년 탄소중립을 목표로 하는 **2023 온실가스 감축전략**을 채택 ('23.7月)
  - '08년 온실가스 배출량 대비 20%('30년), 70%('40년) 감축 및 '50년에 순배출량 '0'를 목표
  - '30년까지 에너지 총량의 최소 5%~10%를 저·무탄소 기술 또는 연료로 전환 노력

□ **주요 결과**

가. 2050·2030 감축 목표(Level of Ambition)

○ **2050년(경)까지 (By or around 2050) 국제해운 탄소중립 실현**

- **국제해운 온실가스 퇴출**을 위해 2050년 경, 또는 **근접한 시기**(By or around, I.e.. close to, 2050)*에 **순 배출량 제로**(Net-Zero) 달성

* 단, 국가별 다른 환경을 고려

○ **2030년까지 저·무탄소 연료·기술 5%~10% 사용**

- 2030년까지 국제해운에서 사용되는 **에너지 총량**의 **최소 5%**를 **저·무탄소 기술** 또는 **연료**로 전환하고 10%까지 사용하기 위해 노력

나. 중간 점검 지표(indicative checkpoint)

※ 의무적 감축 목표가 아닌, '50년 탄소중립 실현 가능성 확인 위한 점검 차원의 지표

○ '50년 **탄소중립 실현**을 위해, '08년 온실가스 총 배출량 대비, '30년까지 최소 20%(30%까지 노력), '40년까지 70%(80%까지 노력)까지 감축

다. 중기 조치(Mid-term measure)

○ 목표 기반의 연료유 표준제(Goal based Fuel Standard*)와 배출된 온실가스에 가격을 부과하는 제도(Maritime GHG emission pricing mechanism)가 결합된 결합조치(Basket measure) 도입 합의

* 연료유별 온실가스 집약도를 제한함으로써 점진적으로 화석연료 사용을 제한하는 규제

○ 해운산업·국가별 영향 등을 분석하기 위한 영향평가 착수, 감축률·감축방안 등 구체적인 이행 방안 논의 후 '27년부터 시행 예정

<출처> 해양수산부 보도자료 (2023.7.8.)

글로벌 해운부문 GHG 감축 선박연료

선박 연료의 GHG 배출량 감축 방법

감축 방법		CO_2 감축량	특징
Hull design	Vessel size	18.9%	현재까지 해당 방법을 이용하여 선박의 효율을 증가시켜 왔으며, 이미 기술적으로 성숙하여 추가적인 감축 잠재량에는 한계가 있음
	Hull shape	15.7%	
	Lightweight materials	5.7%	
	Air lubrication	5.7%	
	Resistance reduction devices	5.6%	
	Ballast water reduction	8.6%	
	Hull coating	1.6%	
Power & Propulsion system	Hybrid power & propulsion	5.5%	이산화탄소 감축량에 한계가 있음
	Power system & machinery	5.5%	
	Power efficiency devices	5.4%	
	Waste heat recovery	8.4%	
	On board power demand	1.0%	
Alternative fuels	LNG	20.4%	메탄슬립으로 인해 온실가스 감축 효과가 상쇄될 수 있으며, 화석연료이므로 이산화탄소 감축량에 한계가 있음
	Biofuels	0~100% 연료 생산 과정에 따라 감축량이 결정됨	식량 안보와 직결되어 공급 불안정성 존재
	Ammonia		감축량이 높으며 선박 적용을 위한 기술적 장벽이 낮음
	Methanol		연료 합성을 위한 에너지 소비량이 과다함
	Hydrogen		감축량이 높으며, 수전해 기술로 생산이 가능하여 재생에너지를 통한 생산이 가능함. 그러나, 선박 적용을 위한 기술적 장벽이 매우 높음(보관 온도 및 낮은 에너지 밀도)
	Battery		배터리의 낮은 에너지 밀도로 인하여 제한적으로만 이용이 가능함
Alternative energy sources	Wind power	12.7%	적용 가능한 선종이 한정적이며, 안정적인 에너지 수급이 어려움
	Solar power	3.8%	
	Fuel cells	6.7%	아직까지 기술적·상업적 성숙도가 아직 낮음
	Cold ironing (Shore-to-Ship power)	5.1%	선박이 정박 중일 때에만 가능하여 감축량이 높지 않음
Operation	Speed optimization	19.7%	당장 실현이 가능하여 유효한 감축수단으로 주목 받고 있으나, 해당 방법만으로는 감축 저감 목표 달성이 불가능함
	Capacity utilization	23.9%	
	Voyage optimization	7.2%	
	Other operational measures	3.6%	

탄소중립 선박연료

선박유 대비 저탄소연료 비교

구분	MGO	LNG	Bio gas	Bio diesel	Methanol	Ammonia	Hydrogen
연료 종류	화석연료		탄소 중립 연료				
Storage condition	상압, 상온	-162℃	-162℃	상압, 상온	상압, 상온	-34℃ or 10bar	-253℃
Relative Fuel Tank size[illegible]	1	2.3	2.3	1	2.3	4.1	7.6
Relative CAPEX	1	~1.3	~1.3	1	~1.15	~1.2	매우 비쌈
Fuel cost & Availability	저렴하고 매장량이 풍부함		원료 수급 문제로 충분한 대량생산 어려움	수급 불안정성으로 가격 예측 힘듦 식량 안보 문제	이산화탄소 포집 비용이 높음* (공기 중으로부터 이산화탄소 포집시)	비싸나, 탄소중립 연료 중에서는 저렴	연료 생산비용은 합리적이나, 운송 및 저장 비용이 과도함

*연소가스(발전소 배기가스)로부터 이산화탄소 포집시 비용을 낮출 수 있으나, 이 경우에는 화석연료를 이용하여 생산한 이산화탄소를 사용하기 때문에 탄소 중립연료가 아님

Excellent / Acceptable / Undesirable

출처 : 친환경 미래 선박 연료 전망 (2019, 한국선급)

국내 바이오연료 현황

KPetro

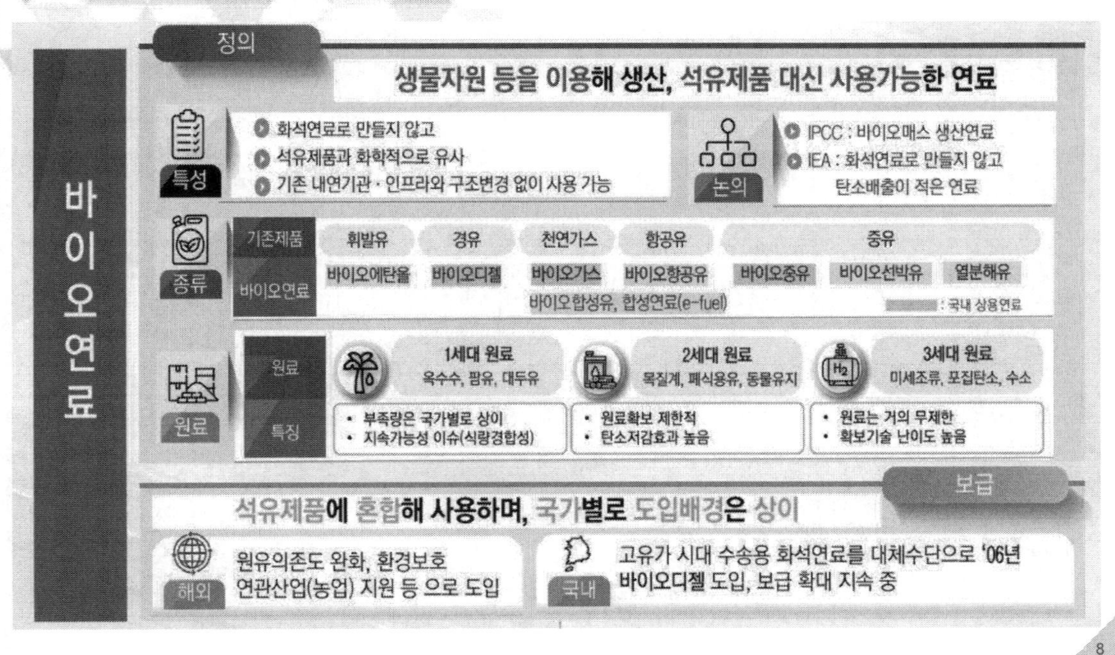
바이오연료
정의
생물자원 등을 이용해 생산, 석유제품 대신 사용가능한 연료
특성
화석연료로 만들지 않고
석유제품과 화학적으로 유사
기존 내연기관 · 인프라와 구조변경 없이 사용 가능
논의
IPCC : 바이오매스 생산연료
IEA : 화석연료로 만들지 않고 탄소배출이 적은 연료
종류
기존제품
휘발유
경유
천연가스
항공유
중유
바이오연료
바이오에탄올
바이오디젤
바이오가스
바이오항공유
바이오중유
바이오선박유
열분해유
바이오합성유, 합성연료(e-fuel)
: 국내 상용연료
원료
원료
특징
1세대 원료
옥수수, 팜유, 대두유
2세대 원료
목질계, 폐식용유, 동물유지
3세대 원료
미세조류, 포집탄소, 수소
부족량은 국가별로 상이
지속가능성 이슈(식량경합성)
원료확보 제한적
탄소저감효과 높음
원료는 거의 무제한
확보기술 난이도 높음
보급
석유제품에 혼합해 사용하며, 국가별로 도입배경은 상이
해외
원유의존도 완화, 환경보호
연관산업(농업) 지원 등 으로 도입
국내
고유가 시대 수송용 화석연료를 대체수단으로 '06년 바이오디젤 도입, 보급 확대 지속 중
8

국내 바이오연료 법제화 현황 (2023.11. 현재)

KPetro

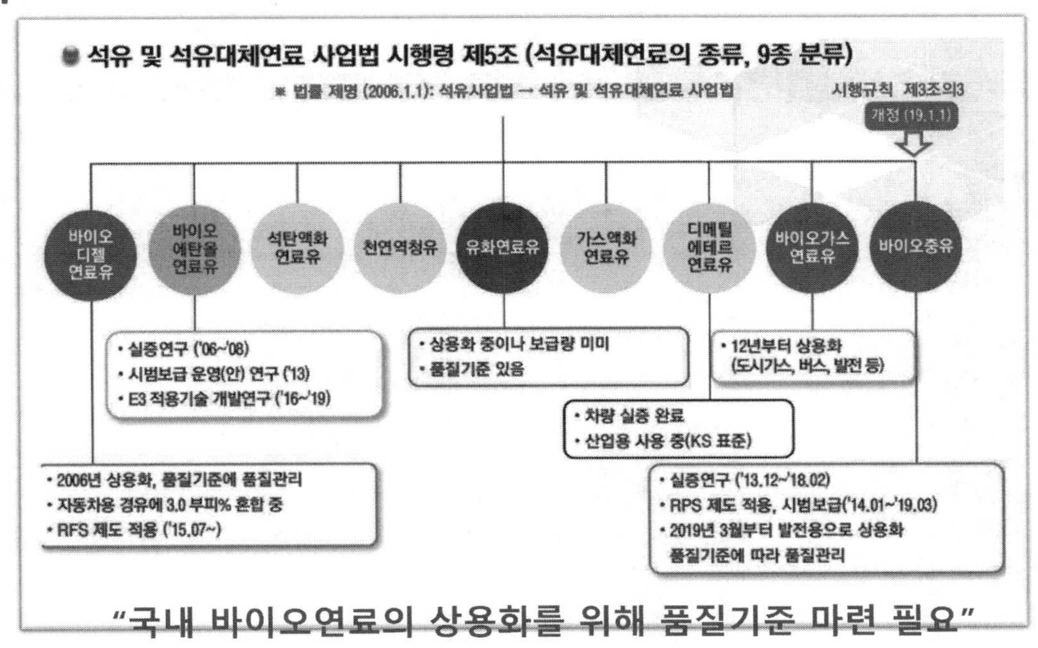
석유 및 석유대체연료 사업법 시행령 제5조 (석유대체연료의 종류, 9종 분류)
※ 법률 제명 (2006.1.1): 석유사업법 → 석유 및 석유대체연료 사업법
시행규칙 제3조의3
개정 (19.1.1)
바이오디젤연료유
바이오에탄올연료유
석탄액화연료유
천연역청유
유화연료유
가스액화연료유
디메틸에테르연료유
바이오가스연료유
바이오중유
· 실증연구 ('06~'08)
· 시범보급 운영(안) 연구 ('13)
· E3 적용기술 개발연구 ('16~'19)
· 상용화 중이나 보급량 미미
· 품질기준 있음
· 12년부터 상용화 (도시가스, 버스, 발전 등)
· 차량 실증 완료
· 산업용 사용 중(KS 표준)
· 2006년 상용화, 품질기준에 품질관리
· 자동차용 경유에 3.0 부피% 혼합 중
· RFS 제도 적용 ('15.07~)
· 실증연구 ('13.12~'18.02)
· RPS 제도 적용, 시범보급('14.01~'19.03)
· 2019년 3월부터 발전용으로 상용화 품질기준에 따라 품질관리
"국내 바이오연료의 상용화를 위해 품질기준 마련 필요"

국내 정책동향

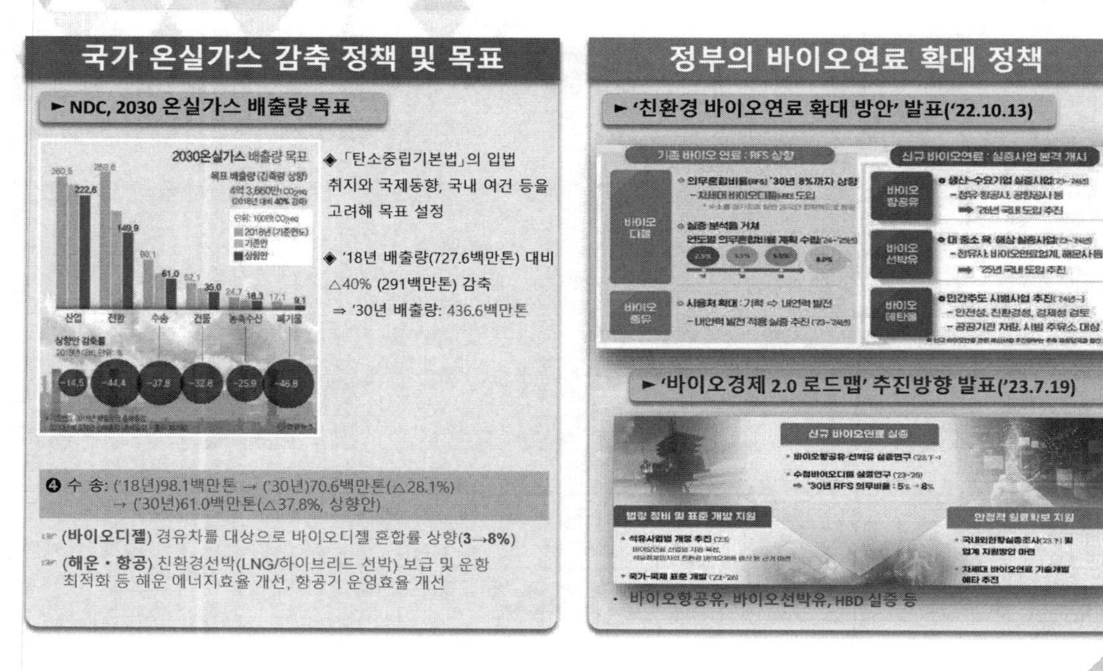

국가 온실가스 감축 정책 및 목표
► NDC, 2030 온실가스 배출량 목표
2030온실가스 배출량 목표
산업
전환
수송
건물
농축수산
폐기물
◈ 「탄소중립기본법」의 입법 취지와 국제동향, 국내 여건 등을 고려해 목표 설정
◈ '18년 배출량(727.6백만톤) 대비 △40% (291백만톤) 감축
⇒ '30년 배출량: 436.6백만톤
❹ 수 송: ('18년)98.1백만톤 → ('30년)70.6백만톤(△28.1%)
→ ('30년)61.0백만톤(△37.8%, 상향안)
(바이오디젤) 경유차를 대상으로 바이오디젤 혼합률 상향(3→8%)
(해운·항공) 친환경선박(LNG/하이브리드 선박) 보급 및 운항 최적화 등 해운 에너지효율 개선, 항공기 운영효율 개선
정부의 바이오연료 확대 정책
► '친환경 바이오연료 확대 방안' 발표('22.10.13)
기존 바이오연료 : RFS 상향
신규 바이오연료 : 실증사업 본격 개시
바이오디젤
바이오중유
바이오항공유
바이오선박유
바이오에탄올
► '바이오경제 2.0 로드맵' 추진방향 발표('23.7.19)
신규 바이오연료 실증
법령 정비 및 표준 개발 지원
안정적 원료확보 지원
· 바이오항공유, 바이오선박유, HBD 실증 등
10

정부 바이오연료 확대 로드맵(2023.10.13)

구분		2022 (단기)	2023 (단기)	2024 (단기)	2025 (단기)	2026~ (중장기)	2030 (중장기)
친환경 바이오 연료 보급 확대	바이오디젤	차세대 바이오디젤 도입 TF운영		RFS 상향계획 마련 (5.0%→8.0%)		차세대 바이오디젤 상용화	
	바이오중유	실증사업 기획	사용확대 실증사업 및 품질기준 마련		바이오중유 사용처 확대		
	바이오선박유		민-관 실증사업		바이오선박유 상용화		
		성능평가시스템 구축사업		품질기준 마련			
	바이오항공유	민-관 협의체 운영	민-관 실증사업		품질기준 마련	바이오항공유 상용화	
	바이오에탄올	시범사업기획	시범보급사업				
법령 · 제도 정비	법령 개정	연구용역	『석유사업법』 및 관계법령 개정·적용				
	규제완화 및 인센티브 제공	바이오연료 제조업자 등록요건 완화					
		연구용역	바이오가스 공급기준 완화				
		바이오납사 수입부과금 면제					
기술경쟁력 확보	예타	예타 기획	신청	예타 수행			
	기획력 제고	전문PD 지정					
추진 체계	협의회	바이오연료 확대 추진 협의회 구성·운영					
	전담기관	연구용역	법령개정	바이오연료센터 신설			

11

Contents

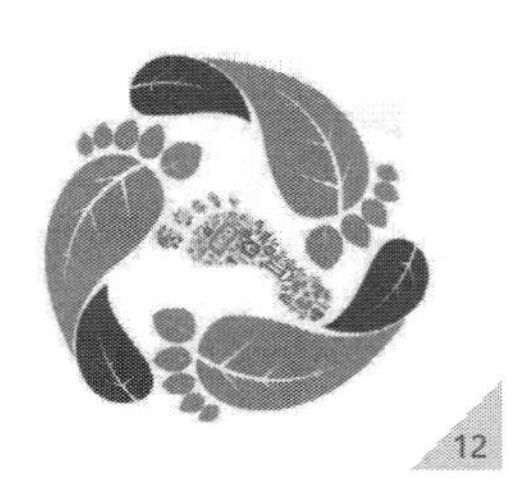

바이오연료의 선박적용

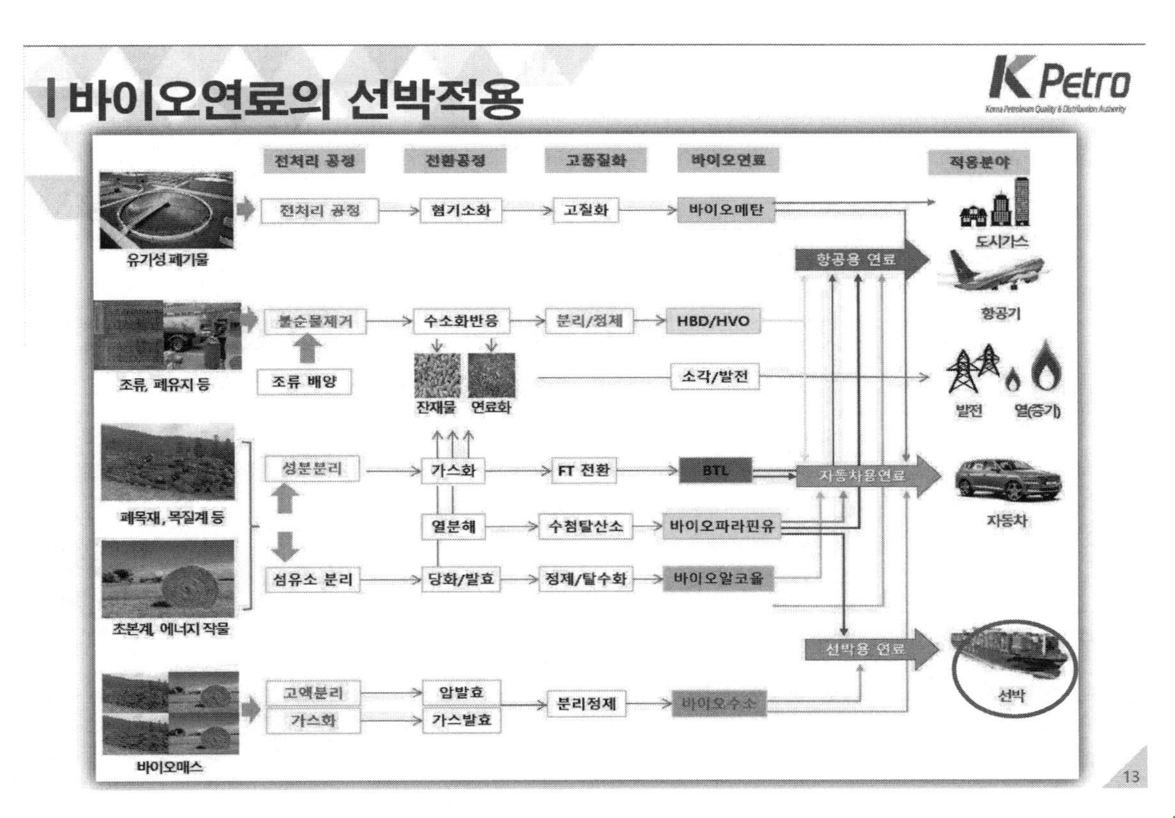

글로벌 바이오매스 잠재량

EU 지속가능한 바이오매스 잠재량 (EJ/year)

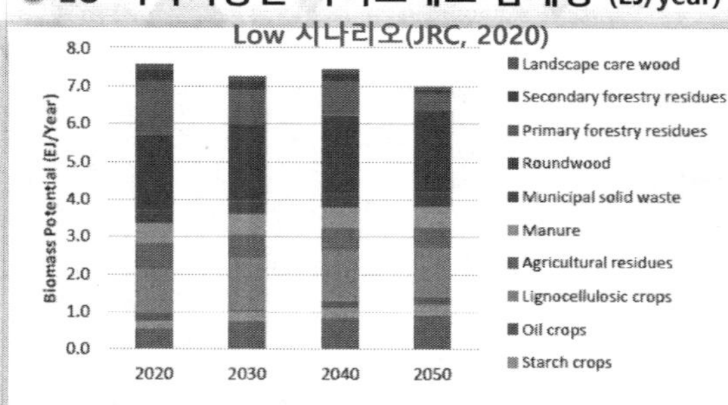

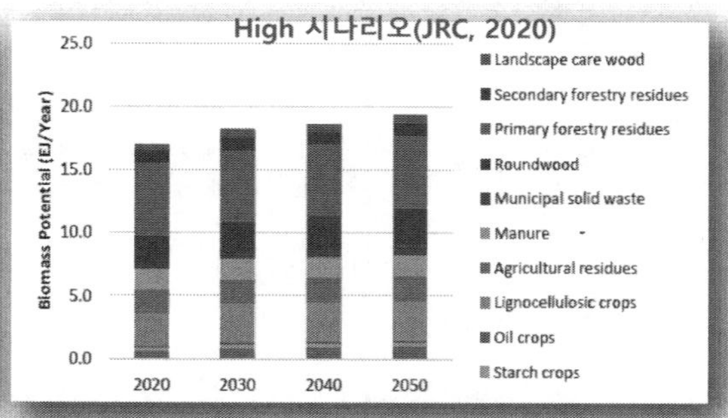

세계 지속가능한 바이오매스 잠재량 (EJ/year, CE Delft & RH DHV, 2020)

Source	2030		2050	
	Low	High	Low	High
Sugar crops	22	20	15	15
Starch crops	7	7	4	4
Oil crops	1	5	3	3
Lignocellulosic crops	1	14	4	57
Agricultural residues	17	43	60	75
Manure	0	0	0	0
Municipal solid waste	0	0	0	0
Sewage sludge	0	0	0	0
Roundwood	18	30	17	17
Primary forestry residues	5	5	12	19
Secondary forestry residues	12	11	16	17
Landscape care wood	0	0	0	0
Total	83	134	131	207

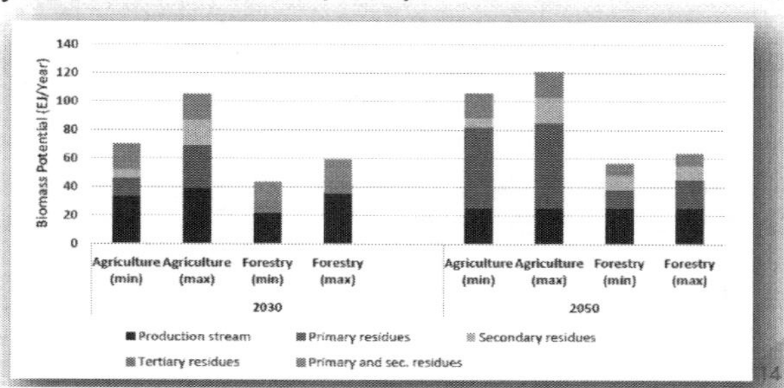

14

글로벌 바이오선박유 제조기술

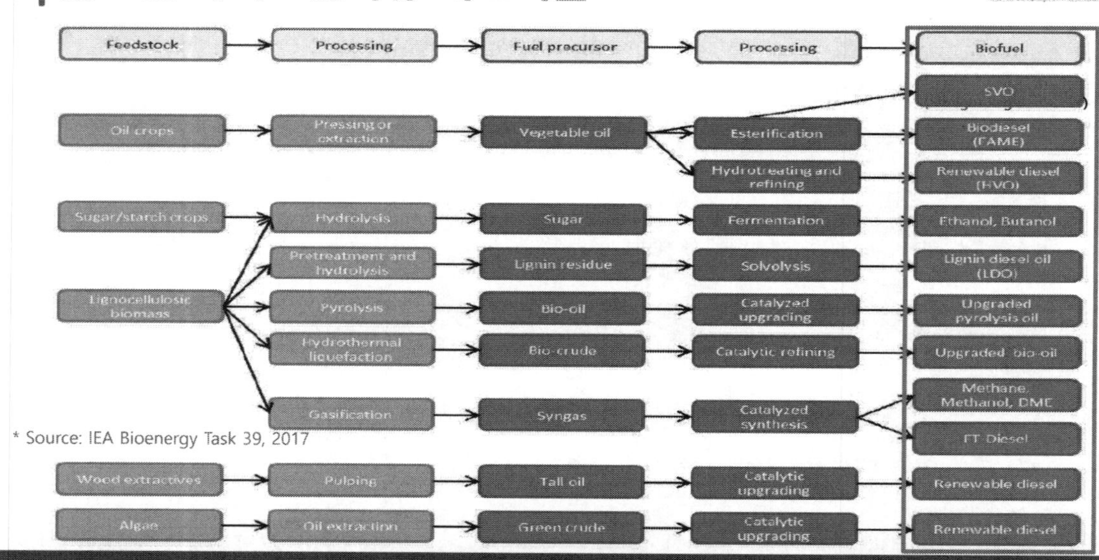

* Source: IEA Bioenergy Task 39, 2017

Commercial Tech. : SVO, Biodiesel, HVO and Biomethane
Advanced Tech. : Biomethanol, FT-diesel

글로벌 바이오선박유 연료

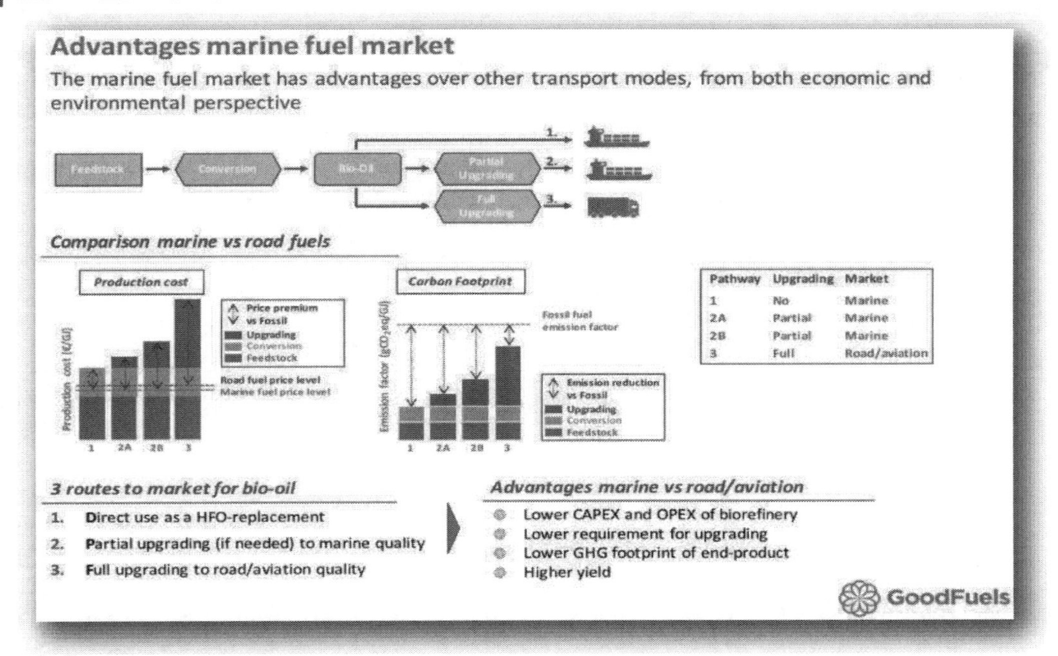

글로벌 바이오연료의 선박유 적용 범위

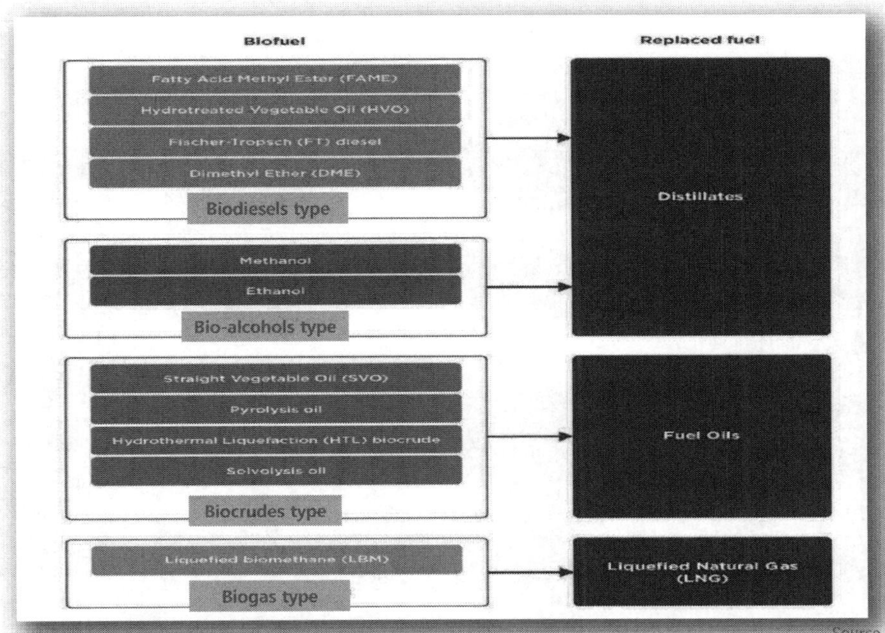

Source : EMSA, 2022

글로벌 바이오선박유 탄소감축 효과

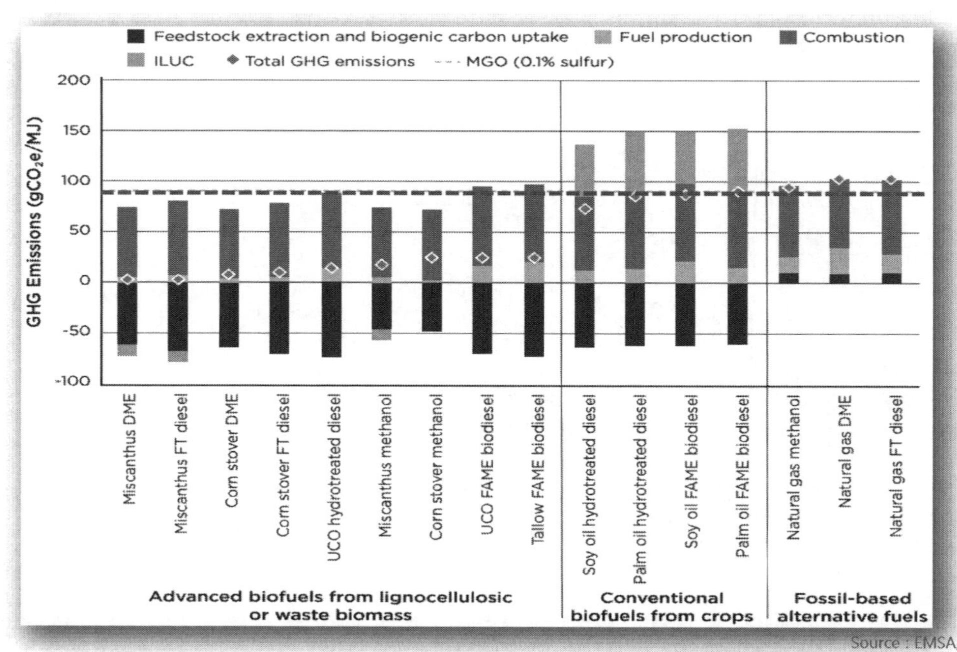

Source : EMSA, 2022

글로벌 바이오선박유 전환기술_1

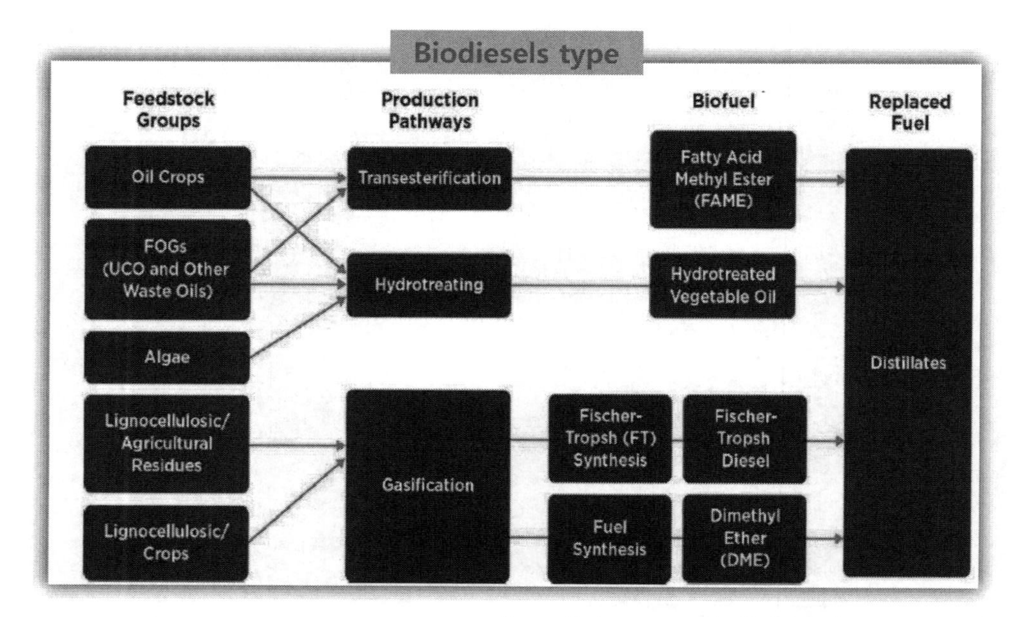

(Source : Update on Potential of Biofuels in Shipping, EMSA/Biofuels, 2022)

글로벌 바이오선박유 전환기술_2

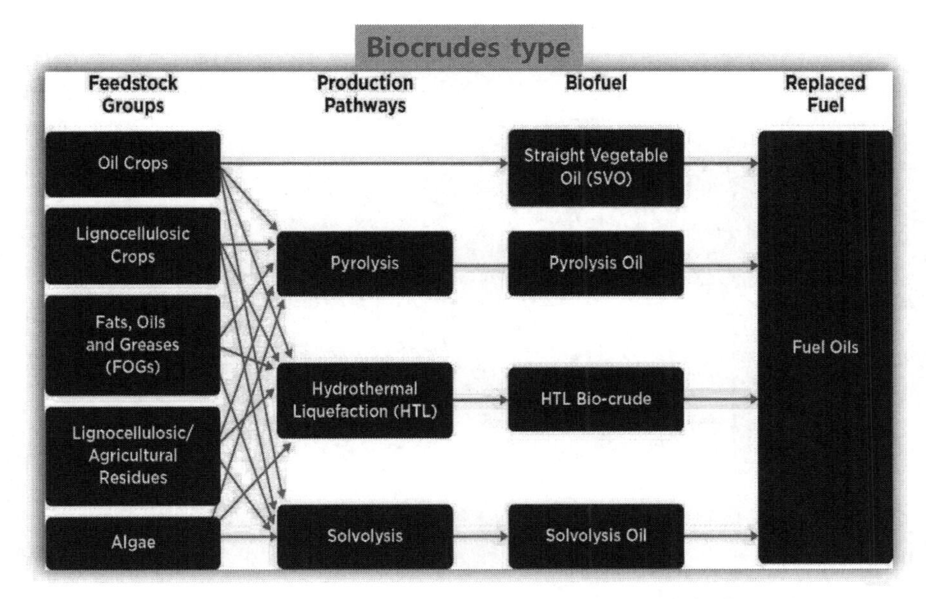

(Source : Update on Potential of Biofuels in Shipping, EMSA/Biofuels, 2022)

글로벌 바이오선박유 전환기술_3

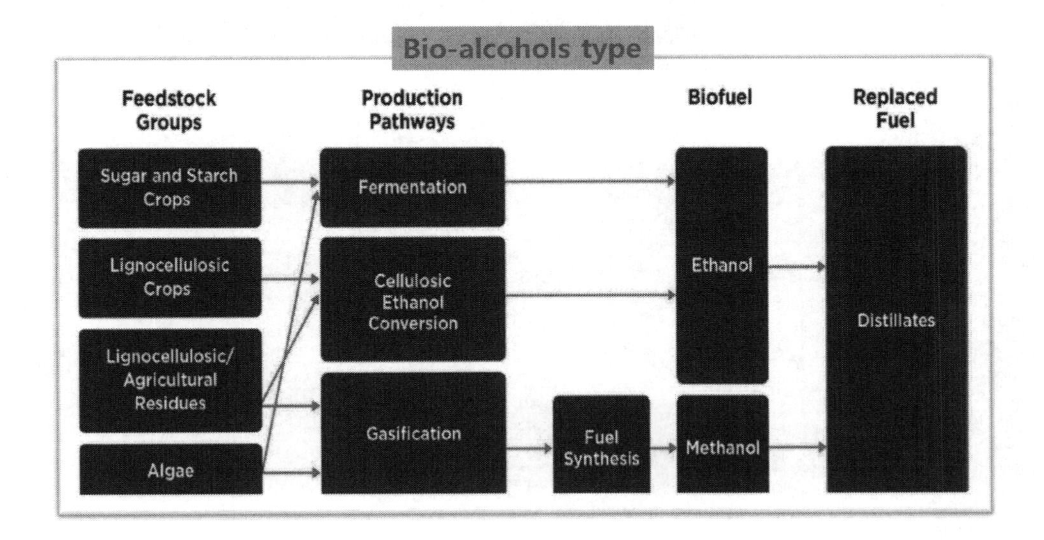

(Source : Update on Potential of Biofuels in Shipping, EMSA/Biofuels, 2022)

글로벌 바이오선박유 전환기술_4

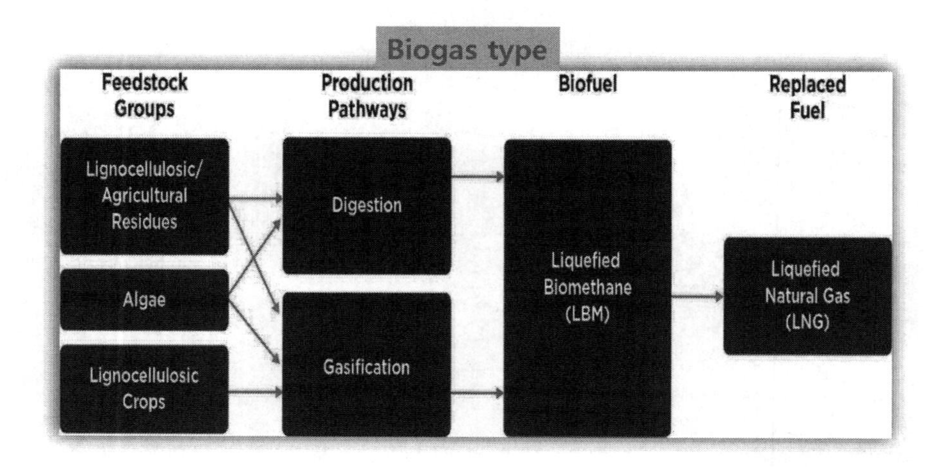

(Source : Update on Potential of Biofuels in Shipping, EMSA/Biofuels, 2022)

글로벌 바이오선박유 개발수준

Fuel category	End product	Production pathway	Fuel production	
			TRL 2019	TRL 2030
Biodiesels	FAME	Transesterification	10	10
	HVO	Hydrotreatment	10	10
	HVO (from wood)	Wood extractives pulping/ catalytic upgrading	8/9	8/10
	HVO (from algae)	Algae/oil extraction / catalytic upgrading	4/5	4/5
	FT diesel	FT synthesis	6/8	8/9
	DME	Lignocellulosic Gasification	6/8	8/9
Bio-alchohols	Bioethanol	Fermentation	10	10
		Waste based	8/9	10
		Lignocellulosic hydrolysis	8/9	9/10
	Bio-methanol	Waste based	8/9	10
		Black liquor gasification	6/8	8/9
		Lignocellulosic gasification	6/8	8/9
Biocrudes	SVO		10	10
	Pyrolysis oil	Lignocellulosic Pyrolysis/ catalysed upgrading	5/6	6/8
	HTL biocrude	Lignocellulosic Hydrothermal liquefaction/ catalytic refining	2/4	4/5
	Solvolysis oil	Lignocellulosic hydrolysis / solvolysis	4/5	6/8
Gaseous biofuels	Liquefied biomethane	Sludge/maize/manure/ residues Fermentation / digestion	10	10
	Liquefied biomethane	Lignocellulosic Gasification	6/8	8/9

(Source : Update on Potential of Biofuels in Shipping, EMSA/Biofuels, 2022)

국내 바이오디젤 현황 (상용, '06 ~)

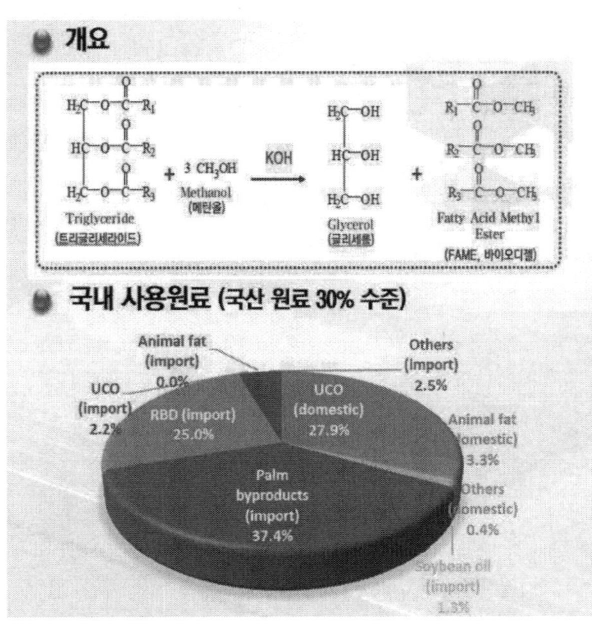

해외 보급 (유럽, 아시아 등 중심 보급)

산업과 보급 (BD5 위주 보급)

- (생산업체) 단석산업 등 8개사
- (생산능력) 1,210,780 kL/년

구분 \ 연도	'18년	'19년	'20년	'21년	'22년
바이오디젤 혼합량 (천kL)	722	735	743	755	800
수출량 (천kL)	35	108	227	215	220
합계 (천kL)	757	843	970	970	970

* 출처 : 한국바이오에너지협회

국내 바이오디젤 현황 (상용, '06 ~)

바이오디젤(BD100) 품질기준

		품질기준	시험방법
지방산메틸 에스테르함량(무게%)		96.5 이상	EN 14103
인화점(℃)		120 이상	KS M ISO 2719
동점도(40℃, ㎟/s)		1.9 이상 ~ 5.0 이하	KS M 2014
잔류탄소분(무게%)		0.1 이하	KS M ISO 10370
황분(mg/kg)		10 이하	KS M 2027
회분(무게%)		0.01 이하	KS M ISO 6245
동판부식(50℃, 3h)		1 이하	KS M 2018
필터막힘점(℃)		0 이하	KS M 2411
밀도(15℃, kg/㎥)		860 이상 ~ 900 이하	KS M 2002
수분(무게%)		0.05 이하	KS M ISO 12937
고형불순물(mg/kg)		24 이하	EN 12662
전산가(mg KOH/g)		0.50 이하	KS M ISO 6618
총 글리세롤(무게%)		0.24 이하	KS M 2412
모노글리세라이드(무게%)		0.80 이하	KS M 2412
디글리세라이드(무게%)		0.20 이하	KS M 2412
트리글리세라이드(무게%)		0.20 이하	KS M 2412
유리글리세롤(무게%)		0.02 이하	KS M 2412
산화안정도(110℃, h)		6 이상	EN 14112
메탄올(무게%)		0.2 이하	EN 14110
알칼리 금속 (mg/kg)	(Na + K)	5 이하	EN 14108, 14109
	(Ca + Mg)	5 이하	EN 14538
인(mg/kg)		10 이하	EN 14107

품질관리 자동차용 경유에 바이오디젤 2 ~ 5% 범위 내에서 혼합에 따른 품질관리

<국내 자동차용 경유의 품질기준>

항목 \ 등급	자동차용	선박용
유동점 (℃)	0.0 이하 (겨울용 : -18 이하)	0.0 이하 (겨울용 : -13 이하)
인화점 (℃)	40 이상	좌동
동점도 (40℃, mm²/s)	1. 9이상 ~ 5.5 이하	1.5 이상 ~ 6.0 이하
증류성상 (90%유출온도, ℃)	360 이하	-
10% 잔류유중 잔류탄소분 (무게%)	0.15 이하	0.20 이하
물과 침전물 (부피%)	0.02이하	좌동
황분 (mg/kg)	10 이하	1.0 이하(무게%)
회분 (무게%)	0.02 이하	0.01 이하
세탄값 (세탄지수)	52 이상	40 이상
동판부식 (100℃, 3h)	1 이하	좌동
필터막힘 점 (℃)	-18 이하	-
윤활성@60℃ HFRR마모흔경 μm	400 이하	-
밀도@15℃ (kg/m³)	815 이상 ~ 835 이하	-
다고리방향족 함량 (무게%)	5 이하	-
방향족화합물 함량 (무게%)	30 이하	
[illegible]	2 이상 5 이하	-

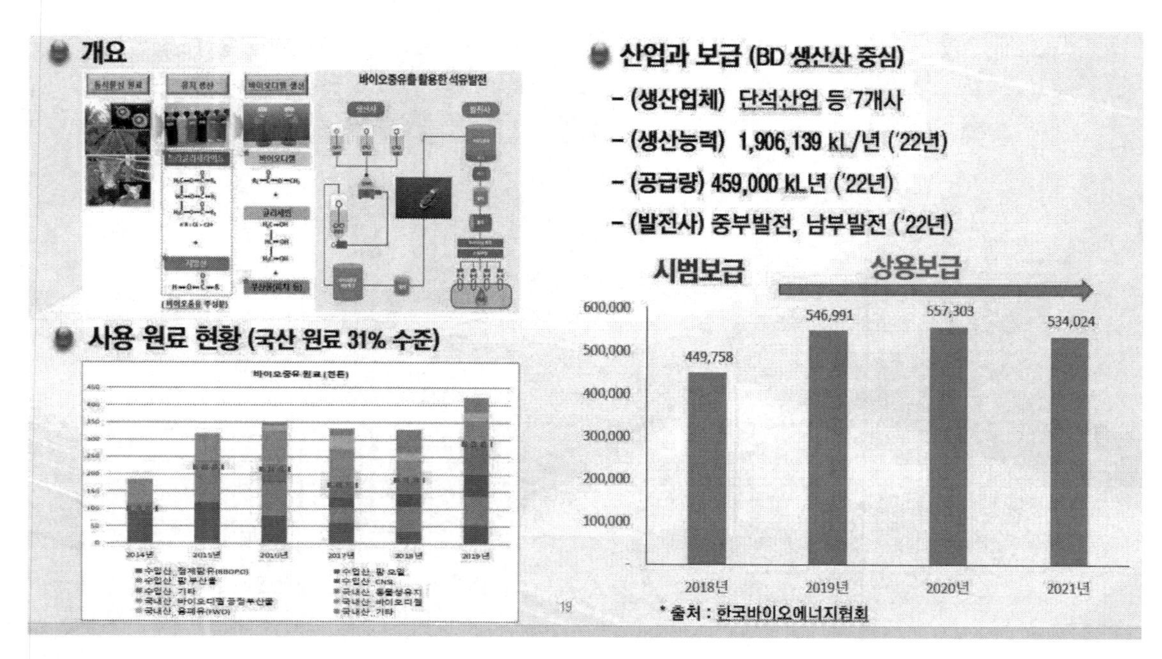

국내 바이오중유 현황 (상용, '06 ~)

➢ 바이오중유의 품질기준

항목	구분	품질기준 고시개정(2019. 3. 7 / 3.15 시행)		기준 설정 배경
		품질기준	시험방법	
인화점(℃)		70 이상	KS M ISO 2719	안전성, 용제류 등 혼입 방지
동점도(50℃, mm2/s)		15 이상 ~ 80 이하	KS M ISO 3104	펌핑, 연소성
잔류탄소분(무게%)		5 이하	KS M ISO 10370	열손실
황분(무게%)		0.05 이하	KS M ISO 8754	부식성/대기오염
회분(무게%)		0.10 이하	KS M ISO 6245	부식성/부착회분
동판부식(50℃, 3h)		1 이하	KS M ISO 2160	부식성
유동점(℃)		27 이하	KS M ISO 3016	연료수송
밀도(15℃, kg/m3)		991 이하	KS M ISO 3675, KS M ISO 12185	불순물
수분(무게%)		0.30 이하	KS M 0010	연소성
전산가(mg KOH/g)		2.5 이하	KS M ISO 6618	부식성
알칼리 금속(mg/kg)	Na	50 이하	EN 14108	연소실 부식성
	Ca	30 이하	ASTM D7111	폐윤활유 혼입
	K	50 이하	EN 14109	연소실 부식성
요오드가(g/100 g)		120 이하	KS M 0065	연료산화
질소(무게%)		0.3 이하	KS M 2112	배출가스
바나듐(mg/kg)		50 이하	ASTM D7111	연소실 부식성
실리콘+알루미늄+철(mg/kg)		200 이하		기기마모 (촉매입자 유래)
인(mg/kg)		30 이하		배출가스
물과 침전물(부피%)		0.5 이하	KS M ISO 3734	연소성
총발열량(kcal/kg)		9,000 이하	KS M 2057	열효율

국내 바이오가스 현황 (상용, '12 ~)

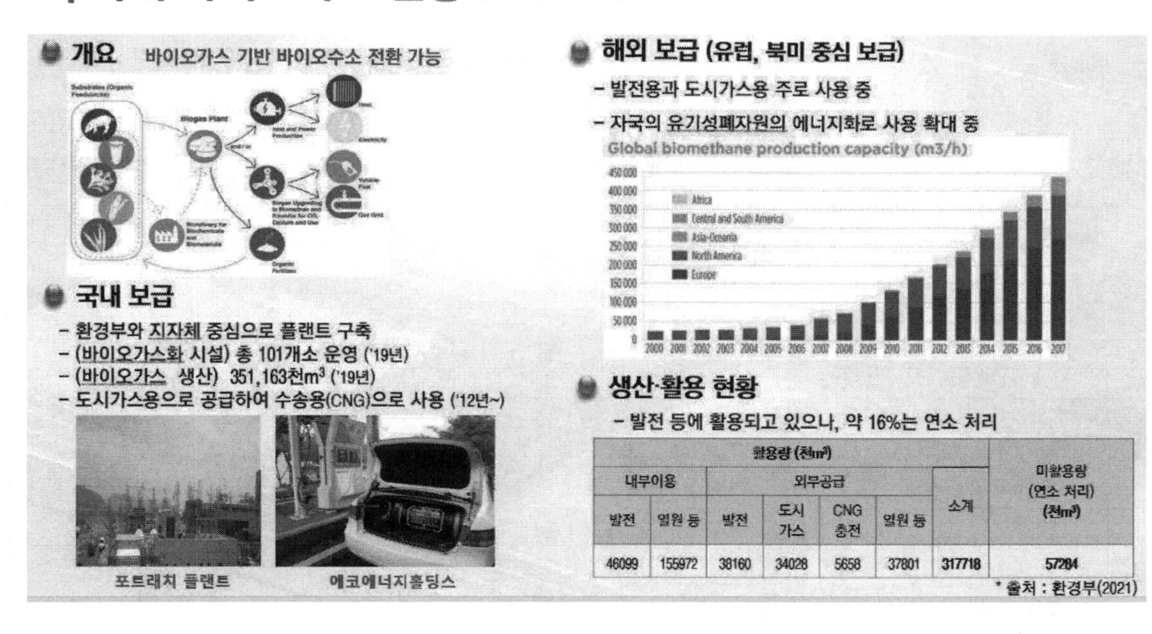

개요 바이오가스 기반 바이오수소 전환 가능

국내 보급

- 환경부와 지자체 중심으로 플랜트 구축
- (바이오가스화 시설) 총 101개소 운영 ('19년)
- (바이오가스 생산) 351,163천m³ ('19년)
- 도시가스용으로 공급하여 수송용(CNG)으로 사용 ('12년~)

포트래치 플랜트 에코에너지홀딩스

해외 보급 (유럽, 북미 중심 보급)

- 발전용과 도시가스용 주로 사용 중
- 자국의 유기성폐자원의 에너지화로 사용 확대 중

생산·활용 현황

- 발전 등에 활용되고 있으나, 약 16%는 연소 처리

활용량 (천m³)								미활용량 (연소 처리) (천m³)
내부이용		외부공급					소계	
발전	열원 등	발전	도시가스	CNG 충전	열원 등			
46099	155972	38160	34028	5658	37801	317718		57284

* 출처 : 환경부(2021)

국내 수첨식물성유(HVO) 개발전략

개요

- (HVO) 동·식물성 유지 등을 수소와 반응시켜 제조

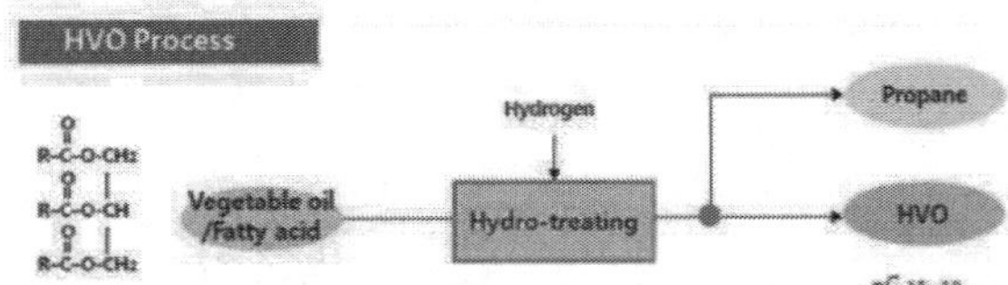

자동차용 경유, 항공유 등에 혼합하여 사용 가능

국내 R&D 현황

- (SK이노베이션) 20 bpd 규모의 플랜트를 건설하여 시험생산 성공('12년)
  * 정부 신재생에너지기술개발 사업으로 수행 (플랜트 철거, '16년)
- (고등기술연구원) 국내 최대 규모 파일럿(15톤/년) 구축
  * 항공유(Jet A-1)에 50% 혼합하여 국방과학연구소에 납품 ('20년)

해외 보급 현황

- (사용) 대부분 도로 수송용 연료인 자동차용 경유에 혼합되어 사용 (항공유 사용: 0.1%, '18년)
- (생산) Neste Oil사가 가장 많은 양을 생산
  * 주요 유럽과 미국을 중심으로 생산·보급 중
- (생산량) 전세계적으로 연간 약 65억 리터 생산
  * 바이오연료(바이오디젤 등) 생산량의 약 4%

	바이오연료 생산량 (억 리터)('20)		
	바이오에탄올	바이오디젤	HVO
미국	597	40	25
EU-28	47	124	29
기타	493	245	11
합계	1,137	409	65

도입 검토사항

- 기존 바이오디젤(FAME)과의 원료 경쟁
- 높은 생산 단가로 인해 경제성이 낮음

국내 바이오선박유 실증 방향

개요

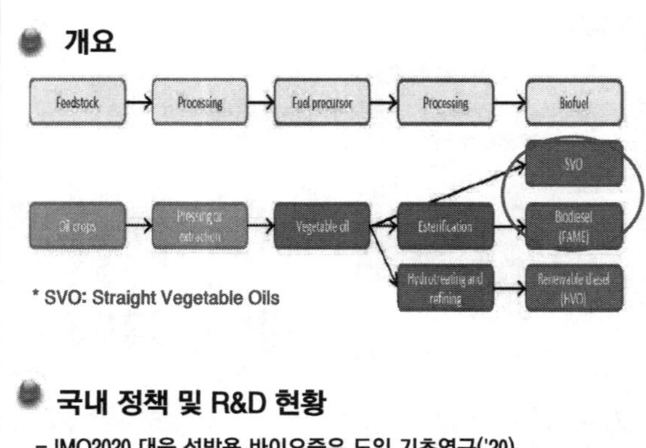

* SVO: Straight Vegetable Oils

국내 정책 및 R&D 현황

- IMO2020 대응 선박용 바이오중유 도입 기초연구('20)

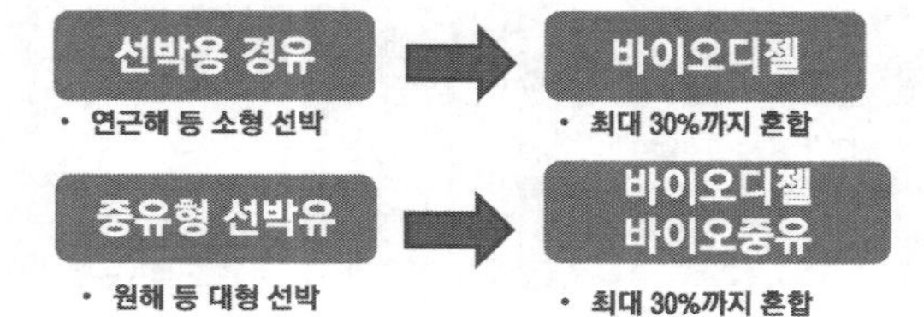

- 연근해 등 소형 선박
- 최대 30%까지 혼합
- 원해 등 대형 선박
- 최대 30%까지 혼합

해외 정책 & 보급

- (IMO) 해양환경 규제 실시 (MARPOL Annex VI)
  (1) NOx ('13), (2) SOx ('20), (3) 온실가스 감축 ('23)
- (보급) 해외 선박 엔진제조사 및 연료공급사의 실증 시험 실시 중
  * 엔진제조사: MAN, Wartslia사 등
  * 연료공급사: GoodFuels, CMA CGM사 등

도입 검토사항

- 바이오선박유 적용을 위한 품질기준 설정 및 실선 활용 실증평가 필요
- 연료 안정적 공급 및 유통망, 평가 체계 구축
- 온실가스 외부사업 평가방법 개발 등

30

국내 바이오선박유 실증연구 현황('23.9 ~ '24.12)

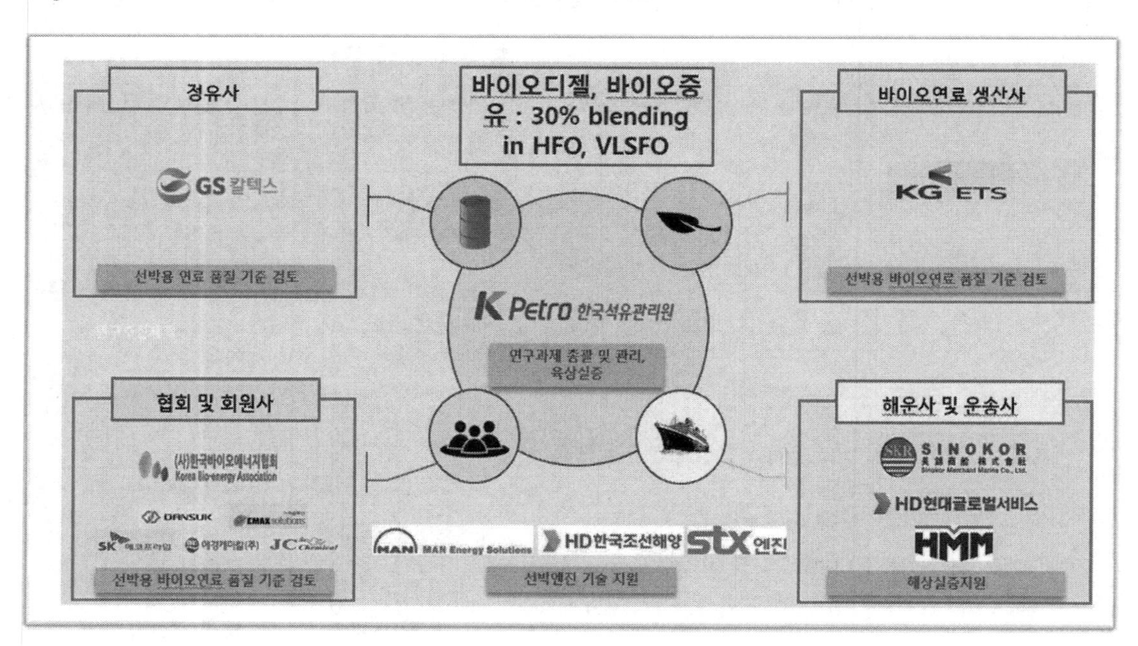

글로벌 그린 메탄올 개발개발

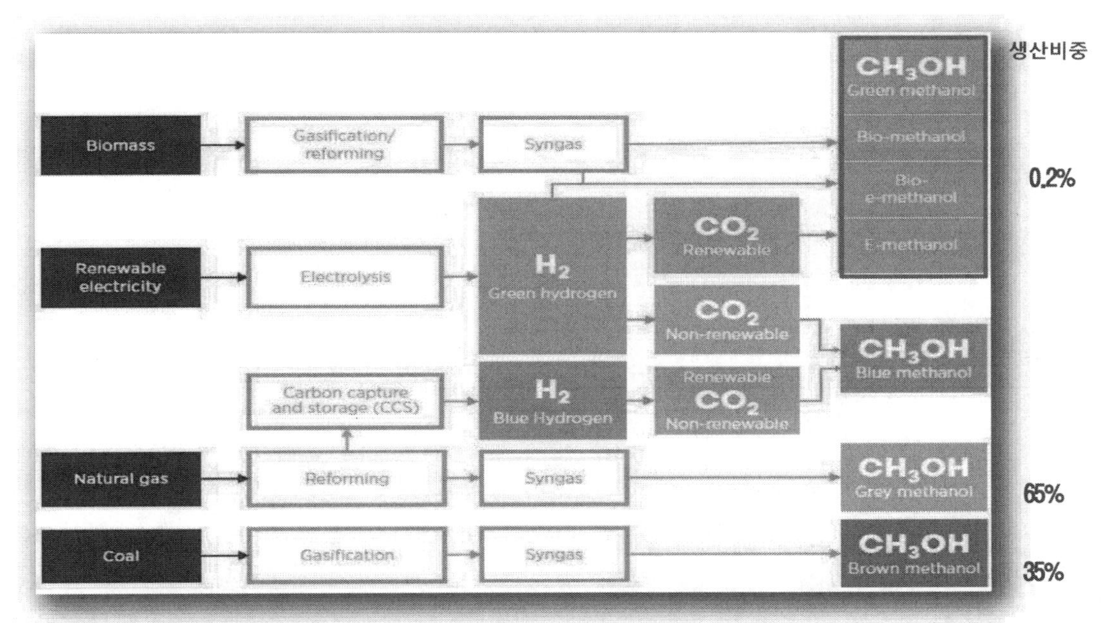

(Source : IRENA, 2022)

국내 바이오메탄올 개발 전략

- e-메탄올 : 재생에너지를 통해 생산한 그린수소와 renewable CO_2를 합성하여 생산

- 바이오 메탄올 : 바이오매스, 바이오가스 등에서 합성가스를 거쳐 생산

※ 최적의 합성가스 비율(H_2/CO = 2) 컨트롤 필요

가스화
바이오매스/MSW*
CO H₂ CO₂
합성가스
메탄올 합성
BIO
개질
바이오가스
❖ 반응식: $CO + 2H_2 \rightarrow CH_3OH$

* MSW(Municipal Solid Waste): 도시 고형 폐기물, 도시의 다양한 배출원에서 발생되는 고형 폐기물로써, 일반적으로 주택 지역에서 많이 배출

글로벌 바이오메탄올 품질기준

sales specification bio-methanol

	unit	specification	method
Purity	% WT on dry basis	min 99.85	IMPCA 001-02
Appearance		clear and free of suspended matter	IMPCA 003-98
Acetone	mg/kg	max 30	IMPCA 001-02
Colour	Pt-Co scale	max 5	ASTM D1209-05
Water % W/W		max 0.1	ASTM E1064-05
Distillation range at 760 mm Hg	ºC	max 1.0 to include 64.6 ± 0.1	ASTM D1078-05
Specific Gravity	D20/20	0.791-0.793	ASTM D4052-02
Potassium Permanganate time test at 15 ºC	minutes	min 60	ASTM D1363-06
Ethanol	mg/kg	max 50	IMPCA 001-02
Chloride as CI	mg/kg	max 0.5	IMPCA 002-98
Sulphur	mg/kg	max 0.5	ASTM D3961-98
Hydrocarbons		pass test	ASTM D1722-04
Carbonisable substances	Pt-Co scale	max 30	ASTM E346-03
Acidity as acetic acid	mg/kg	max 30	ASTM D1613-06
Total Iron	mg/kg	max 0.1	ASTM E394-04
Non-volatile Matter	mg/1000 ml	max 8	ASTM D1353-03

(Source : OCI Global, 2022)

국내 F-T 디젤(BTL) 개발 전략

개요

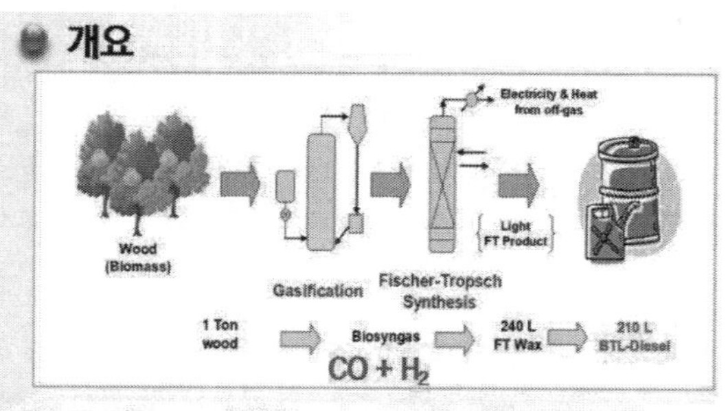

국내 R&D 현황

- (원천기술) 산업부 원천기술 R&D 완료 ('12, KRICT &K-Petro)
- 가스화에 따른 합성가스 제조기술 실증운전 연구 필요

〈국내 R&D 생산 BTL 플랜트와 연료('12, 화학연구원)〉

38

해외 동향

- 유럽 중심으로 플랜트 플랫폼 개발 중
- 최근 영국 항공사-정유사 등 중심으로 항공유, 경유 및 나프타 상업 플랜트 구축 중
- 잉여전기 활용한 BtL 제조기술 개발 활발

도입 검토사항

- 국내 합성연료(xTL) 플랫폼 구축 R&D 필요
- e-fuel 개발과 연계성 검토 필요

국내 F-T 디젤(BTL) 개발 전략

➢ **R&D 수준의 BTL 디젤은 경유 혼합사용 가능하나, 가스화에 따른 대량생산 R&D 필요**

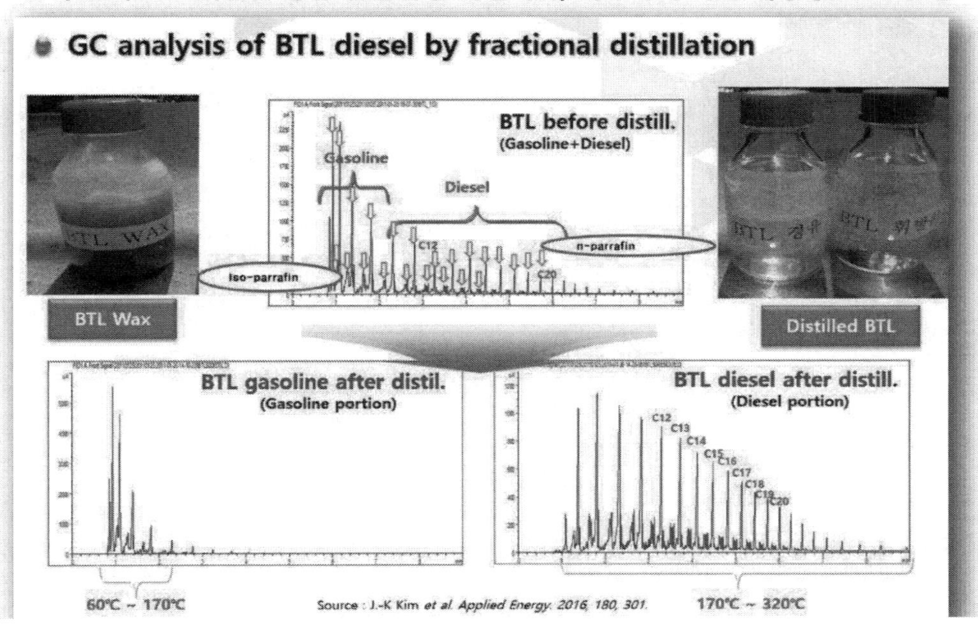

재생합성연료(e-fuel)_ 제조기술

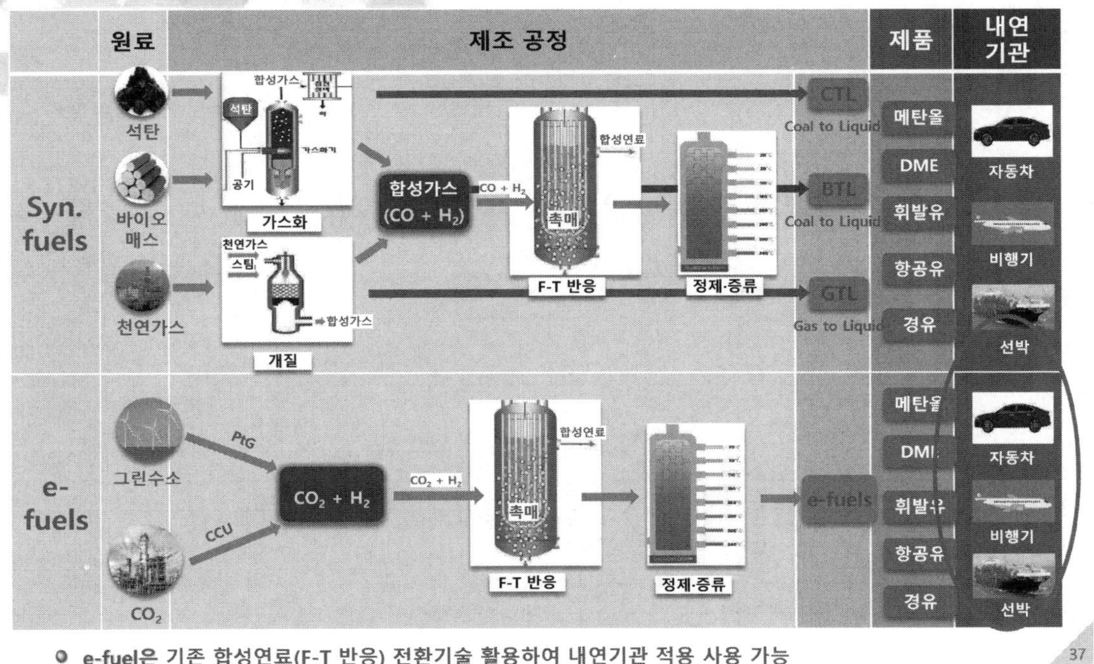

● e-fuel은 기존 합성연료(F-T 반응) 전환기술 활용하여 내연기관 적용 사용 가능

재생합성연료(e-fuel)_국내 R&D 추진

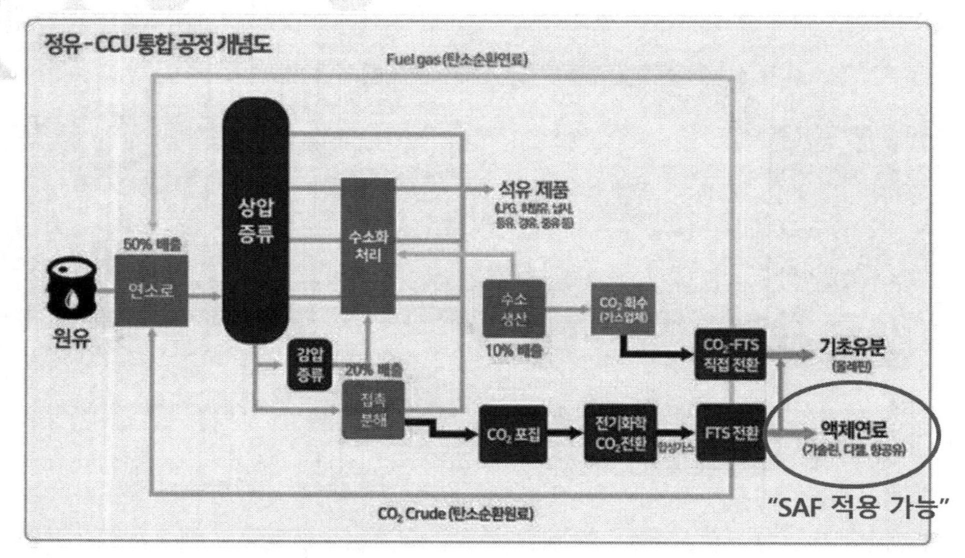

"정유분야 온실가스 감축 수단으로 CCU 기반 e-fuel 개발 착수('22.4 ~ '25.12)

38

재생합성연료(e-fuel)_국내 R&D 추진

➢ CO_2 활용 F-T 합성에 의한 e-fuel 제조특성

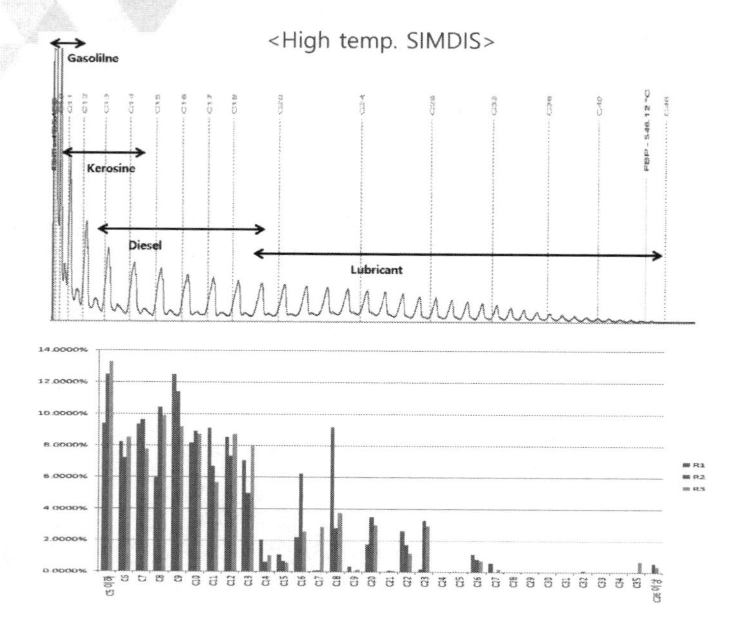

| Contents

| 국내 수송부문 바이오연료 전망

➢ 바이오연료와 재생합성연료(e-fuel)는 기존 내연기관(자동차, 선박, 항공기) 동시 사용

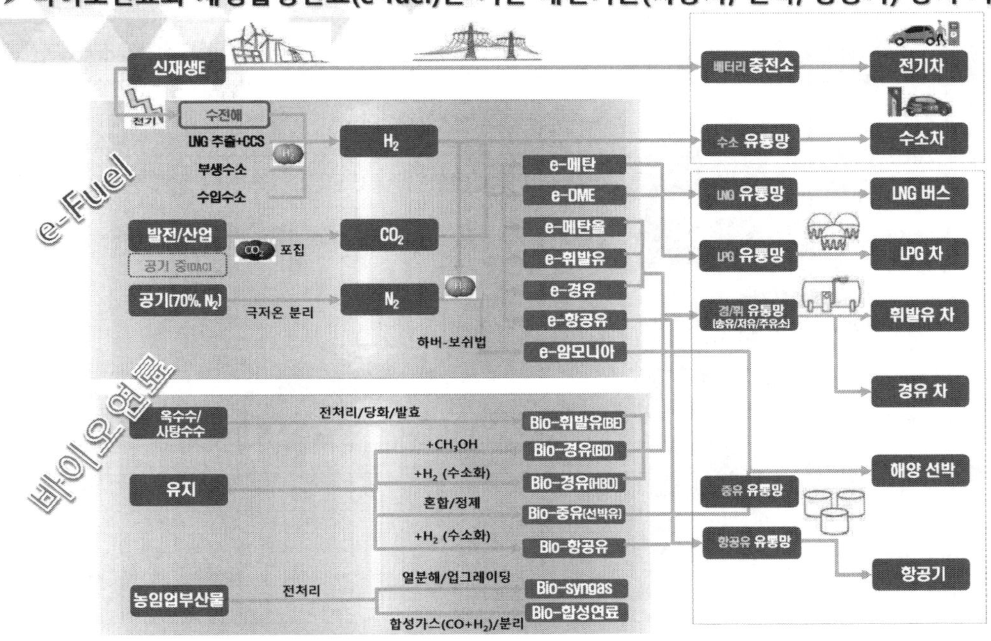

바이오선박유의 탄소감축 효과

- 국내 수송부문 연료의 바이오연료 1 ㎘ 대체 시, 온실가스 감축량 예시
  - 국내 바이오항공유 온실가스 배출계수 부재

연료 종류		이산화탄소 배출계수 (kg/TJ)*	순발열량(MJ)*	온실가스 감축량 (ton-CO_2/㎘)	대체 바이오연료
도로	휘발유	71,600	30.4	2.17	바이오에탄올
	자동차용 경유	73,200	35.2	2.57	바이오디젤
해운	선박유(B-C)	80,300	39.2	3.14	바이오중유
	선박용 경유	73,200	35.2	2.57	바이오디젤
항공	항공유	73,000	33.9	2.47	바이오항공유

* Source : 에너지법 시행규칙 별표('17년 고시된 순발열량 기준 석유제품별 배출계수 개발)

국내 수송부문 온실가스 감축 전망

➢ 2030 수송부문 석유소비 예측에 온실가스 감축 효과 예측(K-Petro 자체분석, '22)

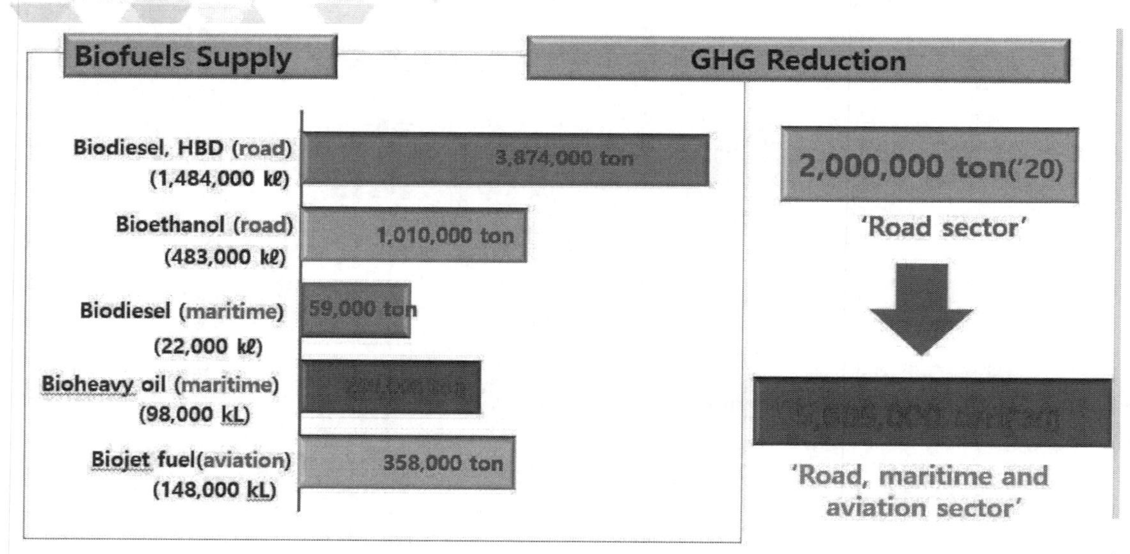

(Source: JaeKon Kim Presentation, Komarine international Conference 2022)

바이오선박유 상용화 과제

- **상용연료** : 바이오디젤과 바이오중유 및 바이오가스가 선박용 연료 적용 가능
- **제도개선** : 바이오선박유 도입에 대한 법 규정(관련 법 제•개정 필요) 개선 중
- **인센티브** : 바이오선박유 사용에 따른 구입 비용 지원, 세제 감면 등 검토 필요
- **기술개발** : 차세대 바이오선박유의 원천기술, 실증형 R&D 검토 중
- **생산기반** : 원료확보와 생산기반 설비 등의 연료 공급체계 구축 필요
- **인프라 확충** : 바이오선박유 벙커링 시스템 구축 필요
- **실증연구** : 국내 조기 상용화 위한 로드맵에 따른 실증연구 추진 필요
- **품질인증 :** 바이오선박유의 국가 품질검사를 통한 품질관리 검토 필요

44

Thanks for your attention !

Presenting author

Jae-Kon Kim, Team leader, Ph.D

- **Tel: +82-43-240-7931, +82-10-3030-1267**
- **E-mail : jkkim@kpetro.or.kr, Jaekon99@gmail.com**

이진형 박사

한국세라믹기술원 바이오소재공정센터 책임연구원

2016~	한국바이오연료포럼 총무이사
2022~2023	Texas A&M Univ. AgriLife resaerch center 방문연구원
2007	광주과학기술원 환경공학과 박사

2022년 정부에서 발표한 친환경 바이오연료 확대 방안에 따라 상용화되어 있는 바이오디젤의 확대와 함께 바이오항공유와 바이오선박유의 신규 상용화도 활발하게 진행되고 있다. 바이오연료의 보급 확대는 원료가 되는 바이오매스의 공급이 원활하게 될 때 가능하지만 아직 바이오매스 확보 전략은 뚜렷한 해답이 제시되지 못하고 있다. 바이오연료 보급 확대를 위해서는 필수적으로 적절한 품질의(suitable quality), 지속가능하고(sustainable), 합리적인 가격(reasonable price)에서 충분한 공급량(sufficient quatities)을 가지는 바이오매스의 확보가 필수적이다. 국내 바이오매스 잠재량은 2020년 기준으로 20,977천TOE로 보고되고 있으며 이 중 산림바이오매스가 9,852천TOE로 가장 많은 양을 차지하고 있다. 많은 양의 바이오매스 자원이 있는 것은 아니지만 이를 통해 실제로 에너지로 생산된 것은 3,899천TOE밖에 되지 않는 것을 보면 현재 있는 자원 조차도 효율적으로 사용되지 않고 있다는 것을 알 수 있다. 또한 2020년 기준 총 국내 에너지 생산량이 55,292천TOE인 것을 감안하면, 국내 바이오매스를 전부 사용한다면 국내 총 에너지 생산량의 38%를 생산할 수 있는 양이기에 결코 적은 양이라고만 말할 수 있는 것은 아니다. 결국 현재 존재하는 바이오매스 자원을 효율적으로 잘 활용할 수 있는 전략을 수립하는 것이 중요하며 이에 함께 신규 바이오매스 확보가 병행된다면 다가올 바이오연료 보급확대에 적극적으로 대응할 수 있을 것이다. 본 발표에서는 국내 바이오매스 자원 현황을 살펴보고 이를 효과적으로 활용할 수 있는 전략에 대해서 해외사례를 중심으로 알아보고자 한다. 또한 바이오연료 확대를 위한 국내에 적용 가능한 바이오매스 및 원료 확보 전략에 대해서 살펴볼 예정이다.

지속가능한 바이오매스 개발 동향

이진형 박사
한국세라믹기술원

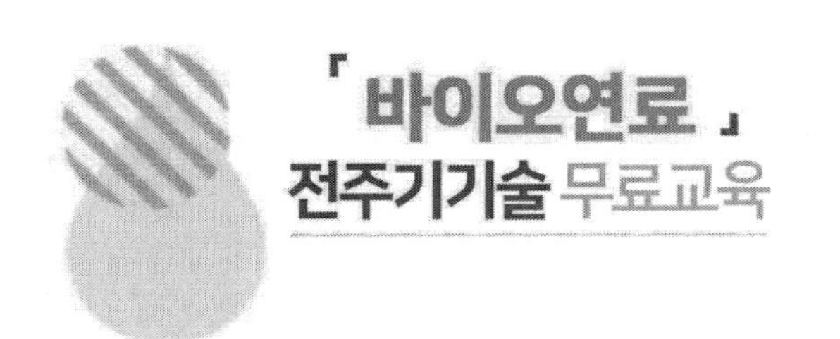

● 일시 : 23. 12. 07. (목), 09:00 ~ 17:35
● 장소 : 코리아나호텔 2층 다이아몬드홀

지속가능한 바이오매스 개발 동향

이진형 박사
한국세라믹기술원 책임연구원

바이오연료 전주기기술 교육

바이오매스의 정의

바이오매스의 법률적 정의

"바이오매스"라 함은 「신에너지 및 재생에너지 개발·이용·보급 촉진법」 제2조제2호 바목에 따른 재생 가능한 에너지로 변환될 수 있는 생물자원 및 생물자원을 이용해 생산한 연료를 의미한다.
(온실가스·에너지 목표관리 운영 등에 관한 지침 제2조 제53호)

"국내 바이오매스"는 국내 산업활동 등으로 발생한 산물로서 「자원의 절약과 재활용촉진에 관한 법률(이하 "자원재활용법")」에 의해 재활용이 가능하다고 인정되는 바이오매스로 정의될 수 있음

2

바이오연료 전주기기술 교육

바이오매스의 정의

용도에 따른 바이오매스 구분

구분	정의	종류
폐기물계 바이오매스	- 가정 및 산업 부문에서 폐기물로 발생하는 바이오매스 - 미처리 시 환경적인 악영향을 초래	- 하수슬러지, 음식물폐기물, 식품가공 부산물, 폐목재, 가축분뇨 등
미이용계 바이오매스	- 바이오에너지 등으로 아직 활용되지 않고 있는 바이오매스	- 작물의 줄기 · 깍지 · 잎, 버섯폐배지 · 과수전정가지, 벌채 잔목 등 농 · 임업 부산물
자원식물계 바이오매스	- 농업 부산물로 바이오디젤, 바이오에탄올의 원료로 이용되는 바이오매스	- 옥수수 · 감자 · 유채 등의 전분질 또는 유지 작물
신(新)작물	- 바이오에너지 생산을 위해 새롭게 재배 경작하는 바이오매스	- 케나프 · 억새 등 에너지작물, 미세조류 등

3

바이오연료 전주기기술 교육

바이오매스의 정의

원료 종류에 따른 바이오매스 구분

구분	종류
초본계	- 전분질계, 당질계, 유지작물계 등
목질계	- 나무, 과수전정가지 등
조류계	- 해조류
유기성 폐기물	- 하수슬러지, 가축분뇨, 음식물쓰레기 등

발생원에 따른 바이오매스 구분

구분	종류
임산 바이오매스	- 침엽수림, 활엽수림, 혼효림
농산 바이오매스	- 볏짚, 왕겨, 고춧대, 고구마줄기, 사과전정지 등
축산 바이오매스	- 우분, 돈분, 계분 등
도시폐기 바이오매스	- 음식물폐기물, 하수슬러지 등

4

바이오매스의 정의

관리체계에 따른 바이오매스 구분

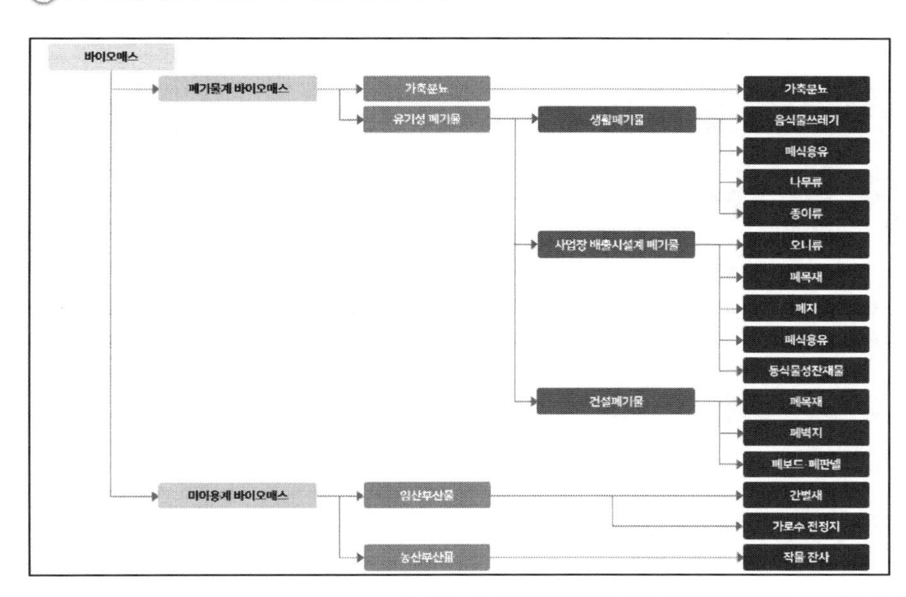

바이오연료 전주기기술 교육

바이오매스의 정의

바이오매스의 일반적 정의

태양에너지를 받아 유기물을 합성하는 식물과 이들을 먹이로 하는 동물, 미생물 등의 생물 유기체의 총칭 (* 출처: Wikipedia)

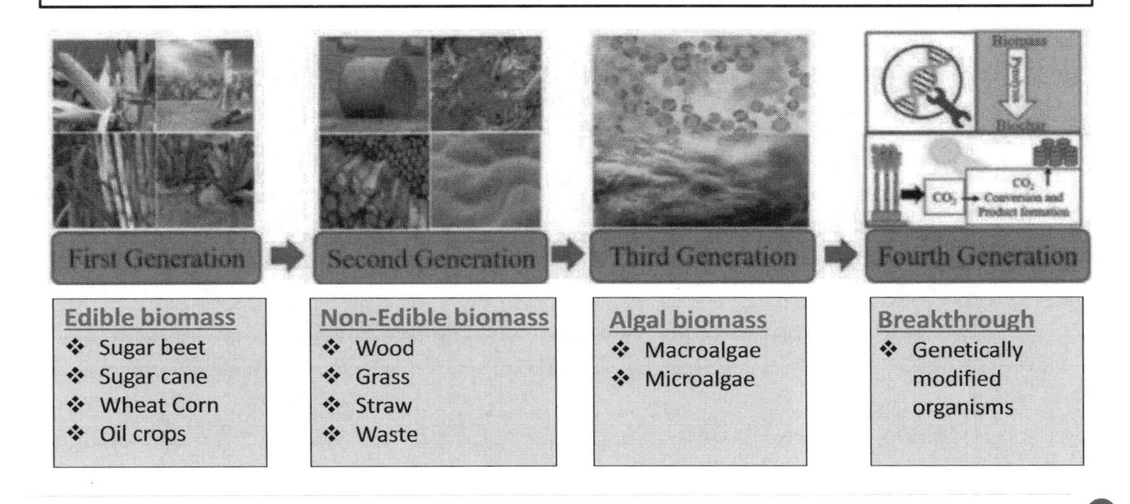

국내 바이오매스 잠재량

국내 바이오매스 잠재량

바이오매스 생산량 (2020)

단위: 천톤/년

	바이오매스 생산량†
산림	29,000
농산	7,326
축산	41,504
도시폐기	18,710
에너지작물	5,012
합 계	101,552

† 수확·활용 여부와 상관없이 국내에서 만들어지는 바이오매스의 총량

*출처: 2050 탄소중립을 위한 바이오에너지 활용방안 연구, 2021.09. (사)한국바이오연료포럼

국내 바이오매스 잠재량

바이오매스 에너지 잠재량 (2020)

단위: 천TOE/년

	이론적 잠재량	기술적 잠재량
산림	12,849	9,852
농산	4,019	4,019
축산	1,705	1,497
도시폐기	3,570	3,570
에너지작물	2,039	2,039
합 계	24,182	20,977

*출처: 2050 탄소중립을 위한 바이오에너지 활용방안 연구, 2021.09. (사)한국바이오연료포럼

9

바이오연료 전주기기술 교육

국내 바이오매스 잠재량

바이오매스 에너지 잠재량 (2020)

구분	정의
이론적 잠재량	국가 전체에 부존하는 바이오매스를 완전히 활용하여 에너지로 전환할 때 얻을 수 있는 이론적 최대 에너지의 양
기술적 잠재량	에너지 전환 시 손실율, 설비효율 등 현재 기술적 사항을 고려하여 실제 생산이 가능한 에너지양 (지리적 이유 등으로 수집되지 않고 있는 바이오매스도 제외)
시장 잠재량	정부의 여러 가지 정책적 영향요인(지원정책·규제정책 영향요인)을 반영한 에너지의 양

10

바이오연료 전주기기술 교육

국내 바이오매스 잠재량

국내 에너지 현황 (2020년 기준)

에너지 생산량

단위: 천TOE

합계	무연탄	천연가스	수력	원자력	신재생 및 기타
55,292	482	185	1,523	34,119	18,983

에너지 수출입

단위: 천TOE

수입				수출			순수입	수입의존도
합계	석탄	가스	석유	합계	석유	석탄		
325,367	75,687	52,217	197,463	65,208	65,208	-	260,159	92.8%

*출처: 국가에너지통계 종합정보 시스템 11

바이오연료 전주기기술 교육

국내 바이오매스 잠재량

국내 재생에너지 현황 (2020년 기준)

재생에너지 생산량

단위: 천TOE

합계	태양광	풍력	수력	해양	지열	수열	바이오	폐기물
11,104	4,156	671	826	97	241	21	3,899	1,166

바이오에너지 원료별 생산량

단위: 천TOE

소계	바이오 가스	매립지 가스	바이오 디젤	우드칩	성형탄	임산연료	목재 펠릿	폐목재	흑액	하수슬러지 고형연료	Bio-SRF	바이오 중유
3,899	95	62	690	237	11	143	1,326	73	198	155	501	409

*출처: 국가에너지통계 종합정보 시스템 12

바이오연료 전주기기술 교육

목재 현황

- 입목벌채량(천㎥) : 5,457
- 원목수집량(천㎥) : 4,080 (수집 비율: 74.8%)
- 목재 공급량(천㎥) : 27,925
- 국산 목재 공급량(천㎥) : 4,447

(단위 : 천㎥)

구분	합계				국내재			수입재			자급률(%)	
	계	원목	부산물	제품	계	원목	부산물	계	원목	제품	원목	총목재
합계	27,925	6,718	398	20,809	4,447	4,049	398	23,478	2,669	20,809	60.3	15.9
제재용	5,225	3,110	-	2,115	564	564	-	4,661	2,546	2,115	-	10.8
합판용	1,874	117	-	1,757	-	-	-	1,874	117	1,757	-	-
펄프용	10,069	904	-	9,165	904	904	-	9,165	-	9,165	-	9.0
보드용	2,662	1,245	-	1,417	1,239	1,239	-	1,423	6	1,417	-	46.5
바이오매스용	5,440	155	398	4,887	553	155	398	4,887	-	4,887	-	10.2
기타	2,655	1,187	-	1,468	1,187	1,187	-	1,468	-	1,468	-	44.7

* '19년부터 국내재를 원목과 부산물로 구분, 수입재는 내수용과 수출용을 포함
* 기타용도는 주택, 표고자목, 장작, 목탄 등

*출처: 산림청 홈페이지 

바이오연료 전주기기술 교육

목재 펠릿 현황

연도별 목재펠릿 현황

(단위:톤)

연도별	계	국산(톤)	수입산(톤)	자급률(%)
2022	4,647,089	737,006	3,910,083	15.9
2021	3,836,896	658,336	3,178,560	17.2
2020	3,257,798	331,202	2,926,596	10.2
2019	2,809,845	243,287	2,566,558	8.7
2018	3,200,190	187,745	3,012,445	5.9
2017	1,773,294	67,446	1,705,848	3.8
2016	1,769,213	52,572	1,716,641	3.0
2015	1,552,821	82,137	1,470,684	5.3
2014	1,940,103	90,462	1,849,641	5
2013	550,271	65,603	484,668	12
2012	173,790	51,343	122,447	30
2011	64,013	34,335	29,678	54
2010	33,981	13,088	20,893	38.5
2009	20,569	8,527	12,042	41.5

*출처: 산림청 홈페이지 14

국내 투자 현황

바이오연료 전주기기술 교육

기존 바이오연료 관련 투자의 문제점

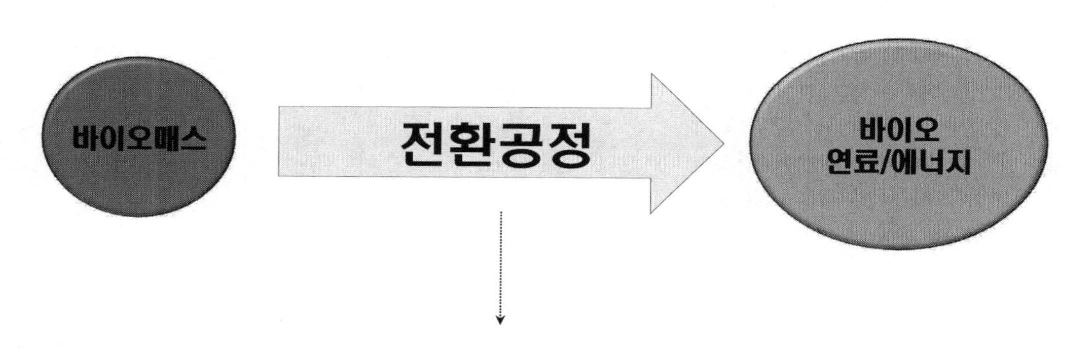

- 신재생에너지기술개발 사업 – 바이오분과 (산업부)
- 바이오화학산업촉진 기술개발 사업 (산업부)
- 폐자원 에너지화 기술개발 사업 (환경부)
- 기후변화대응기술개발사업 (과기부)

바이오연료 전주기기술 교육

기존 바이오연료 관련 투자의 문제점

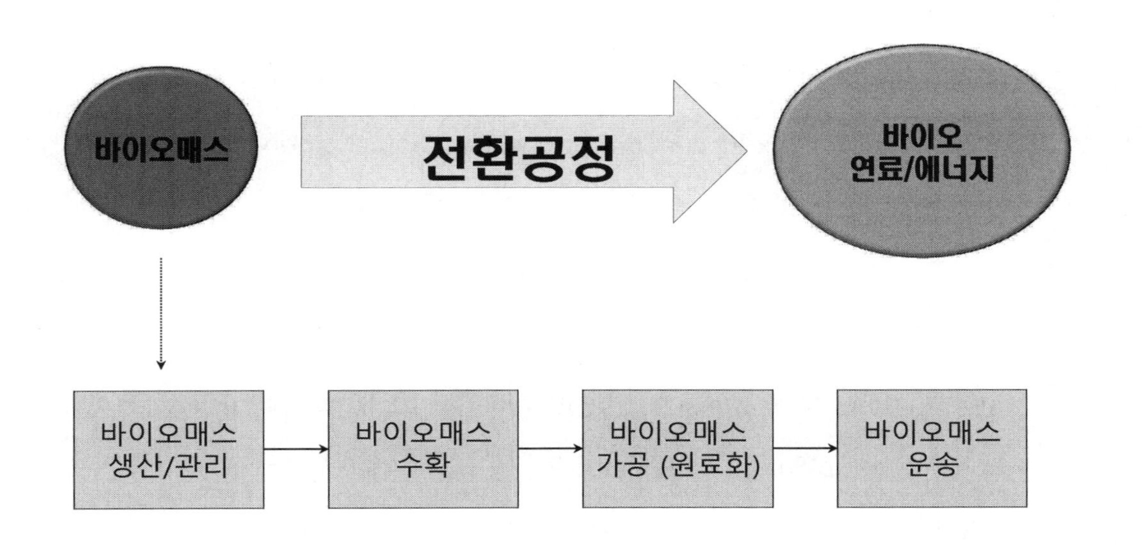

17

바이오연료 전주기기술 교육

해외 사례

18

바이오매스 관련 해외 연구 사례

Horizon2020 사업

❑ Growing Advanced **industrial Crops** on marginal lands for biorEfineries (GRACE)

❑ Biomass based energy **intermediates** boosting biofuel production (BIOBOOST)

❑ Reliable Bio-based Refinery **Intermediates** (BioMates)

❑ **Mobile and Flexible** industrial processing of biomass (MOBILE FLIP)

❑ Sustainable Regional **Supply Chains** for woody bioenergy (BioRES)

❑ Demonstration of innovative integrated biomass **logistics** centres for the Agro-industry sector in Europe (AGROinLOG)

❑ Development of the integrated Biomass **supply analysis** and **logistics Model**

바이오연료 전주기기술 교육

바이오매스 관련 해외 연구 사례

Horizon2020 사업

❑ Growing Advanced industrial Crops on marginal lands for biorEfineries (GRACE)

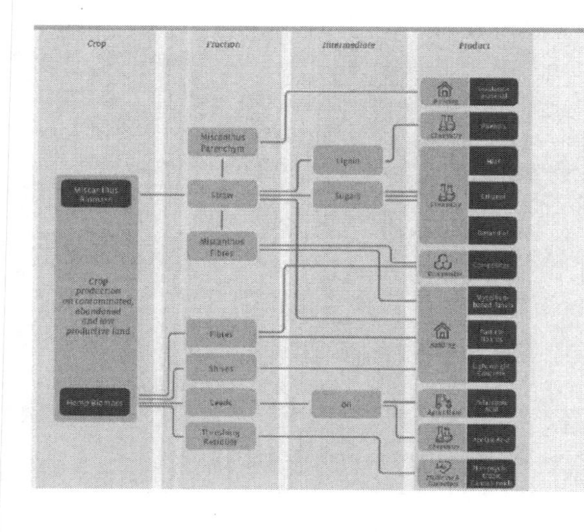

- Demonstration of 10 complete value chains at industry relevant scale
- Miscanthus and hemp production focussing on low-productive, contaminated and abandoned land
- Demonstration of large scale establishment of novel, seed-based miscanthus hybrids
- Assessment of environmental, social and economic impacts
- Participative approach - Industry panel

20

바이오연료 전주기기술 교육

바이오매스 관련 해외 연구 사례

Horizon2020 사업

❑ Biomass based energy intermediates boosting biofuel production (BIOBOOST)

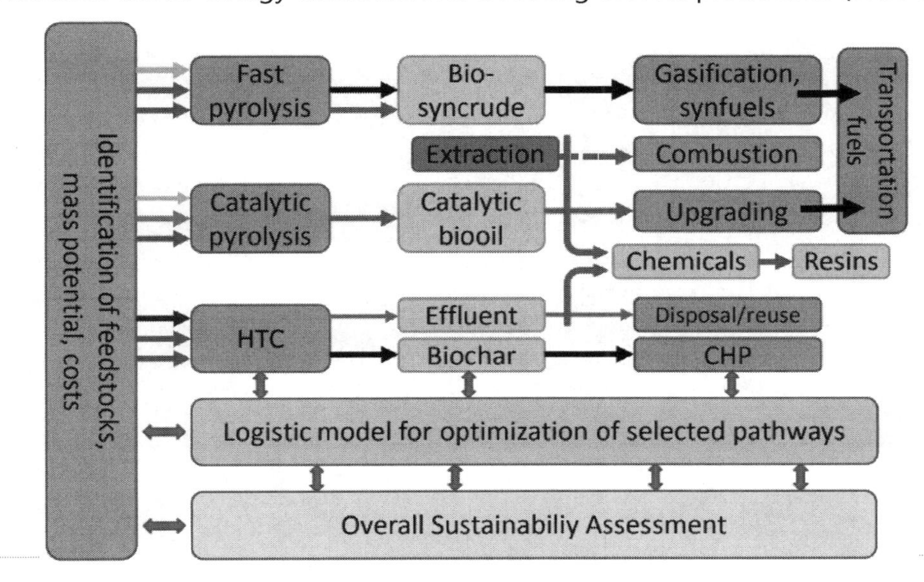

21

바이오연료 전주기기술 교육

바이오매스 관련 해외 연구 사례

Horizon2020 사업

❑ Biomass based energy intermediates boosting biofuel production (BIOBOOST)

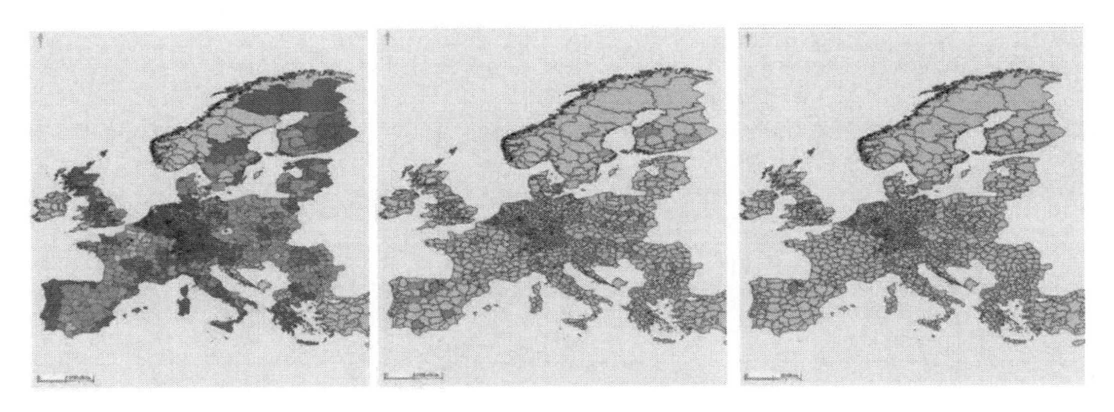

Straw potential | **Locations and capacities of local fast pyrolysis** | **Locations and capacities of central plants**

22

바이오매스 관련 해외 연구 사례

Horizon2020 사업

❑ Mobile and Flexible industrial processing of biomass (MOBILE FLIP)

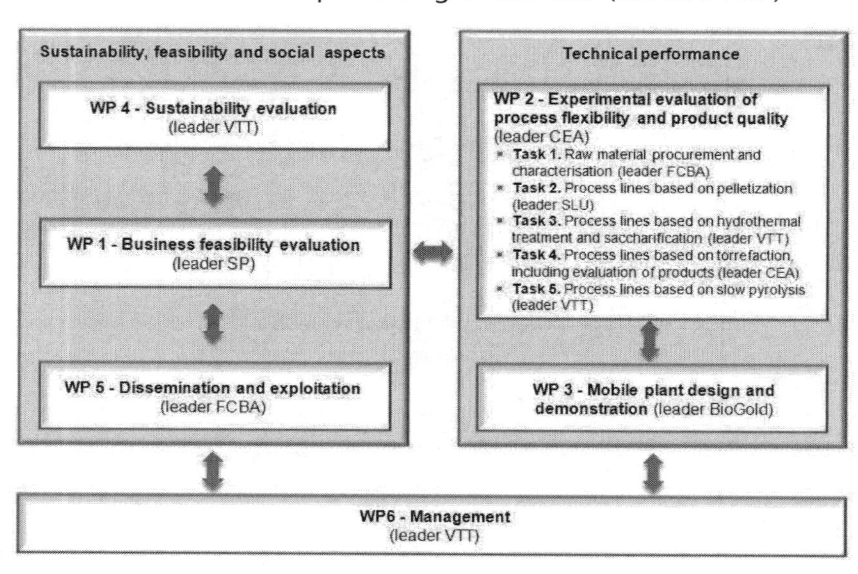

23

바이오연료 전주기기술 교육

바이오매스 관련 해외 연구 사례

Oak Ridge National Lab

❑ Development of the integrated Biomass supply analysis and logistics model (IBSAL)

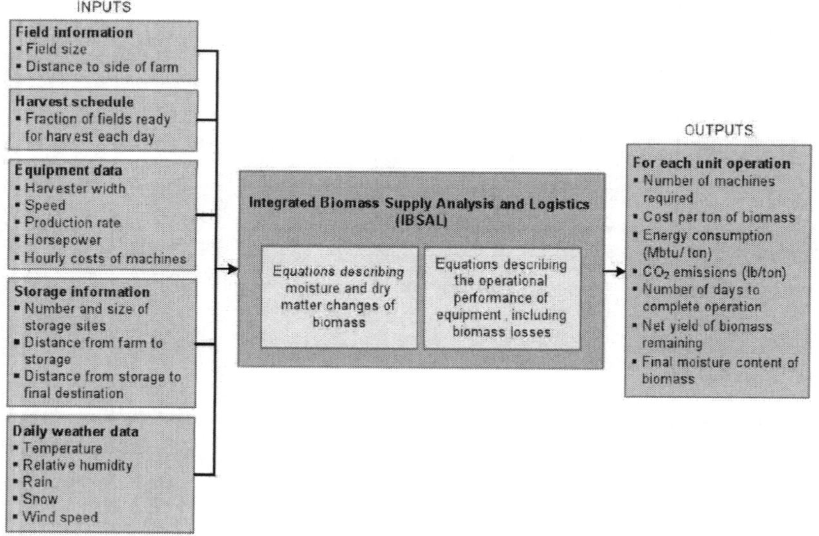

24

바이오매스 관련 해외 연구 사례

- Mobilisation of agricultural residues for bioenergy and higher value bio-products: Resources, Barriers and Sustainability

Conventional feedstock supply system

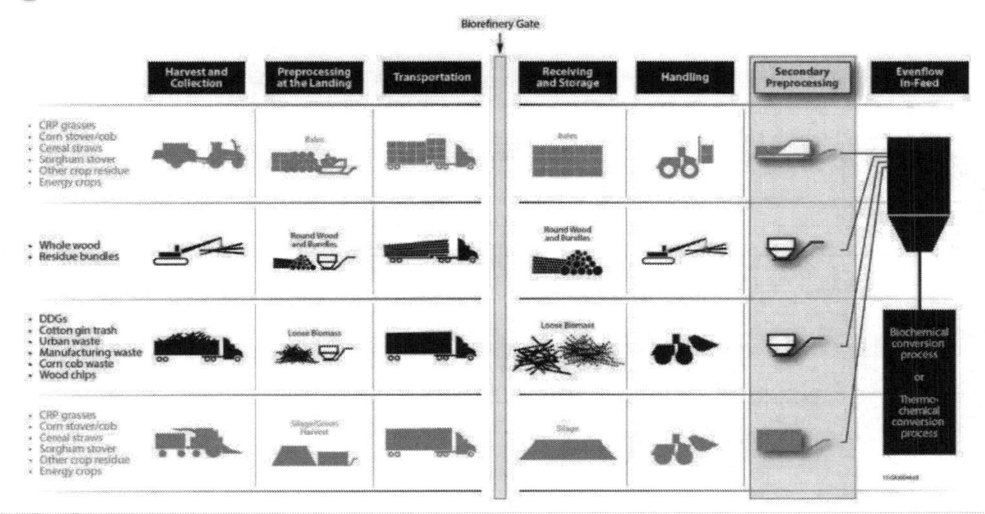

*출처: IEA Bioenergy: Task 43: 2017:01 

바이오연료 전주기기술 교육

바이오매스 관련 해외 연구 사례

- Mobilisation of agricultural residues for bioenergy and higher value bio-products: Resources, Barriers and Sustainability

Advanced feedstock supply system

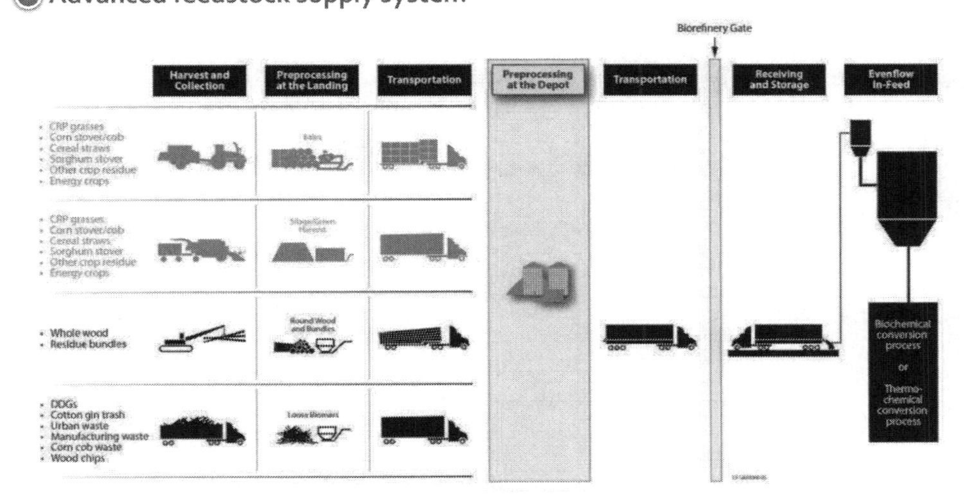

*출처: IEA Bioenergy: Task 43: 2017:01 26

바이오매스 관련 해외 연구 사례

❑ Clean Shipping Project towards sustainable biofuels in the maritime sector

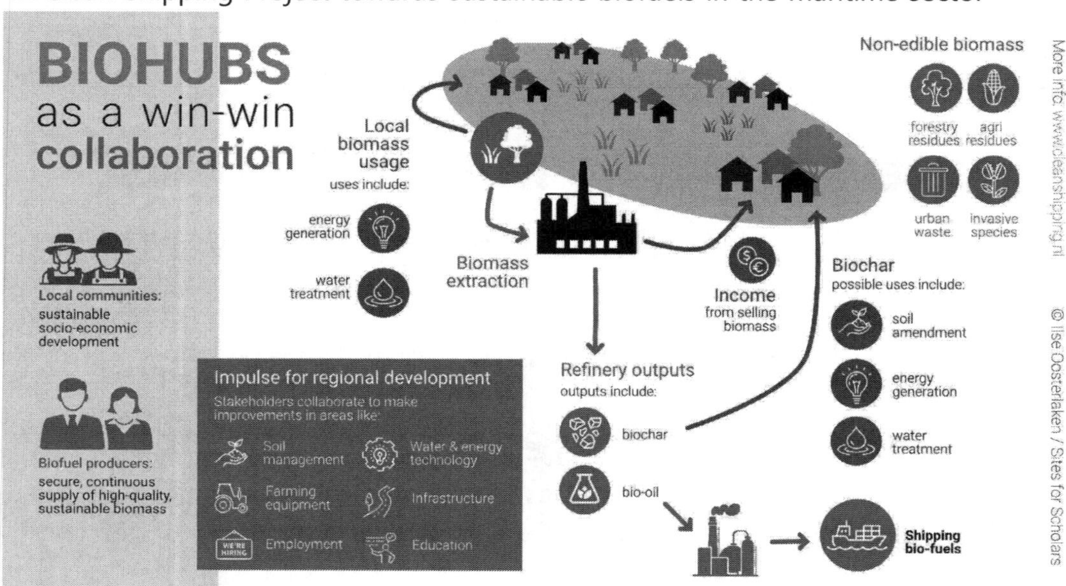

*출처: IEA Bioenergy: Task 43: 2020:03 27

바이오매스 관련 해외 연구 사례

❑ Biohubs as keys to successful biomass supply integration for bioenergy within th ebioeconomy

Our Vision of Biohubs

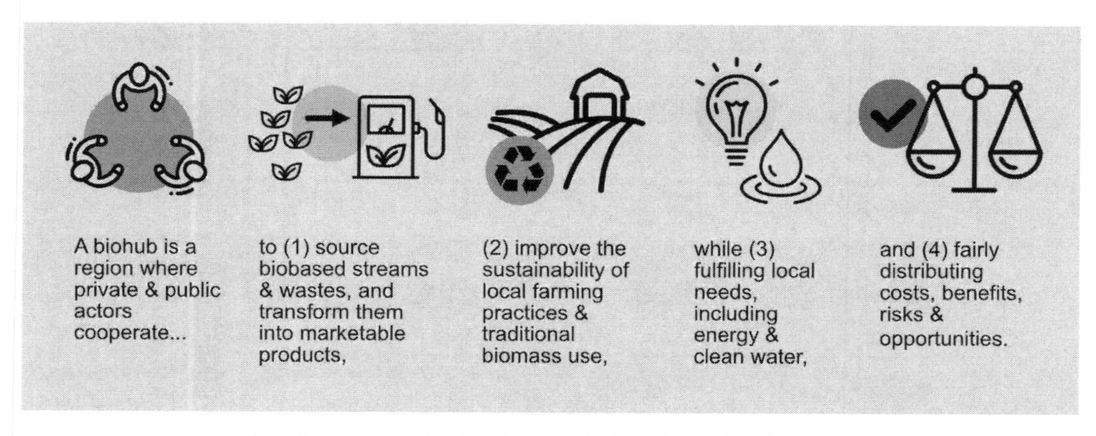

More info: www.cleanshipping.nl © Ilse Oosterlaken / Sites for Scholars

*출처: IEA Bioenergy: Task 43: 2020:03 28

국내 지속 가능한 바이오매스 확보를 위한 전략

바이오연료 전주기기술 교육

지속 가능한 바이오매스 확보 전략

❑ 산림바이오매스 공급 확대를 위한 저비용 실용형 생산 장비 개발 및 공급 체계 구축

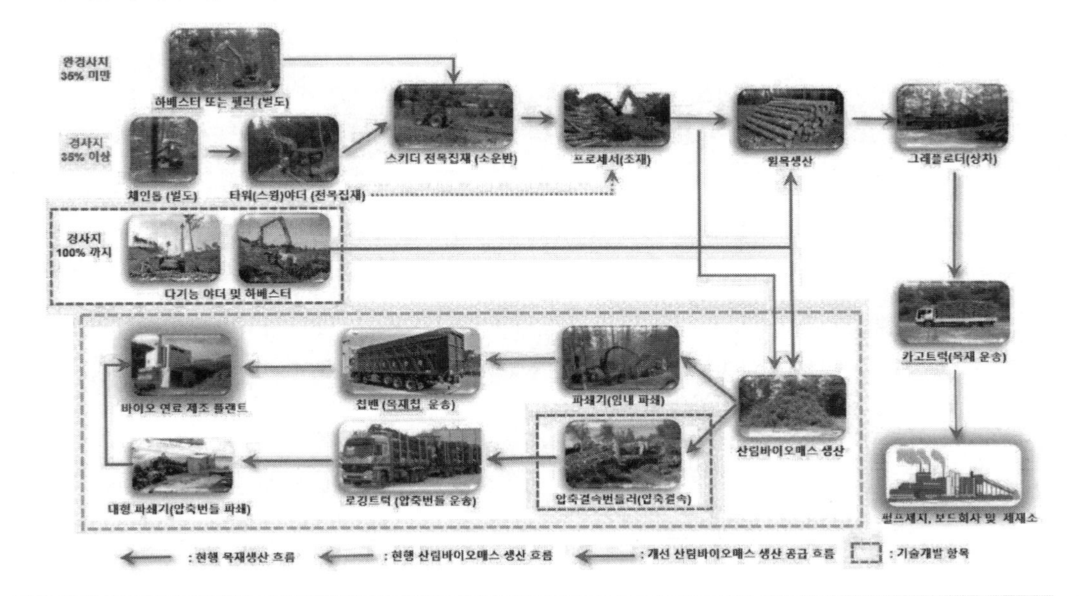

지속 가능한 바이오매스 확보 전략

❑ 바이오연료용 원료 확보를 위한 농업 바이오매스 자원별 안정공급 체계 구축

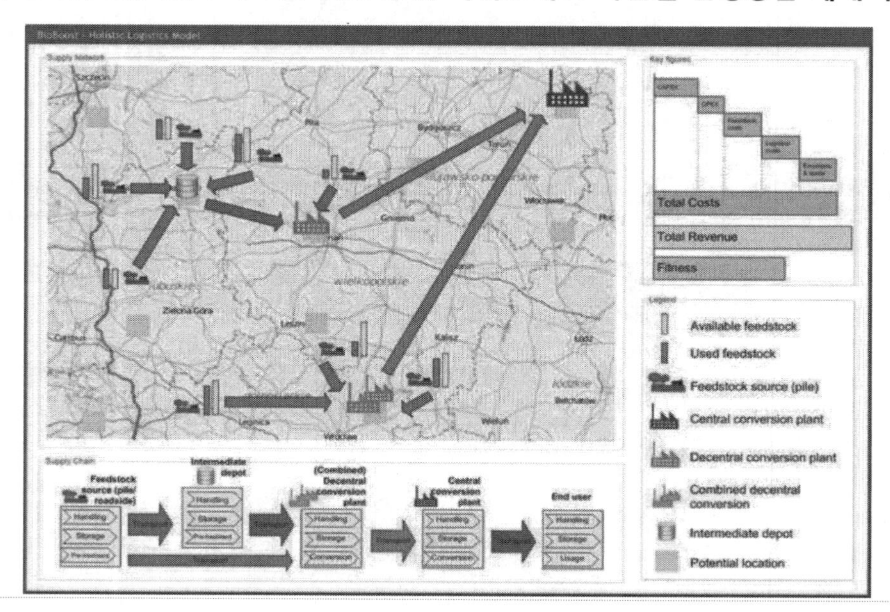

바이오연료 전주기기술 교육

지속 가능한 바이오매스 확보 전략

국내 바이오매스 잠재량 전망

단위: 천TOE/년

	2020	2030	2040	2050
산림	12,849	13,350	13,893	15,123
농산	2,979	3,068	2,925	2,829
축산	1,705	1,705	1,705	1,705
도시폐기	8,960	8,960	8,960	8,960
에너지작물	2,720	4,080	6,120	9,180
합계	29,213	31,164	33,604	37,797

바이오연료 전주기기술 교육

지속 가능한 바이오매스 확보 전략

해외 바이오매스 잠재량 전망

단위: 천TOE/년

	2030	2050
인도네시아	1,187,537	1,237,934
말레이시아	226,664	233,113
필리핀	663,989	687,157
태국	703,160	762,632
베트남	570,362	576,572
대한민국	31,164	37,797

33

바이오연료 전주기기술 교육

지속 가능한 바이오매스 확보 전략

❑ 고유지성 미세조류 배양기술 접목을 통한 미세조류 유래 바이오원유 해외 공급

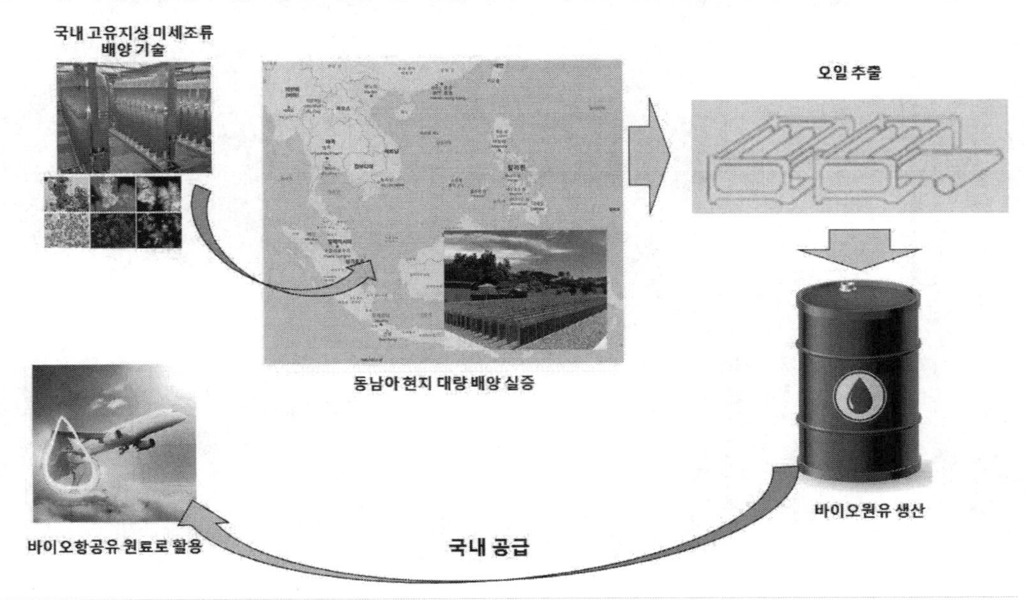

34

바이오연료 전주기기술 교육

지속 가능한 바이오매스 확보 전략

❑ 지속 가능 바이오원료 공급을 위한 미이용 바이오매스 해외 자원 분석 및 바이오원유 대량 공급 체계 구축 실증

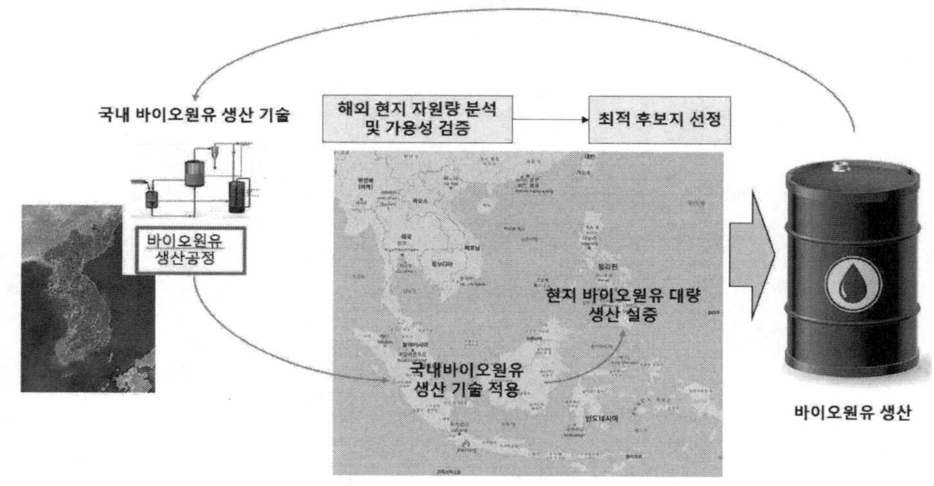

35

바이오연료 전주기 기술 교육

지속 가능한 바이오매스 개발 동향

오경근 대표

㈜슈가엔
대표

2023~	한국바이오연료포럼 감사
1998~	단국대학교 화학공학과 교수
1996	고려대학교 화학공학과 박사

바이오매스의 활용, 즉 바이오연료/화학 기술은 포스트-석유 시대에 현재의 문명을 그대로 유지하면서, 기후변화 대응 실현을 위한 유일한 접근 방법으로 세계 각국이 경쟁적으로 기술 개발에 박차를 가하고 있다. 특히, 바이오매스 자원이 부족한 국내 현황을 고려해 볼 때 국제적 경쟁에서 살아남기 위해서는 상대적으로 기술 개발의 여지가 많이 남아있는 바이오매스의 활용, 즉 전처리/분별공정에 연구를 집중함으로써, 선진국과의 차별적인 원천기술의 확보가 요구된다. 국내 바이오알코올 분야의 공정 단계별 세계 최고기술 보유국 대비 기술 수준을 살펴보면, 섬유질계 바이오매스 생산, 확보(약 65.8%) 및 바이오매스 전처리 및 당화 기술(약 67.0%)이 가장 저조, 전체 바이오연료/화학 기술 수준 향상을 저해하는 병목구간으로 추정할 수 있다. 또한, 바이오에탄올 총 생산비용의 13.4%가 전처리 공정에 소요, 원료를 제외한 순수 공정비율로, 약 21%의 효소 당화공정 다음으로 높은 비중을 차지한다. 기술 개발을 통한 바이오연료/화학 경제성 확보 가능성은 발효당 생산에서 찾아볼 수 있으며, 이중 전처리/분별공정의 개발은 효소의 가수분해 속도 및 투입량 등에 영향을 미치기 때문에, 바이오연료/화학 상용화와 더불어 반드시 반드시 극복되어야 하는 핵심 단계이다.

바이오매스 성분분별(fractionation)은 바이오매스 원료의 주요성분인 섬유소, 반섬유소, 그리고 리그닌을 별도로 분리해 내는 공정을 말한다. 바이오매스 성분분별의 원칙적인 정의는 상기 언급된 세 가지 주요성분의 분리로 제한되지만, 분별공정 중 발생하는 단당류 과분해 물질들 또한 바이오화학 분야에서는 주요한 화학물질들의 전구체가 되는 고급 자원이 될 수 있다. 따라서 바이오매스 구성성분들의 이용을 극대화할 수 있는 바이오매스의 효율적 분별 및 회수 공정의 병행은 필수적이며, 국내의 바이오매스 활용 정책 결정에 기본근거가 될 수 있을 것이다.

바이오연료
전주기기술
무 료 교 육

초본계/목질계를 활용한 바이오매스 전처리 공정

오경근 대표
(주)슈가엔

초본계/목질계를 활용한 바이오매스 전처리 공정

Integrative utilization and conversion of lignocellulosic biomass

오 경 근

2023. 12. 7.

1. **Biomass Fractionation**
   - What biomass is
   - Fractionation models
2. **MYPP 2023**
   - BETO's strategy
   - Sugar and lignin platform
3. **Technical Experience**
   - Optimization the process conditions
   - Performance depending on equipment
4. **Future Works**
   - Key challenges to CCBP

What biomass is..

Biomass

; is carbon based and composed of a mixture of organic molecules containing hydrogen, usually including atoms of oxygen, often nitrogen and also small quantities of other atoms.

Accessing to biomass
is one of the greatest challenges facing the world

What biomass is..

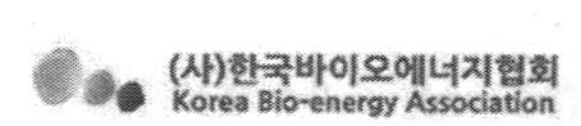

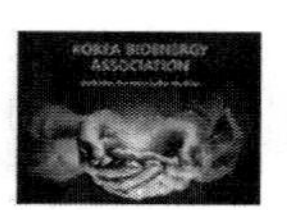

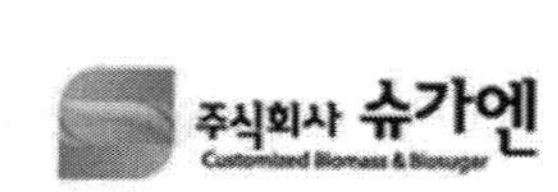

Biomass Fractionation

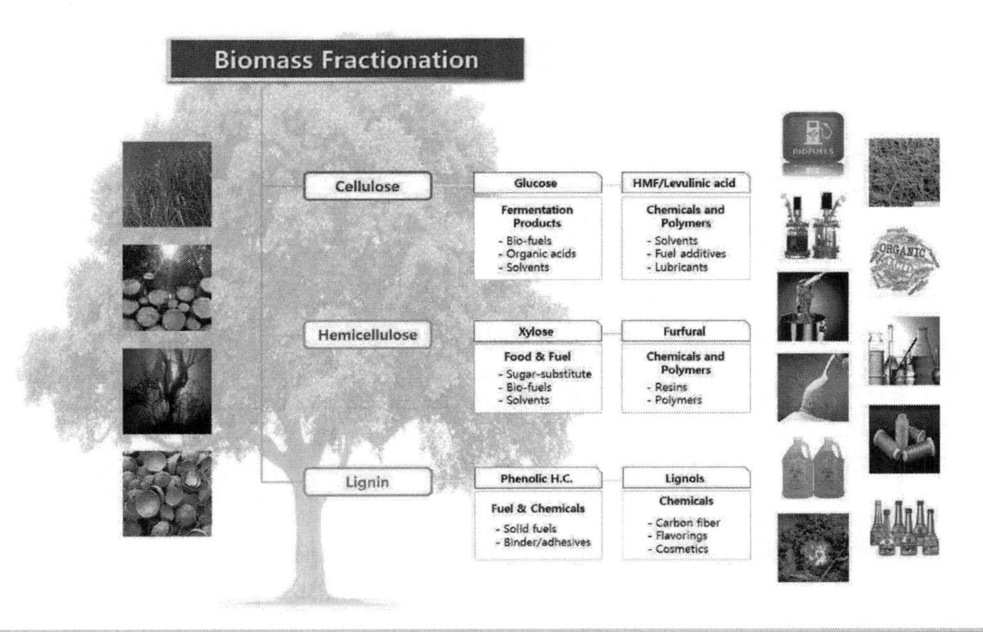

Biomass Fractionation

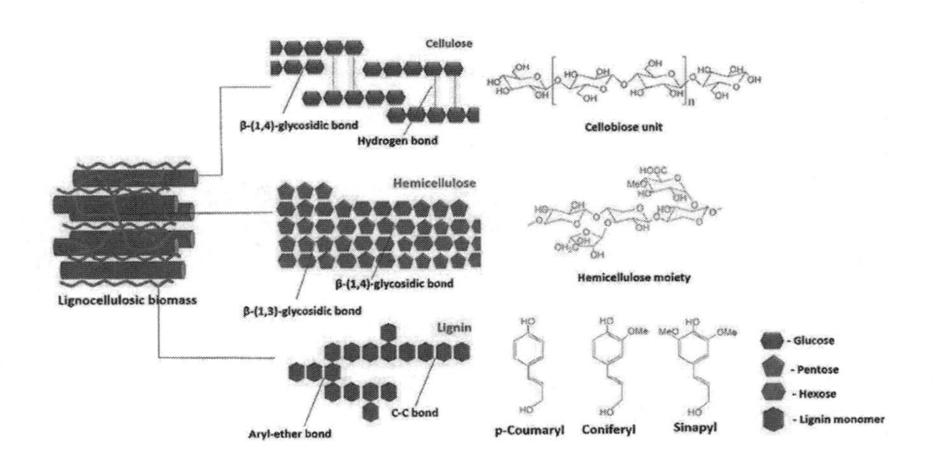

https://doi.org/10.3389/fenrg.2018.00141

Fractionation models

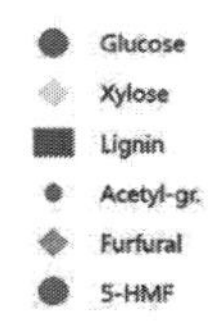

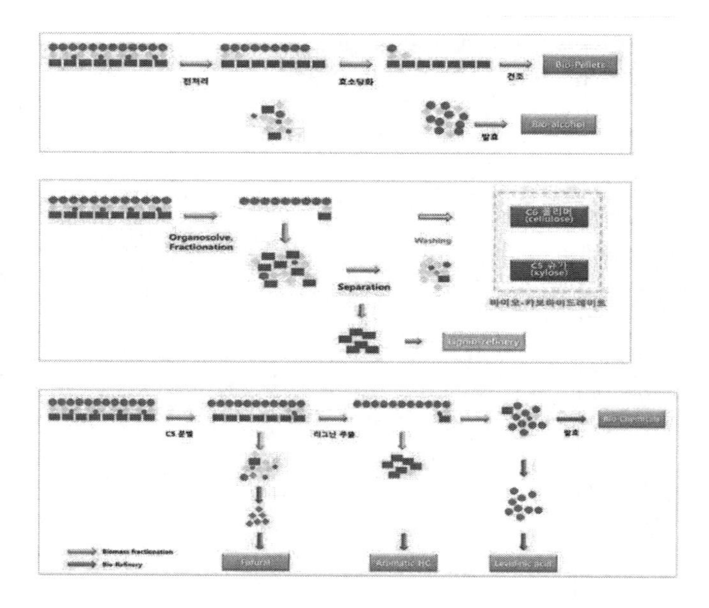

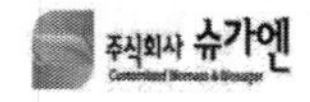

Bioenergy Technologies Office MYPP 2023

BETO's strategic goals

Decarbonize the

- Transportation sector to produce cost-effective, sustainable aviation and other strategic fuels.
- Industrial sector to produce cost-effective and sustainable chemicals, materials utilizing biomass and waste resources.

Develop the

- cost-effective, sustainable biomass and waste utilization technologies

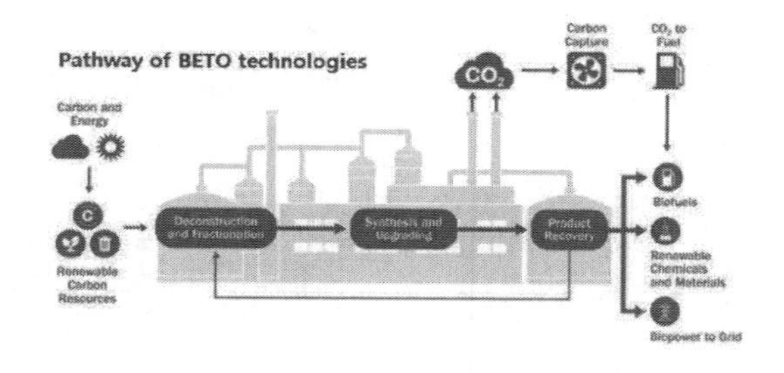

Key performance goals by the year 2030

- Scale-up of biofuel production on SAF (>70% GHG Re.)
- Four demonstration-scale integrated biorefineries.
- Commercial production of >10 renewable chemicals and materials
- At least one recyclable bio-based plastic (≥50% GHG Re.)

주식회사 슈가엔

Deconstruction & Fractionation (BETO)

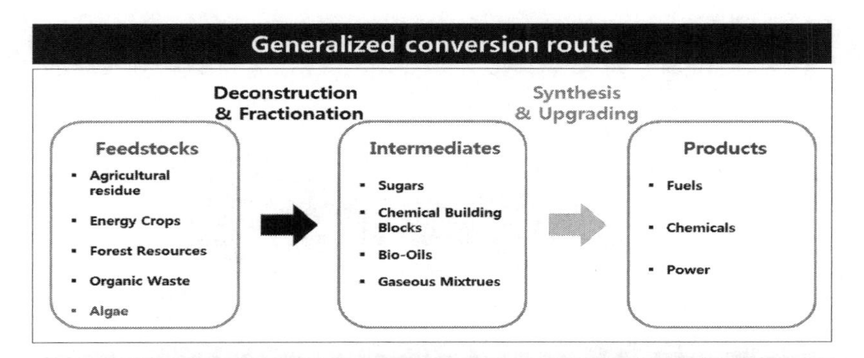

Near-to mid-term Conversion R&D efforts

- Develop **innovative biomass deconstruction approaches** to lower the cost of intermediates
- Enable **high-performance separations technologies** for product yields and cost
- Understand the relationship between **feedstock quality** and **conversion performance**
- Develop strategies for **conserving carbon and hydrogen** in processes
- Work with **petroleum refiners** to address integration of biofuels into refinery processes

Bioenergy Technologies Office MYPP 2023

Strategy 2: Develop Sugar and Lignin Platform

Challenge 2.1 Deconstruction of Lignocellulosic Biomass into Sugars and Lignin

- Lowering the cost of cellulosic sugar production, including improvements to pretreatment, sugar concentration, and separation from lignin
- Alterations to lignin chemistry that occur during high-temperature and acidic pretreatments, which make it difficult to convert

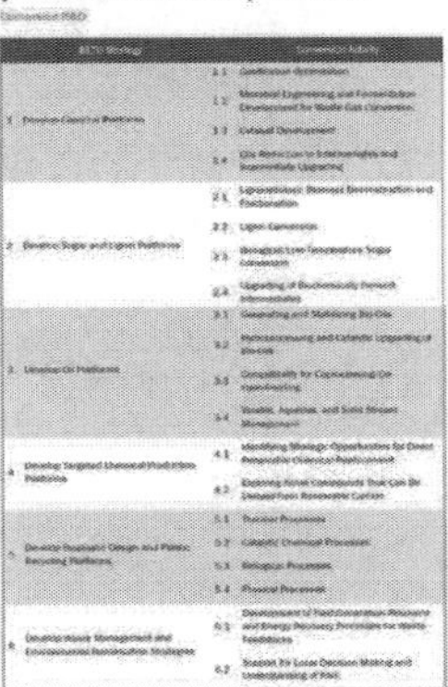

Activity 2.1 Lignocellulosic Biomass Deconstruction and Fractionation

- Quantifying the impact of feedstock variability on biomass deconstruction
- Exploring the use of low-CI chemicals and processes.
- Investigating pretreatment strategies that can preserve natural lignin chemistry.
- Enabling the fractionation of separate hexose and pentose sugar streams

Fractionation mechanism

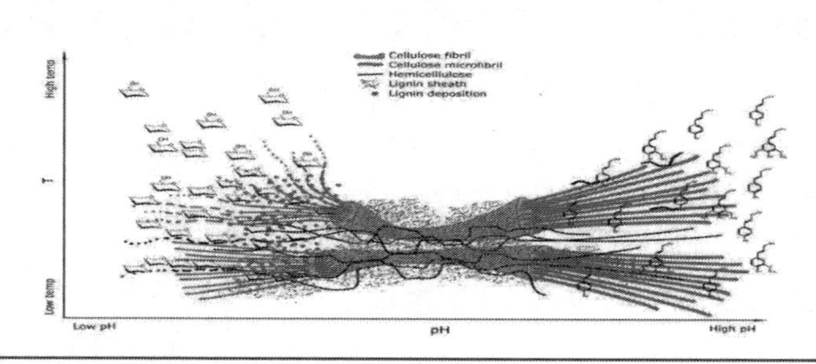

Chemicals	Advantages	Disadvanrages
Acid	Removal of hemicellulose Alteration in lignin structure	Formation of inhibitors
Alkali	Removal of hemicellulose Removal of lignin Alteration in lignin structure	Conversion of alkali to irrecoverable salts
Ozon	Selective lignin degradation	High generation costs due to large energy demand
Ionic liquid (IL)	Carbohydrates and lignin can be simultaneously dissolved	Lack of mature commercial IL recovery methods
Organic solvent	Recovery of relatively pure lignin Low sugar degradation	Requirement for removal of solvent from the system

Evolving the fractionation reactor

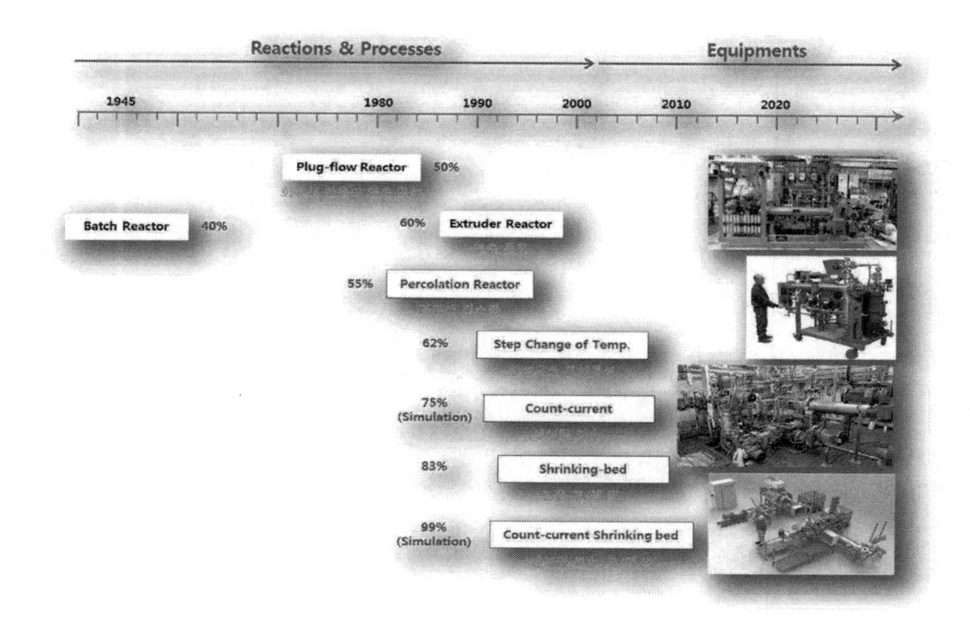

Fractionation variables

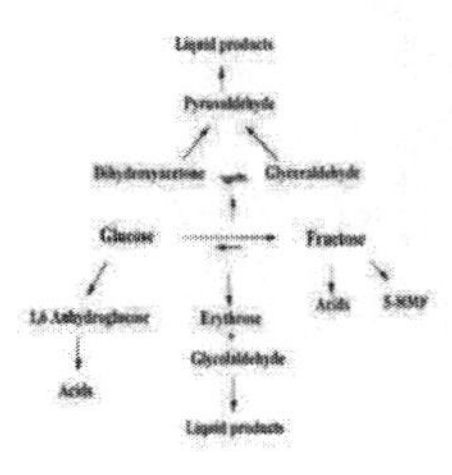
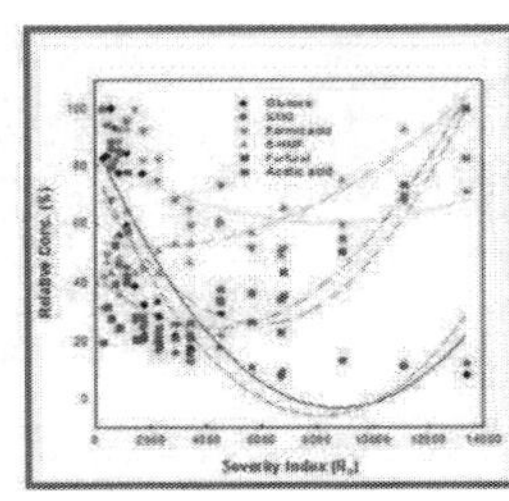
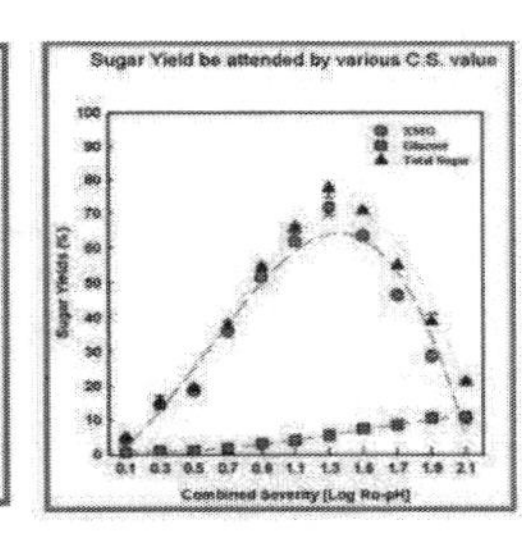

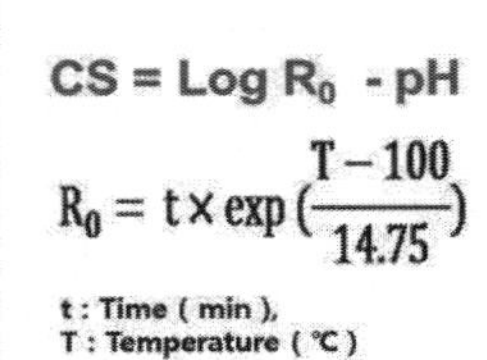

$$CS = \text{Log } R_0 - pH$$

$$R_0 = t \times \exp\left(\frac{T-100}{14.75}\right)$$

t : Time (min),
T : Temperature (℃)

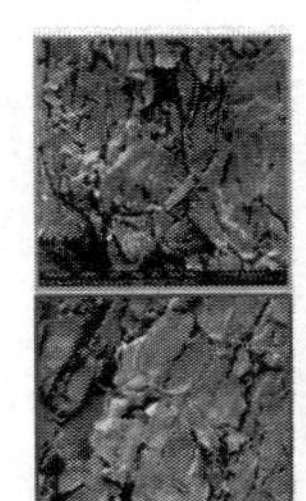
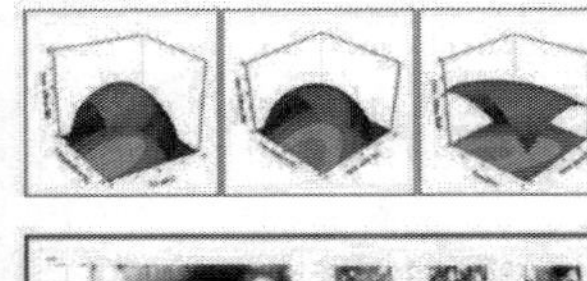

T.H. Kim, H.J. Ryu, K.K. Oh, Low acid hydrothermal fractionation of Giant Miscanthus for production of xylose-rich hydrolysate and furfural *Bioresource Technology,* 218, 2016, 367-372

D.Y. Kim, B.H. Um, K.K. Oh, Acetic acid-assisted hydrothermal fractionation of empty fruit bunches for high hemicellulosic sugar recovery with low byproducts *Appl. Biochem Biotechnol,* 176, 2015, 1445-1458

J.Y. Lee, H.J. Ryu, K.K. Oh, Acid-catalyzed hydrothermal severity on the fractionation of agricultural residues for xylose-rich hydrolyzates *Bioresource Technology,* 132, 2013, 84-90

T.S. Jeong, K.K. Oh, Optimization of fermentable sugar production from rape straw through hydrothermal acid pretreatment *Bioresource Technology,* 102, 2011, 9261-9266

Two-stage fractionation

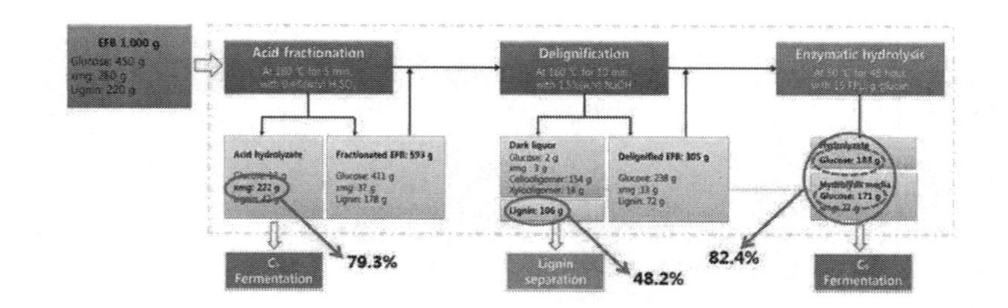

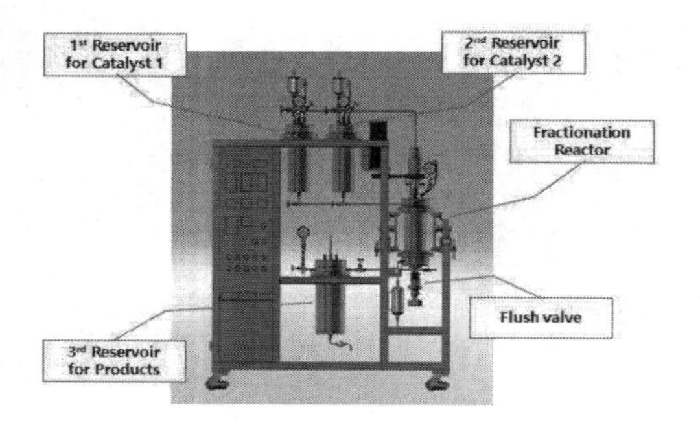

D.Y. Kim, Y.S. Kim, T.H. Kim, K.K. Oh, Two-stage, acetic acid-aqueous ammonia, fractionation of empty fruit bunches for increased lignocellulosic biomass utilization
Bioresource Technology, 199, 2016, 121-127

J.Y Hong, Y.S. Kim, K.K Oh, Fractionation and delignification of empty fruit bunches with low reaction severity for high sugar recovery,
Bioresource Technology, 146, 2013, 176-183

C.H. Choi, B.H. Um, Y.S. Kim, K.K. Oh, Improved enzyme efficiency of rapeseed straw through the two-stage fractionation process using sodium hydroxide and sulfuric acid
Applied Energy, 102, 2013, 640-646

T.S. Jeong, Y.S. Kim, K.K. Oh, Two-stage acid saccharification of fractionated Gelidium amansii minimizing the sugar decomposition
Bioresource Technology, 102, 2011, 10529-10534

Fractionation through CTSR (Continuous Twin Screw-driven Reactor)

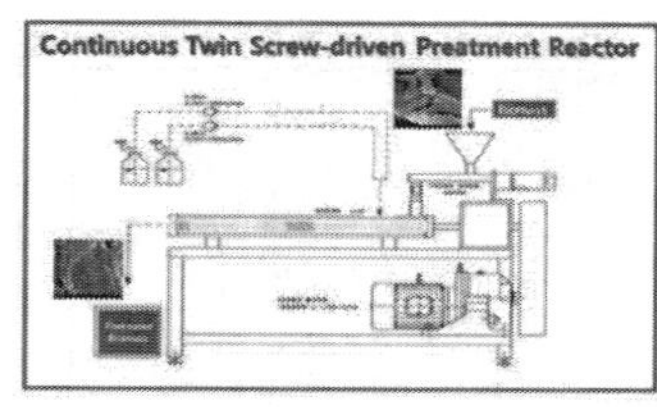

Optimized Conditions for Continuous Pretreatment

1. **Screw Configuration: Type A**
2. **H_2SO_4 Concentration : 3.5%**
3. **Reacation Temperature: 165°C**
4. **Biomass Feeding Rate: 0.5 g/min**
5. **Liquid Feeding Rate: 6.9 mL/min**
6. **Screw RPM: 19.7 rpm**
7. **Residence Time: 7.2 min**

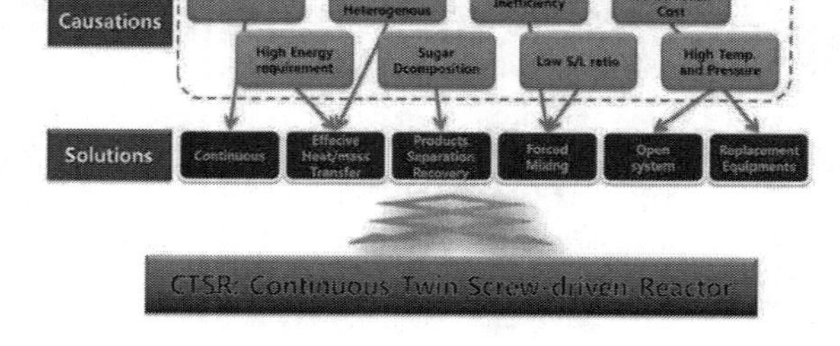

W.I. Choi, H.J. Ryu, S.J. Kim, K.K. Oh, Thermo-mechanical fractionation of yellow poplar sawdust with a low reaction severity using continuous twin screw-driven reactor for high hemicellulosic sugar recovery.
Bioresource Technology, 241, 2017, 63-69

T.H. Kim, C.H. Choi, K.K. Oh, Bioconversion of sawdust into ethanol using dilute sulfuric acid-assisted continuous twin screw-driven reactor pretreatment and fed-batch simultaneous saccharification and fermentation,
Bioresource Technology, 130, 2013, 306-313

B.H. Um, C.H. Choi, K.K. Oh, Chemicals effect on the enzymatic digestibility of rape straw over the thermo-mechanical pretreatment using a continuous twin screw-driven reactor (CTSR)
Bioresource Technology, 130, 2013, 38-44

C.H. Choi, B.H. Um, K.K. Oh, The influence of screw configuration on the pretreatment performance of a continuous twin screw-driven reactor (CTSR)
Bioresource Technology, 132, 2013, 49-56

C.H. Choi, K.K. Oh, Application of a continuous twin screw-driven process for dilute acid pretreatment of rape straw
Bioresource Technology, 110, 2012, 349-354

Fractionation of algal biomass

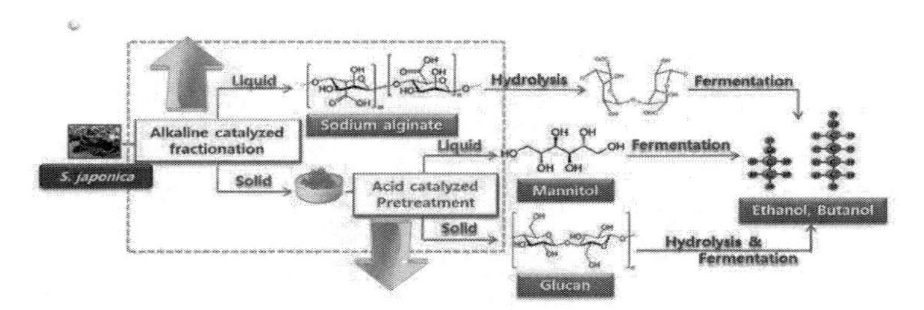

- Kinetics Model Equation

Cellulose (C) $\xrightarrow{k_1}$ Glucose (G) $\xrightarrow{k_2}$ Degradation Products (D) (1)

$k_{1,2}(t) = A_{1,2} \times \exp(E / RT(t))$, $A_{1,2} = A_{01,2} \times n^{m1,2}$ (2)

$G = F_{cell} \times k_1(\exp((-k_1 \times t) / (k_2 - k_1) + \exp((-k_2 \times t) / (k_1 - k_2))) / 0.9$ (3)

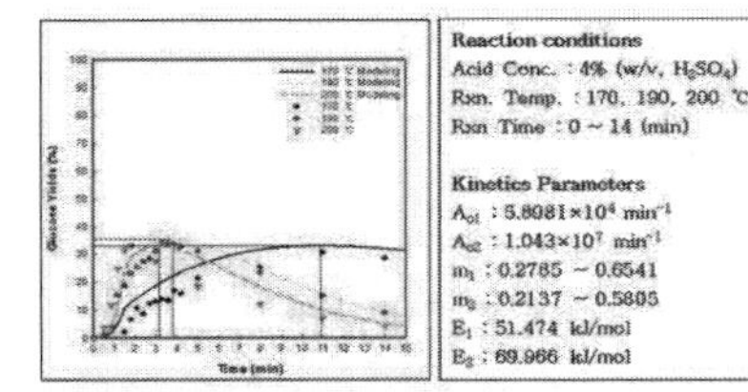

Glucose Yields (%)
Time (min)
Reaction conditions
Acid Conc. : 4% (w/v, H_2SO_4)
Rxn. Temp. : 170, 190, 200 ℃
Rxn Time : 0 ~ 14 (min)
Kinetics Parameters
A_{01} : 5.8081×10^4 min^{-1}
A_{02} : 1.043×10^7 min^{-1}
m_1 : 0.2765 ~ 0.6541
m_2 : 0.2137 ~ 0.5805
E_1 : 51.474 kJ/mol
E_2 : 69.966 kJ/mol

T.H. Kim, W.I. Choi, Y.S. Kim, K.K. Oh, A novel alginate quantification method using high-performance liquid chromatography(HPLC) for pretreatmen of Saccharina japonica
J. Appl. Phycol. 27, 2015, 511-518

J.Y. Lee, P. Li, J.E. Lee, H.J. Ryu, K.K. Oh, Ethanol production from Saccharina japonica using an optimized extremely low acid pretreatment followed by simultaneous saccharification and fermentation,
Bioresource Technology, 127, 2013, 119-125

T.S. Jeong, C.H. Choi, J.Y. Lee, K.K. Oh, Behaviors of glucose decomposition during acid-catalyzed hydrothermal hydrolysis of pretreated Gelidium amansii
Bioresource Technology, 116, 2012, 435-440

T.S. Jeong, Y.S. Kim, K.K. Oh, A kinetic assessment of glucose production from pretreated Gelidium amansii by dilute acid hydrolysis
Renewable Energy, 42, 2012, 207-211

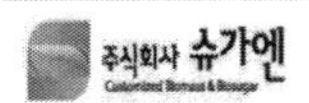

Lignin extraction from herbaceous biomass

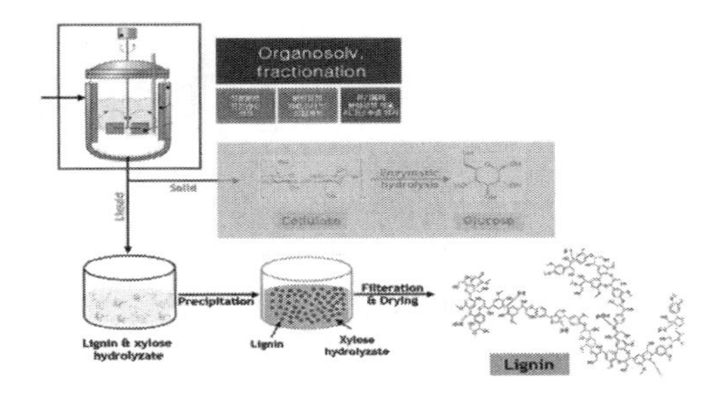

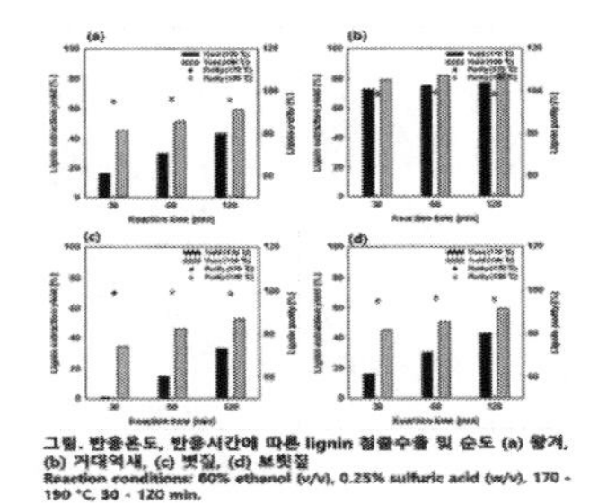

그림. 반응온도, 반응시간에 따른 lignin 회수율 및 순도 (a) 왕겨, (b) 거대억새, (c) 볏짚, (d) 보릿짚
Reaction conditions: 60% ethanol (v/v), 0.25% sulfuric acid (w/v), 170 - 190 ℃, 30 - 120 min.

바이오매스 별 유기용매 분별공정의 적용, 리그닌 추출 평가

표. Organosolv 처리조건에 따라 침출된 lignin monomer의 composition 및 molecular weight

Biomass	Conditions		Lignin monomers						Molecular weight		
			Aliphatic	H[1] unit	G[2] unit	S[3] unit	Phenols	COOH	M_n	M_w	PDI[4]
	[℃]	[min]	[mmol/g]	[mmol/g]	[mmol/g]	[mmol/g]	[mmol/g]	[mmol/g]	[g/mol]	[g/mol]	[-]
왕겨	170	60	1.49	0.33	0.79	0.42	1.54	0.18	1817	2294	1.26
	170	120	1.43	0.40	0.99	0.56	1.95	0.22	1751	2247	1.28
	190	60	1.44	0.55	1.43	0.97	2.94	0.26	1497	1856	1.24
	190	120	0.93	0.55	1.49	0.90	2.94	0.21	1453	1771	1.22
왕겨[5]	190	60	1.39	0.41	1.11	0.49	2.01	0.41	1318	1652	1.25
거대억새	190	60	0.62	0.76	1.06	1.11	2.93	0.04	1425	1708	1.20
볏짚	190	60	1.84	0.57	0.98	0.64	2.19	0.33	1523	1756	1.15
보릿짚	190	60	1.66	0.34	0.74	0.60	1.67	0.34	1703	2110	1.24

[1]H Unit: p-hydroxyphenyl, [2]G Unit: Guaiacyl, [3]S Unit: Syringyl, [4]PDI: Poly Dispersity Index (M_w/M_n), [5]왕겨: acid free organosolv treated lignin. Reaction conditions: 60% ethanol (v/v), 0 - 0.25% sulfuric acid (w/v), 170 - 190 ℃, 60 - 120 min.

H.J. Jung, H. Kwak, J. Chun, K.K. Oh, Alkaline Fractionation and Subsequent Production of Nano-Structured Silica and Cellulose Nano-Fibrils for the Comprehensive Utilization of Rice Husk
Sustainability 2021, 13, 1951-1962

H.J. Jung, K.K. Oh, Production of Bio-Based Chemicals, Acetic Acid and Furfural, through Low-Acid Hydrothermal Fractionation of Pine Wood (Pinus densiflora) and Combustion Characteristics of the Residual Solid Fuel
Appl. Sci. 2021, 11, 7435-7448

T.H. Kim, H. Kwak, T.H. Kim, K.K. Oh, Reaction Characteristics of Organosolv-Fractionation Process for Selective Extraction of Carbohydrates and Lignin from Rice Husks
Energies 2021, 14, 686-700

T.H. Kim, H. Kwak, T.H. Kim, K. K. Oh, Extraction Behaviors of Lignin and Hemicellulose-Derived Sugars During Organosolv Fractionation of Agricultural Residues Using a Bench-Scale Ball Milling Reactor
Energies 2020, 13, 352-367

Combined ball milling

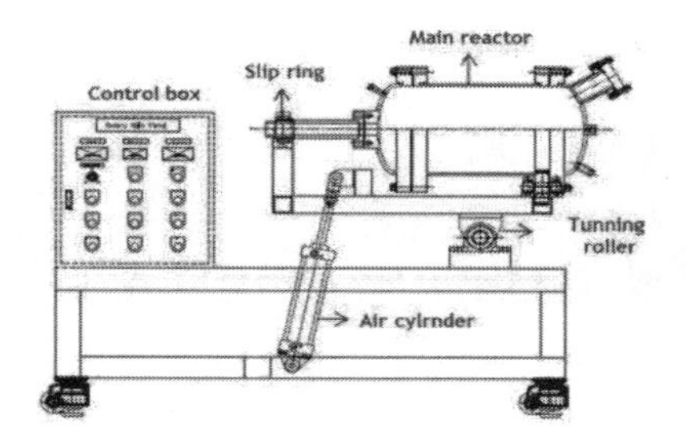

S. J. Kim, B. H. Um, D. J. Im, J. H. Lee, and K. K. Oh, Combined Ball Milling and Ethanol Organosolv Pretreatment to Improve the Enzymatic Digestibility of Three Types of Herbaceous Biomass
Energies 2018, 11, 2457

T. H. Kim, D. J. Im, K. K. Oh, and T. H. Kim, Effects of Organosolv Pretreatment Using Temperature-Controlled Bench-Scale Ball Milling on Enzymatic Saccharification of Miscanthus X giganteus
Energies 2018, 11, 2657

T. H. Kim, H. J. Ryu, and K. K. Oh, Improvement of Organosolv Fractionation Performance for Rice Husk through a Low Acid-Catalyzation
Energies 2019, 12, 1800

Large scaling for CTSR fractionation

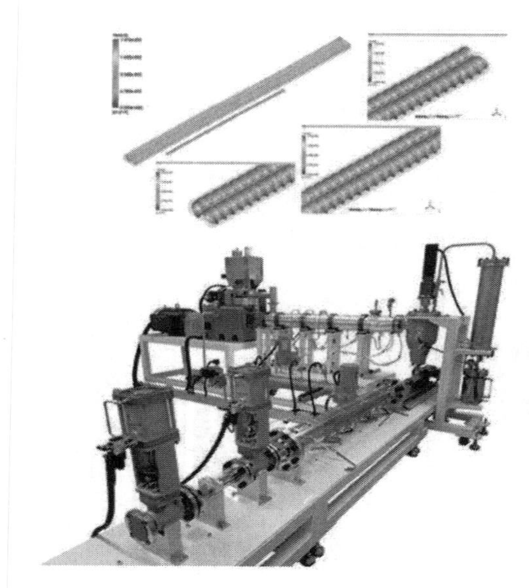

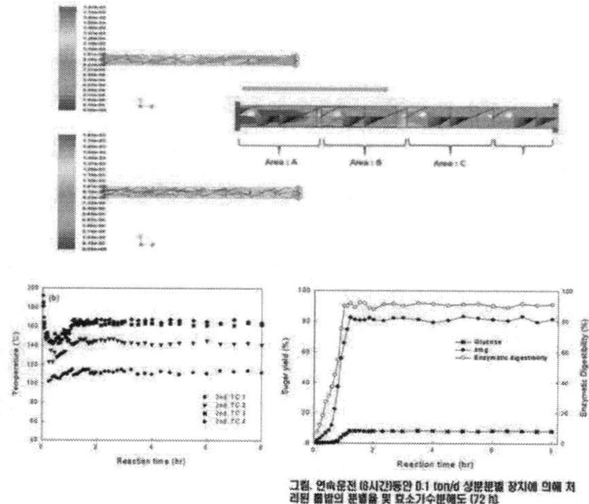

그림. 연속운전 (8시간)동안 0.1 ton/d 성분분별 장치에 의해 처리된 톱밥의 분별율 및 효소가수분해도 (72 h)

W. I. Choi, H. J. Ryu, S. J. Kim, K. K. Oh, Thermo-mechanical fractionation of yellow poplar sawdust with a low reaction severity using continuous twin screw-driven reactor for high hemicellulosic sugar recovery
Bioresource Technology 241 (2017) 63–69

Future works

Key research needs for Cost Competitive Biorefinery Platform (CCBP)

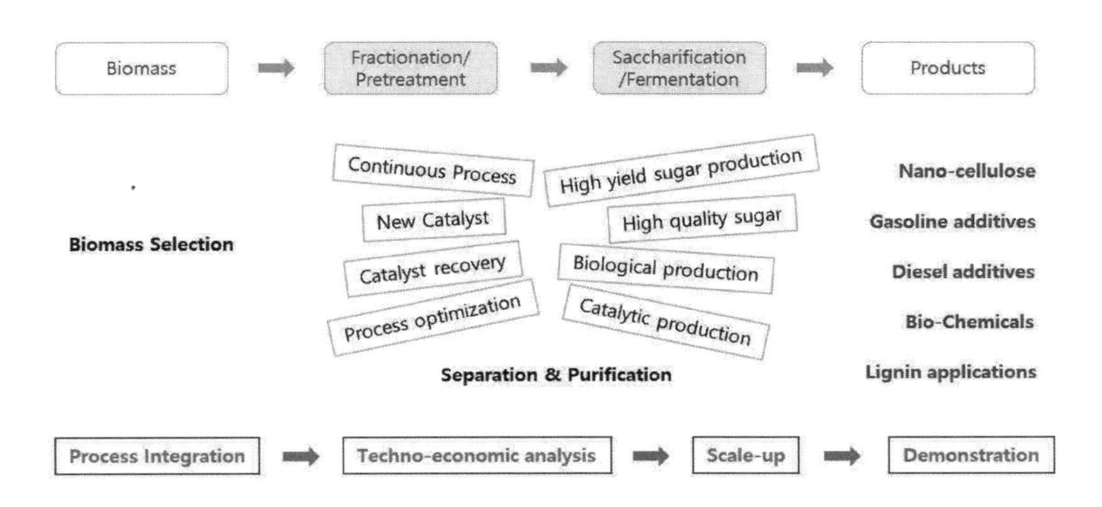

김재훈 교수

성균관대학교 기계공학부, 화학공학부, 나노공학기술원
교수

2023~	한국바이오연료포럼 기획이사
2007~2013	한국과학기술연구원 선임연구원
2005	North Carolina State University, 화학생물공학부 박사

항공분야는 다른 분야와는 달리 장거리 여행시 에너지밀도가 높은 에너지원을 활용해야 하는 한계로 전기화 및 수소화로 탄소중립 실현이 매우 어려워, 바이오매스 유래 및 이산화탄소 유래 액상연료인 지속가능한 항공유 (Sustainable Aviation Fuel, SAF)가 항공분야 탄소중립 달성을 위한 거의 유일한 수단으로 주목받고 있다. 이에 대부분 선진국에서 SAF 활성화를 위한 새로운 정책을 개발하고 기술개발을 독려하고 있다. 본 발표에서 SAF의 국내외 정책동향, 개발동향 및 향후 국내 정책 마련을 위한 제언을 하고자 한다

바이오연료
전주기기술
무 료 교 육

지속가능한 항공유(SAF) 개발 동향

김재훈 교수
성균관대학교

바이오연료 전주기 교육
지속가능한 항공유
정책 및 기술동향
김 재 훈
성균관대학교 화학공학부, 기계공학부 & 성균나노과학기술원
2023. 12. 07
성균관대학교
SUNGKYUNKWAN UNIVERSITY(SKKU)
GEMP

01
탄소중립을 위한 SAF 기술 심포지움
글로벌 SAF 정책 동향

국내 SAF에 대한 인식 변화

2050년 탄소중립 목표라는데…국내 '지속가능 항공유' 도입 하세월

2023.06.04 13:50

경향신문

김재훈 성균관대 기계공학부 교수는 "항공분야 탄소 감축은 SAF가 핵심"이라며 "2050년에도 SAF가 전체 항공분야 온실가스 감축 수단의 70%를 차지할 것"이라고 말했다.

국내에선 규정이 없어 파리에서 인천으로 떠나는 항공기에서만 쓴다.

김재훈 교수는 "지금까지 한국은 바이오연료에 그렇게 초점을 맞춰오진 않았다. 정책이 뒷받침되지 않으니 기술을 개발하는 이들도 적극적으로 움직이지 않는 악순환이 있었다"며 "정책과 기술적 측면이 함께 가야 한다"고 말했다.

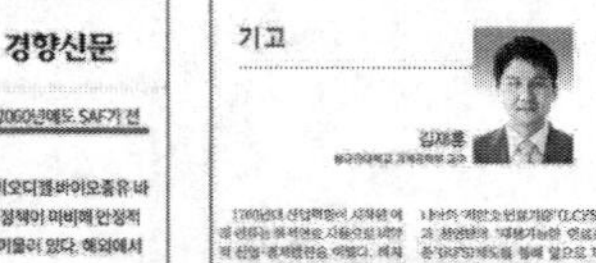

머니투데이 2023-10-04 (수) 008면

기고

김재훈

항공분야 탈탄소와 합리적 선택

한겨레 세상을 바꾸는 벗

탈탄소 바람 탔지만…4배 비싼 바이오항공유 '접점찾기' 숙제

김재훈 성균관대 교수(기계공학부)는 "전기차 살 때 정부가 일부 지원하듯 관련 업계가 투자에 적극적으로 나설만한 인센티브 정책이 도입돼야 한다"며 "소비자·사용자·생산자 중 누구에게 얼마의 인센티브를 줄지 장기간 논의로 컨센서스를 만들어나갈 때"라고 말했다.

고한솔 기자 sol@hani.co.kr

온실가스 감축 바이오항공유(SAF) 활용하려면

항공교통 분야에서 연간 13억1000만톤CO_2에 달하는 온실가스가 배출되고 있는데, 특히 성층권에서 직접 배출돼 환경에 미치는 영향이 크다. 온실가스 감축을 위해 바이오항공유(SAF, Sustainable Aviation Fuel)를 활용할 수 있도록 제도마련이 필요하다는 의견이 나온다.

"항공분야에서 발생하는 온실가스는 특히 성층권에서 직접 배출돼 온실가스 효과가 3배 정도 증폭되고 있다"고 지적하고, "장거리 비행의 경우 CO_2 감축을 위한 바이오항공유 활용이 필수"라고 강조했다.

3

왜 SAF를 활용해야 하는가?

전세계 섹터별 CO_2 발생현황

출처: Our World in Data

14 billion t
12 billion t
10 billion t
8 billion t
6 billion t
4 billion t
2 billion t
0 t
1990 1995 2000 2005 2010 2015 2019
Electricity and heat
Transport
Manufacturing & Construction
Agriculture
Fugitive emissions
Buildings
Industry
Land-use change and forestry
Waste
Aviation and shipping
Other fuel combustion

Source: Our World in Data based on Climate Analysis Indicators Tool (CAIT). OurWorldInData.org/co2-and-other-greenhouse-gas-emissions • CC BY

- 항공분야 온실가스 배출량 13.1억톤 CO_2 (전세계 배출양의 2.6%, '19년)
- 성층권에서 직접적인 CO_2 배출로 온실가스 효과 증폭 (전체 CO_2 발생량의 약 6%)
- 장거리 비행의 경우 CO_2 감축을 위한 SAF 활용 필수 (최대 이륙중량의 40% 이상이 고에너지 액상연료)

우리나라 국제선 CO_2 배출 현황

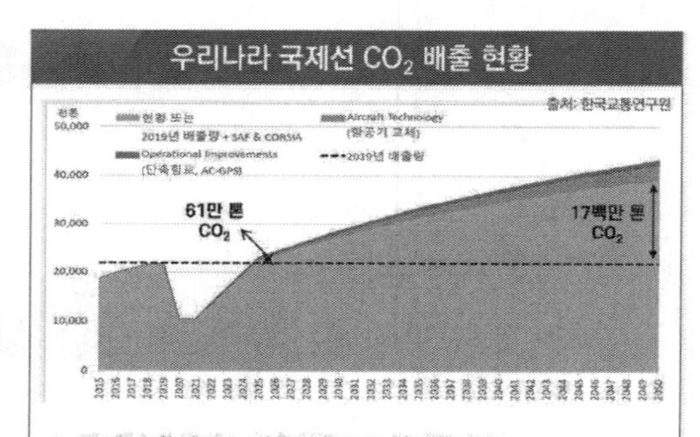

- 국제선 온실가스 배출량은 2.2 천만톤 CO_2 (수송분야의 16%, '19년)
- '25년 2.3천만톤 CO_2, '50년 4.3천만톤 증가 예상
- 현재 시행중인 탄소저감안(항공기 교체, 단축항로, AC-GPS)에 따라 매년 70만톤 CO_2('25) → 3.9백만톤 CO_2('50) 저감 예상
- 하지만, 국적항공사의 의무탄소상쇄량은 '25년 61만톤 → '50년 17백만톤 CO_2로 증가 예상
- 탄소상쇄비용 전망: '25년 130억원 → '50년 3,700억원 증가 예상 (CORSIA 탄소상쇄량 및 탄소시장 가격 적용 21,167원/톤* CO_2)

(*CCM기반 탄소시장거래 실적(EGS Report, 2022)중 우리나라 총거래물량과 총거래금액을 이용하여 산정)

4

왜 SAF를 활용해야 하는가 ?

글로벌 항공 승객 트래픽

출처: Waypoint2050

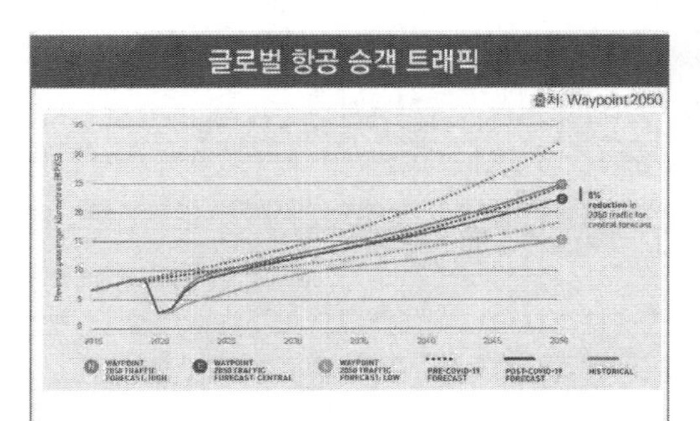

- 글로벌 항공 승객은 매년 증가될 것으로 예상
- '19년 약 8조 revenue passenger kilometer (RPKS, 수익 승객 킬로미터, 수익승객 X 여행거리)에서 '50년 20조 RPKS로 급격하게 성장 예상

항공분야 NetZero 달성을 위한 SAF의 역할

출처: Waypoint2050

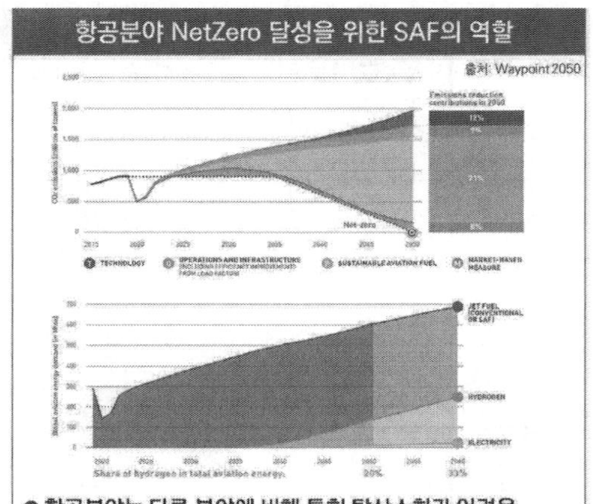

- 항공분야는 다른 분야에 비해 특히 탈산소화가 어려움
  - Airbus A380 최대 이륙 중량인 약 600톤 중 40% 이상인 250톤이 항공유임
  - 어떤 배터리로 이 에너지밀도에 필적할 수 없음
- Net Zero 2050 달성을 위해서 SAF의 활용이 전체 항공분야 온실가스 감축수단 중 70% 이상 차지할 것

5

항공분야의 전기화 및 수소화가 가능한가 ?

항공분야 산업 견해

단거리 비행에서 전기화·수소화가 가능하지만 전 항공 분야에서 SAF는 핵심적인 탄소중립 역할을 할 것

		2020	2025	2030	2035	2040	2045	2050
~27% of CO2 emissions	**Commuter** 9-50 seats <60 minute flights <1% of industry CO2	SAF	Electric or Hydrogen fuel cell and/or SAF	Electric or Hydrogen fuel cell and/or SAF	Electric or Hydrogen fuel cell and/or SAF	Electric or Hydrogen fuel cell and/or SAF	Electric or Hydrogen fuel cell and/or SAF	Electric or Hydrogen fuel cell and/or SAF
	Regional 50-100 seats 30-90 minute flights ~3% of industry CO2	SAF	SAF	Electric or Hydrogen fuel cell and/or SAF	Electric or Hydrogen fuel cell and/or SAF	Electric or Hydrogen fuel cell and/or SAF	Electric or Hydrogen fuel cell and/or SAF	Electric or Hydrogen fuel cell and/or SAF
	Short haul 100-150 seats 45-120 minute flights ~24% of industry CO2	SAF	SAF	SAF	SAF potentially some Hydrogen	Hydrogen and/or SAF	Hydrogen and/or SAF	Hydrogen and/or SAF
~73% of CO2	**Medium haul** 100-250 seats 60-150 minute flights ~43% of industry CO2	SAF	SAF	SAF	SAF	SAF potentially some Hydrogen	SAF potentially some Hydrogen	SAF potentially some Hydrogen
	Long haul 250+ seats 150+ minute flights ~30% of industry CO2	SAF	SAF	SAF	SAF	SAF	SAF	SAF

7

출처: ATAG Waypoint 2050 Report

국제기구 및 선진국은 SAF 확대에 매우 진심이다

- CORSIA (국제항공탄소상쇄·감축제도, Carbon Offsetting and Reduction Scheme for International Aviation)

CORSIA

- 미국 정책
  - SAF Grand Challenge (2021.09): 온실가스 50% 감소, '30년 SAF 30억 갤런/년, '50년 SAF 350억 갤런/년
  - The Inflation Reduction Act (IRA): Blenders Tax Credit, Clean Fuel Production Credit
  - The Low Carbon Fuel Standard (LCFS) in California
  - US Renewable Fuel Standard (RFS)
  - SAF 공급 및 수요 인센티브 정책 및 지원: BR&D Board, USAD, DOE, BETO, DOT, FAA, NASA

- 유럽 정책
  - SAF 의무수요 전망
  - Renewable Energy Directive (RED)
  - Emissions Trade System (ETS)
  - RefuelEUAviation: '50년 SAF 70% 사용 의무화
  - Flanking measures (측면대책)
  - 각 나라의 정책현황

- 일본 정책
  - 에너지 공급 구조 고도화에 관한 법률: '30년 SAF 10% 사용 의무화

8

국제민간항공기구(ICAO): 지속적으로 SAF 활용 주장

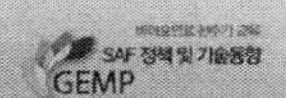

- 제37차 총회('10년)에 국제항공부문의 온실가스 감축을 위해 '20년 이후부터는 탄소배출량을 증가시키지 않는다는 온실가스 감축목표(CNG2020, Carbon Neutral Growth from 2020)와 연비개선 매년 2% 달성이라는 목표 선언
- 제39차 총회('16년)에 국제선 운항에 따른 온실가스 배출량에 대해 시장기반 조치로서 항공사의 온실가스 감축노력 및 초과분에 대해 상쇄하는 제도를 시행, 우리나라는 시범 및 자발적 이행기간('21년~)부터 참여 선언
- 국제항공탄소상쇄·감축제도(CORSIA) 이행 결의('16년): 국제항공 온실가스 감축을 위해 타 분야에서 발생한 감축 실적을 목표 달성에 활용하기 위해 설계된 시장기반 제도
  - 국제항공 온실가스 배출량을 '19-'20년 수준으로 동결 목표
  - 할당된 기준치('19년 탄소배출량)을 초과하여 탄소를 배출할 경우 탄소시장에서 배출권을 구매하여 초과분을 상쇄
  - 적용범위: CORSIA 참여국간 국제선 노선
  - '19-'20년 준비단계(배출량 기준치 설정) → '21-'26년 자발적 참여단계(초과 배출량 상쇄) → '27년 이후(의무화 단계)
- '19년 제40차 총회에서 LTAG(Long Term Aspirational Goal, 장기 열망적 목표) 타당성 확인: SAF 적극적 활용 지지

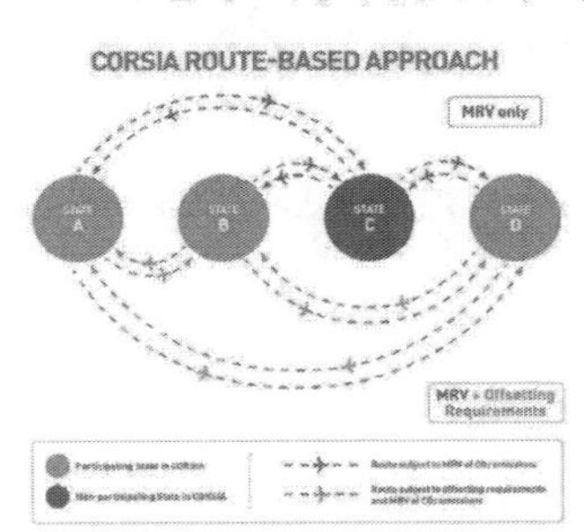

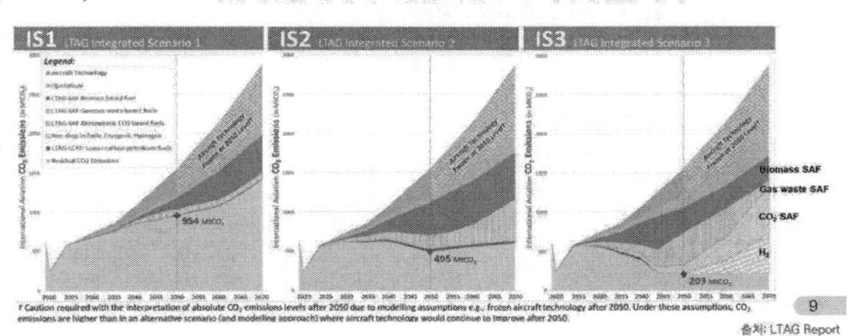

출처: LTAG Report

미국은 SAF 개발에 매우 진심이다: 정책·제도·보조금 현황

SAF Grand Challenge (2021.09)

출처: SAF Grand Challenge Roadmap, 2022

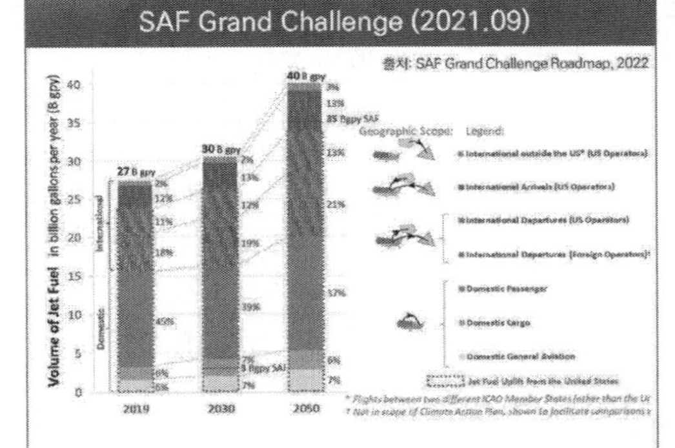

- SAF에 대한 연방 정책의 가장 명확한 성명: 의무사항아님
- 에너지부(DOE), 교통부(DOT) 및 농림부(USDA)가 SAF의 생산 및 사용 확대를 시도하는 정부 차원의 MOU
- 목표
  - 기존 연료에 비해 수명 주기 온실 가스 배출량 최소 50% 감소
  - '30년까지 SAF 생산량 연간 최소 30억 갤런 이상 증가하여 항공연료 수요 10% SAF 대체
  - '50년까지 항공 연료 수요(연간 350억 갤런) 100% SAF 대체

인플레이션 감축법(Inflation Reduction Act, IRA)

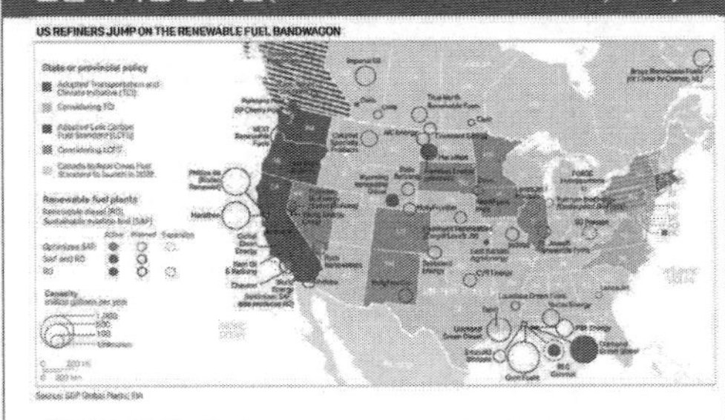

- 블렌더 세금공제 (Blenders Tax Credit, '23-'24)
  - 미국내 바이오매스 활용, 생산 및 판매된 SAF에 해당
  - 수명주기 배출량의 최소 50% 이상 감소될 경우 $1.25/갤런 공제
  - 1% 추가 감소마다 $0.01/갤런씩 증가, 최대 $1.75/갤런 공제
- 청정연료생산 세금공제 (Clean Fuel Production Credit, '25-'27)
  - 50 kg $CO_{2,eq}$/MMBtu 이하 배출인 SAF에 $0.35/갤런 공제
  - 임금 및 견습 요건이 충족될 경우 최대 $1.75/갤런 공제
- 자본 투자를 지원하기 위해 2억USD 이상의 보조금 제공

미국은 SAF 개발에 매우 진심이다: 정책·제도·보조금 현황

미국에서 생산, 공급되는 SAF의 가격은 IRA·RFS·LCFS의 세액 공제와 판매 이익으로 인해 등유와 유사할 것

켈리포니아 LCFS(Low Carbon Fuel Standard)

출처: Environmental Defense Fund, 2013

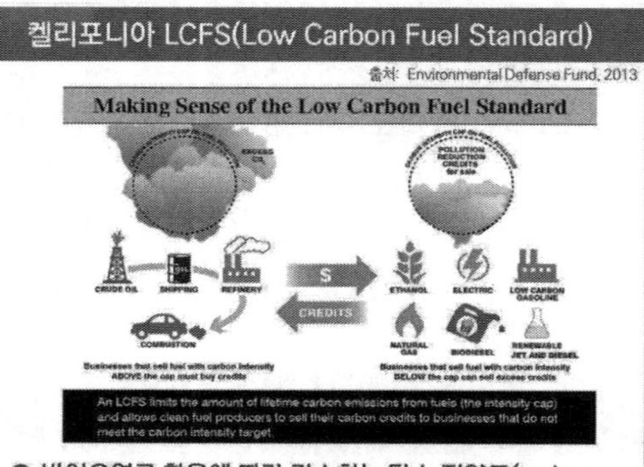

- 바이오연료 활용에 따라 감소하는 탄소 집약도(carbon intensity CI) 벤치마크를 설정, '11년 대비 '30년까지 평균 연료 CI 20% 감축, '50년까지 CI 80% 감축 규정
- 벤치마크보다 높은 CI 연료는 적자 발생, 벤치마크 미만의 연료는 크레딧를 생성하여 크레딧 거래시장 활성화
- SAF는 별도의 프로그램을 선택하여 LCFS 필수 준수 의무에서 면제
  - SAF 자체에는 공급 목표가 없지만 SAF 생산에서 생성된 크레딧을 연료 공급업체에 판매하여 이익을 얻을 수 있음

RFS(Renewable Fuel Standard)

- '05년 에너지 정책법(Energy Policy Act)에 따라 처음 공포되었으며 이후 대기청정법(Clean Air Act)에 포함
- SAF 생산 활성화를 위해 항공 연료 생성 준수 의무 없이 규정 준수 단위 생성
- SAF가 재생 가능 디젤에 비교하여 더 경쟁력을 갖게 하고 의무 사용 책임 없이 SAF에 대한 친숙도를 높이는 데 활용
  - HEFA 방식 SAF의 경우 갤런당 1.6 RIN 생성
  - 셀룰로오스 유래 SAF의 경우 갤런당 1.7 RIN 생성

지속 가능한 하늘법(Sustainable Skies Act, '21)

- SAF 사용에 대한 인센티브 강화 목적
- 수명주기기준 50% 온실가스 감축 가능한 SAF에 대해 \$1.5/갤런부터 최대 \$2/갤런 크레딧 제공
- SAF가 환경 무결성을 보장하기 위한 보호 조항 중 하나로 ICAO 지속 가능성 기준 전체 활용 요구
- 미국에서 SAF 생산 시설의 수를 확장하기 위해 5년 동안 10억 달러의 보조금 포함

11

유럽도 SAF 개발에 매우 진심이다: 정책·제도·보조금 현황

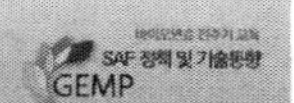

- 법적 구속력이 있으며, 유럽 기후법(European Climate Law)과 파리조약에 명시 (2021.06.30)
- '30년 순배출량 감축목표를 -55%까지 상향. 이 목표는 제안된 법안의 "Fit for 55" 패키지를 통해 구현

EU + UK 국가의 SAF 의무화 현황

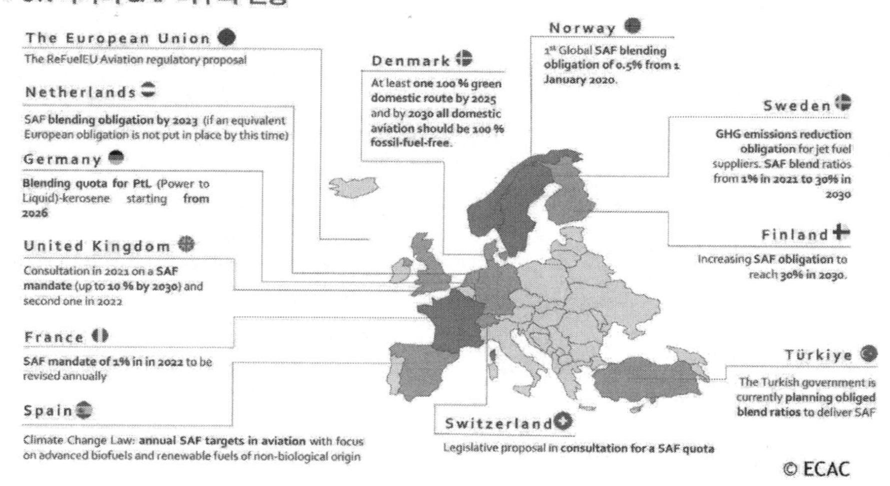

12

출처: European Civil Aviation Conference

유럽도 SAF 개발에 매우 진심이다: 정책·제도·보조금 현황

EU 재생에너지지침(Renewable Energy Directive, RED)

출처: Environmental Defense Fund, 2013

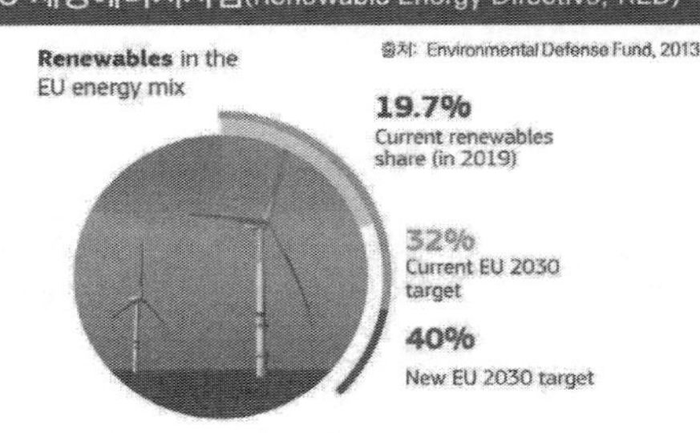

- 운송에 대한 특정 목표를 포함한 EU의 재생가능에너지 목표 설정 ('30년 40%)
- SAF는 운송 대상을 준수하기 위해 활용 가능하나 의무는 아님
- 고급 및 PtL 연료에 대한 하위 목표 설정, 식품 및 공급 원료에 대한 캡 설정, 간접 토지 사용 변경 위험이 높은 공급 원료에 대한 단계적 폐지 설정
- 다른 운송연료 대비, 기존 항공유 및 SAF의 더 높은 가격 격차를 인식하고 SAF가 식품 또는 공급 원료에서 제공하지 않는 경우 1.2배 크레딧 인정

EU 배출권 거래제도(Emission Trade System, ETS)

출처: Investigate Europe

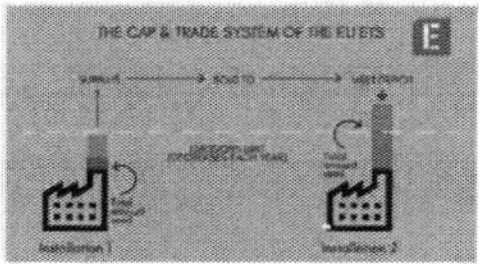

- GHG 배출 제한을 위한 상한선 거래 메커니즘
- EU ETS 지침을 통한 ICAO CORSIA 구현 보장 및 참여
  - ETS 탄소 가격 비용에서 CORSIA 상쇄 비용을 공제하여 출발 항공편에 EU ETS를 적용하는 방식으로 참여
  - 유럽 내 항공편은 EU ETS 적용, 유럽 외 항공편은 CORSIA 적용
- SAF에 대한 직접적인 지원
  - SAF는 배출 허용량을 조달할 필요 없음
  - RED 지속 가능성 기준(65% GHG 절약 및 생물다양성 보존)을 준수하는 생물 기원의 SAF는 배출 계수가 0이므로 항공사에서 허용량을 구매할 필요성이 감소함 (European Union Allowance(EUA) 비용은 거의 90€/t이며 적격한 SAF ETS에서 약 280 €/t 절감)
  - 화석 연료와 SAF 사이의 가격 격차의 일부 또는 전체를 충당하기 위해 2천만 ETS 허용량 예약
  - 항공사와 공항이 지원 대상이었던 ETS 혁신 기금에 500만 허용량 추가
  - 항공사는 사용된 SAF의 양에 따라 추가 허용량을 할당받음 (SAF가 더 많이 공급될수록 더 많은 크레딧을 시장에 출시)

13

유럽도 SAF 개발에 매우 진심이다: 정책·제도·보조금 현황

EU의 ReFuelEU Aviation ('23.05)

ReFuelEU Aviation 단계적 SAF 사용량 목표 상향

	2025	2030	2035	2040	2045	2050
SAF	2%	6%	20%	34%	42%	70%
e-fuel	-	1.2%	5%	10%	15%	35%

- 연료 공급업체에 대한 혼합 의무를 통해 EU에서 SAF의 공급과 수요를 늘리기 위한 목표
- 명령은 국가 수준이 아닌 EU 수준에서 적용(지침이 아님)
- ReFuelEU Aviation 규정 적용 범위
  - '35년까지 항공 연료의 20%를 SAF로 대체한다는 목표
  - '25년에는 연료 공급업체에 대한 의무 도입 계획
  - EU의 각 국가는 자체 SAF 공급 의무 및 목표 설정
- ReFuelEU Aviation의 지원 조치
  - SAF 접근성 보장: 유럽의 R&D 및 산업 프로젝트 파이프라인을 식별하고 지원 조건과 자금 가용성 평가
  - CORSIA 및 EU ETS(SAF 허용량 포함)
  - EU 자금 지원 프로그램(InvestEU, Innovation Fund, Horizon Europe 등)

EU의 측면대책

출처: Sustainable Aviation Futures, 2022

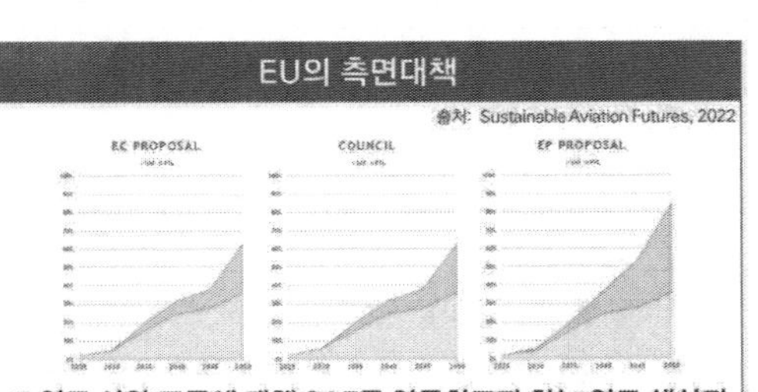

- 연료 사양 표준에 대해 SAF를 인증하고자 하는 연료 생산자를 지원하기 위해 SAF를 위한 European Clearing House 설정하여 기술적 장벽 제거
  - 단일하고 독립적인 유럽 기능 제공
  - 예비 SAF 생산자에게 SAF 승인 프로세스에 대한 전문적인 조언을 제공하고 프로세스에 진입하려는 생산자 소개
  - 자금 조달 및 초기 테스트 수행: 적절한 테스트 시설을 갖춘 테스트 준비, 결과 수집/해석 및 연구 보고서 작성 지원 포함
  - SAF 연료 생산자를 위한 '원스톱 상점' 역할: 주요 이해관계자, 특히 OEM과의 커뮤니케이션을 안내하고 테스트 시설 및 숙련된 직원에 대한 액세스를 제공하여 프로세스 단순화
- EU ETS에서 받은 지불금 덕분에 만들어진 혁신기금은 SAF와 같이 온실가스 감축 잠재력이 높은 프로젝트에 자금과 지원 우선 제공

14

일본은 최근 SAF 의무화 정책을 발표함 ('23.05)

- '30년 현재 SAF 사용량으로 「일본 항공사의 연료 소비량의 10%를 SAF로 대체」 목표 (171만 kL, GX 기본 방침에 관한 자료)
- 공급 측면에서 필요하고 충분한 SAF 제조 능력과 원자재 공급망(개발 및 수입 포함)을 확보하고, 국제적으로 경쟁력 있는 가격으로 SAF를 안정적으로 공급할 수 있는 시스템을 구축하고, 수요 측면에서 SAF를 안정적으로 조달할 수 있는 환경 조성
- SAF 사용과 관련된 비용 증가로 인해 항공 서비스 이용자가 부담하는 비용 부담을 이해하면서, SAF 혜택은 미성숙 단계에서 막대한 초기 투자로 필요한 양의 장비를 확보하는 데 사용
- 법적으로 공급 목표를 설정하고 적극적인 정부 지원 고려중

규정(안)	지원조치(안)
• "에너지 공급 구조 고도화에 관한 법률"에 따라 2030년까지 SAF의 공급 목표량이 법적으로 규정 • 수요 측면의 요구에 따라 항공 연료 소비의 최소 10% (171 만 kL에 해당) • 171만 kL 중 일본 항공사의 총 이용 목표는 88만kL로 가정 • 원양 항공사는 ICAO 및 CORSIA에 의해 상쇄될 의무가 있음 • 외국 정부가 성능을 확보하고 있기 때문에 귀국 비행에서 일본에서의 SAF 사용이 어느 정도 보장되는 것으로 가정 • 일본 항공사는 CORSIA의 상쇄 의무가 부과됨 • 2030년 이후의 예측은 내수 예측을 기반으로 함	자본지출(CAPEX) • 충분한 수준의 자본 투자 지원 • 원자재 등 공급망 구축 지원 • 동남아시아, 호주 등에서 원자재 개발 및 운송 인프라 개발 지원 • 수수료 가격 안정화 (향후 일본 에너지·금속광물자원기구(JOGMEC)는 투자 및 부채 보증을 고려할 것이며 필요시 법률개정 추진) • 일본 항공사에 SAF를 공급할 수 있는 제조, 원자재 및 운송 인프라 개발 노력 지원 운영비용(OPEX) • SAF 원료 및 일본 기업이 참여하는 해외 사업에서 생산되는 SAF 수입품에 대한 관세 및 석재세를 줄이거나 면제 고려('25년 이후) 기술개발 및 데모(RD&D) • 식용유지 유래 SAF의 사용은 주로 유럽에서 사용 제한 예정 • 2세대 에탄올, 조류, 폐기물 등 비식용성 원료에서 파생된 SAF에 대한 기술 개발, 시연 지원 및 인증 지원 필요

02

탄소중립을 위한 SAF 기술 심포지움

글로벌 SAF 기술 동향

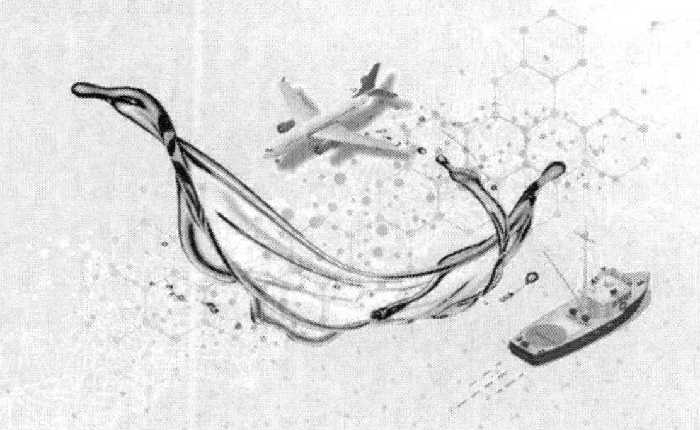

Jet fuel 인증절차: D4054 → D7566 → D1655

ASTM D1655 (Standard Specification for Aviation Turbine Fuels): Jet fuel 품질기준

- 미국에서 jet fuel은 ASTM D1655에 따라 제조된 'Jet A'
- 다른 국가에서 jet fuel은 대부분 DERD Def Stan 91 091 (UK Ministry of Defense) 또는 ASTM D1655에 따라 제조된 'Jet A'
- Jet A와 Jet A-1은 어는점(-40, -47 ℃) 및 전도도(Jet A-1의 경우 50-600 pS/m, Jet A는 필수 사항 아님)와 같은 몇 가지 차이점을 제외하고는 거의 동일
- Jet A 및 Jet A-1가 주요 상업용 등급

ASTM D7566 (Standard Specification for Aviation Turbine Fuel Containing Synthesized Hydrocarbons): SAF 품질기준

- CJF(Conventional Jet Fuel)와 SBC(Synthetic Blending Components)가 혼합된 SAF의 경우 관리 사양
- 8가지 기술 경로 포함
- SAF가 ASTM D7566을 준수하는 경우 정의에 따라 ASTM D1655 및 DERD Def Stan 91 091을 충족함

ASTM D4054 (Standard Practice for Evaluation of New Aviation Turbine Fuels and Fuel Additives): 항공터빈유와 첨가제 평가기준

- 고려해야 할 최종 사양은 ASTM D4054임
- D4054에는 후보 기술 경로에 필요한 테스트와 승인 요구 사항이 포함
- 그런 다음 성공적인 후보자는 D7566에 포함되도록 승인되고 D1655 및 Def Stan 91 091에 자동 승인
- D4054 승인 프로세스는 철저하고 시간 소모적이며 비용이 많이 듬 (5-10년, 약 80억)

Jet fuel 인증절차: D4054 → D7566 → D1655

ASTM D4054: 총 4단계를 평가 과정 통해 최종 ASTM 평가 시스템을 통해 승인받아 인정

- Tier 1 : 신연료의 품질기준 특성 테스트
- Tier 2 : 목적 적합성 테스트(Phase 1), 연구 보고서의 외부 평가(OEM)를 통해 Tier 1와 2 평가를 위한 요구사항 도출
- Tier 3 : 구성요소 및 장비 작동 한계 테스트
- Tier 4 : 항공기, 엔진 및 관련 내구성 테스트(Phase 2), 연구 보고서의 외부평가(OEM)를 통해 Tier 3와 4 평가를 위한 요구사항 도출

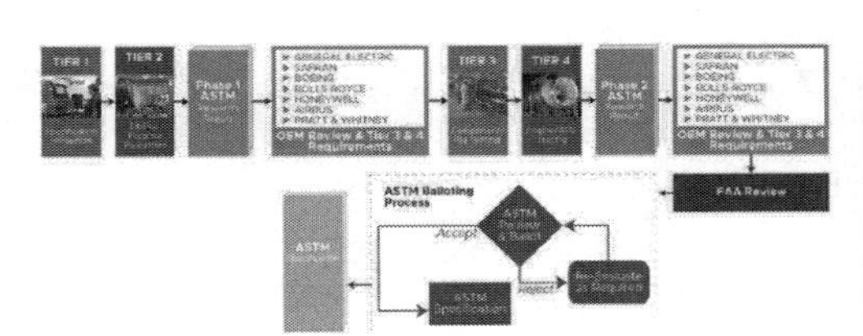

Tier	Approximate Fuel Volume in Gallons (Liters)	Approximate Time in Months	Approximate Cost in U.S. Dollars
Tier 1 – Fuel specification properties	10 (40)	6 months	$50,000 (testing cost)
Tier 2 – Fit-for-purpose properties	10–100 (40–400)		
OEM Review		6–12 months	$350,000 (OEM cost)
Tier 3 – Component and rig testing	250–10,000 (950–40,000)	24–36 months	~$4 million (testing cost)
Tier 4 – Aircraft and engine testing	Up to 225,000 (850,000)		
OEM Review and Approval		6–12 months	~$1 million (OEM cost)

승인된 SAF 생산 기술

- ASTM D7566 승인된 SAF의 기술경로는 8개 + ASTM D1655 승인된 기술경로 3개 = 11 개
- SAF를 생산하는 방법에는 여러 가지가 있으며 기술적 프로세스도 부족하지 않음
- SAF가 부족하다면, 이는 기술이 부족해서가 아님

	ASTM ref.	제조방법	원료
1	ASTM D7566 Annex 1	FT-SPK (Fischer-Tropsch hydroprocessed synthesized paraffinic kerosene)	석탄, 천연가스, 바이오매스
2	ASTM D7566 Annex 2	HEFA-SPK (Synthesized paraffinic kerosene from hydroprocessed esters and fatty acids)	식물성오일, 동물성지방, 폐기름
3	ASTM D7566 Annex 3	HFS-SIP (Synthesized iso-paraffins from hydroprocessed fermented sugars)	당분 생성용 바이오매스
4	ASTM D7566 Annex 4	FT-SKA (Synthesized kerosene with aromatics derived by alkylation of light aromatics from non-petroleum sources)	석탄, 천연가스, 바이오매스
5	ASTM D7566 Annex 5	ATJ-SPK (Alcohol-to-Jet Synthetic Paraffinic Kerosene)	바이오매스로부터 얻은 에탄올, 이소부탄올
6	ASTM D7566 Annex 6	CHJ (Catalytic hydrothermolysis jet fuel)	트리글리세리드
7	ASTM D7566 Annex 7	HC-HEFA-SPK (Synthesized paraffinic kerosene from hydrocarbon-hydroprocessed esters and fatty acids)	미세조류
8	ASTM D7566 Annex 8	ATJ-SKA (Alcohol-to-Jet Synthetic Kerosene with Aromatics)	당분 생성용 바이오매스
9	ASTM D1655 Annex A1	co-processed HEFA (co-hydroprocessing of esters and fatty acids in a conventional petroleum refinery)	FOG(지방, 오일, 그리스)와 석유의 공동처리
10	ASTM D1655 Annex A1	co-processed FT (co-hydroprocessing of Fischer-Tropsch hydrocarbons in a conventional petroleum refinery)	Fischer-Tropsch 탄수화물과 석유의 공동처리
11	ASTM D1655 Annex A1	co-hydroprocessing of biomass	Biomass 유래 원료와 공동처리

19

ASTM D7566 승인된 SAF 생산 기술

- Annex 1. FT-SPK (Fischer-Tropsch hydroprocessed synthesized paraffinic kerosene)
  - 바이오매스, 석탄, 천연가스 등을 원료로 하여 합성가스($CO+H_2$)를 제조한 후에 Fischer-Tropsch(FT) 반응을 통해 파라핀 (n-paraffin)을 제조하여 SAF로 활용
  - 기존 석유계 항공유에 50%까지 혼합하여 사용 가능
- Annex 2. HEFA-SPK (Synthesized paraffinic kerosene from hydroprocessed esters and fatty acids)
  - 식물성 기름, 폐유, 동물성 지방에서 추출한 지방산과 지방산 에스테르를 원료로 하여 수소 처리, 수소화 분해, 이성화 및 분류와 같은 고전적인 정제 공정에서 후속 처리되기 전에 수소 처리를 통해 산소 및 기타 원치 않는 분자를 제거하여 생산
  - 기존 석유계 항공유에 최대 50%까지 혼합하여 사용 가능
- Annex 3. HFS-SIP (Synthesized iso-paraffins from hydroprocessed fermented sugars)
  - 일반적으로 가수분해로 처리된 바이오매스를 원료로, 생성된 당은 변형된 효모를 사용하여 발효 및 수소화 처리를 거쳐 이소파라핀 합성
  - 기존 석유계 항공유에 최대 10%까지 혼합하여 사용 가능

20

ASTM D7566 승인된 SAF 생산 기술

- Annex 4. FT-SKA (Synthesized kerosene with aromatics derived by alkylation of light aromatics from non-petroleum sources)
  - 바이오매스, 석탄, 석유를 사용하여 비석유 고급원에서 경질 방향족의 알킬화에 의해 벤젠으로 더욱 강화된 SPK를 합성
  - 기존 석유계 항공유에 최대 최대 50%까지 혼합될 수 있음
  - SAF에 필요한 최소 25% 방향족 범위를 쉽게 충족시키는 방향족 함량으로 인해 유용한 혼합원료임

- Annex 5. ATJ-SPK (Alcohol-to-Jet Synthetic Paraffinic Kerosene)
  - 전분/설탕(옥수수, 사탕수수, 사탕수수, 사탕무, 덩이줄기) 또는 발효된 당을 원료에서 추출한 알코올을 탈수, 올리고머화 과정을 거쳐 항공유를 생산
  - 기존 석유계 항공유에 최대 50%까지 혼합될 수 있음

- Annex 6. CHJ (Catalytic hydrothermolysis jet fuel)
  - 폐유 처리에서 파생된 깨끗한 유리 지방산(free fatty acid, FFA)을 원료로 촉매 열수분해 장치에서 고압 및 고온에서 반응하여 생성된 화학 물질 혼합물에는 수소 처리, 수소화 분해, 증류 및 분류되기 전의 이성체화 하여 생산
  - 기존 석유계 항공유에 최대 50%까지 혼합될 수 있음

ASTM D7566 승인된 SAF 생산 기술

- Annex 7. HC-HEFA-SPK (Synthesized paraffinic kerosene from hydrocarbon-hydroprocessed esters and fatty acids)
  - 조류에서 추출한 탄화수소를 촉매 수소화 및 열분해를 거쳐 항공유를 생산
  - 기존 석유계 항공유에 최대 10%까지 혼합될 수 있음

- ASTM D1655 Annex A1. Co-processed HEFA (co-hydroprocessing of esters and fatty acids in a conventional petroleum refinery)
  - 기존의 정유 공장의 중간 증류액과 FOG(지방,오일,그리스) 처리를 기반으로 하여 SAF를 생산하는 기술
  - 기존 석유계 항공유에 최대 5%까지 혼합될 수 있음

- ASTM D1655 Annex A1. Co-processed FT (co-hydroprocessing of Fischer-Tropsch hydrocarbons in a conventional petroleum refinery)
  - 기존의 정유 공장의 중간 증류액과 FT 바이오 원유 처리를 기반으로 하여 SAF를 생산하는 기술
  - 기존 석유계 항공유에 최대 5%까지 혼합될 수 있음

22

차세대 SAF 생산 기술

- HDO-SK/HDO-SAK
  - Virent에서 당류계 및 셀룰로오스 등 바이오매스를 기반으로 수소화 탈수소화(HDO)를 거쳐 등유 및 방향족 등유을 합성하는 기술
- HFP-HEFA-SK
  - Boeing에서 재생 가능한 지방, 오일, 및 그리스 (FOG)를 원료로 수소처리를 거쳐 등유를 합성하는 기술
- ATJ-SKA
  - Byogy와 Swedish Biofuels에서 당류 및 리그노셀룰로오스를 원료의 가수 분해를 통해 생성된 중간생성물인 알코올의 탈수, 올리고머화등을 통해 방향족을 포함하는 등유를 합성하는 기술
- IH2
  - Shell에서 다양한 바이오매스를 원료로 통합된 가수분해 및 수소화 전환을 거쳐 항공유를 합성하는 기술
- PtL(Power-to-Liquid)
  - 재생 가능한 에너지원을 활용한 수전해 등을 통해 얻어진 그린수소(수전해 등)와 이산화탄소 등의 원료를 이용하여 액체 탄화수소 연료를 생산하는 기술

SAF 생산 기술별 사용량 예측 (EU+UK)

항공분야 온실가스 감축 목표를 달성하기 위해서 결국 CO_2-to-SAF가 주요 기술이 될 것

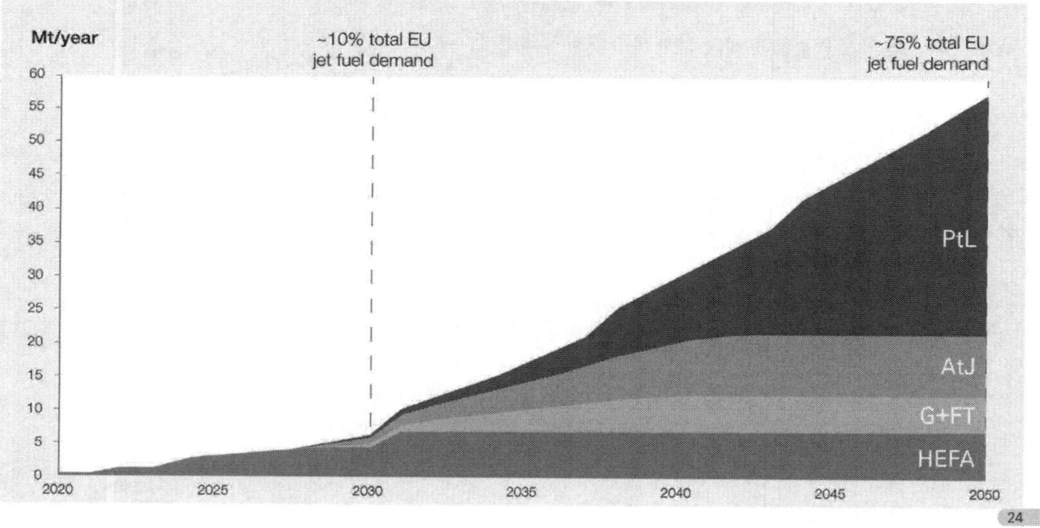

24

출처: Guidelines for a Sustainable Aviation Fuel Blending Mandate in Europe, 2021

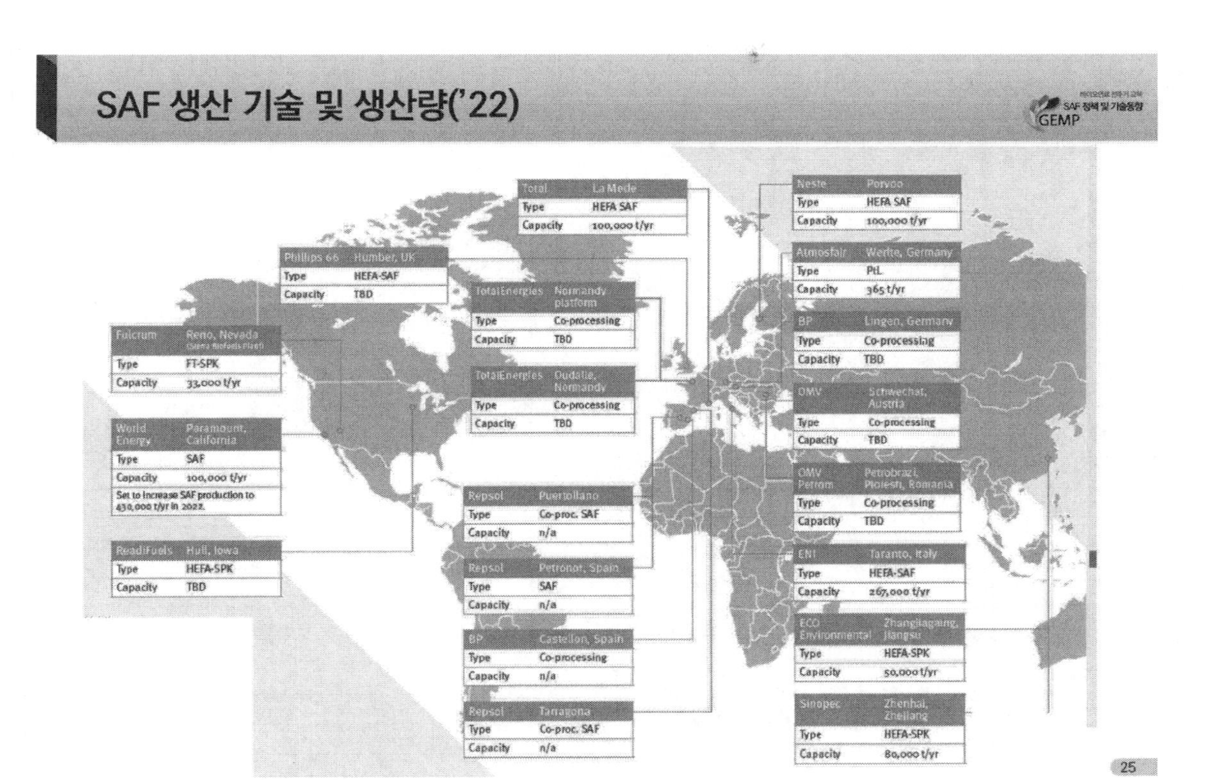

출처: argusmedia

03

탄소중립을 위한 SAF 기술 심포지움

국내 SAF 원료 수급

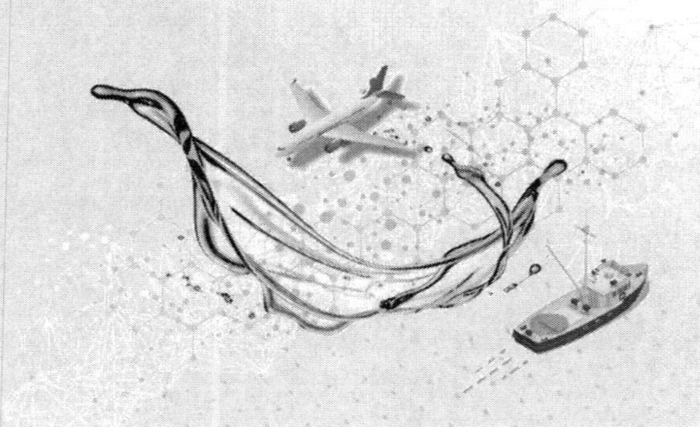

SAF 원료

◎ 인증된 SAF 원료

SAF 종류	원료	전환 방법	생성물
FT-SPK	고체 바이오매스, 목재, 고형 도시 쓰레기	Fischer-Tropsch 공정	파라핀
HEFA-SPK	식용유, 동물성 지방, 미세조류, 식물성 유지	수첨전환	파라핀
SIP-HFS DSHC (Direct fermentation of sugars to hydrocarbons)	당	발효	이소 파라핀
FT-SPK/A	고형 도시 쓰레기, 입업부산물	Fischer-Tropsch 공정, 저분자 방향족의 알킬화	파라핀, 방향족
ATJ-SPK	농업 폐기물, 열매 식물 줄기, 목재 부산물	알코올 중합	파라핀
CHJ	식물성 유지, 대두유, 폐유지, 미세조류	촉매 수열분해	파라핀 방향족

28

국내 항공유 소비량 통계 및 예측, SAF 공급 예측

- 국내 SAF 공급 예측
  - '98–'19년 국내 항공유 소비량을 기반으로 계산한 CAGR은 4.11%
  - SAF활용 이외 CO_2 감축량을 20%로 가정하여 SAF 공급 예측 산정
  - 현재 국내에서 SAF 공급 로드맵이 존재하지 않음
  - '50년 SAF 50% 혼합 가정. '25년 0.5% → '30년 10% →'35년 20% →'40년 30% →'45년 40% 단계적 상향 가정하여 SAF 공급 예측

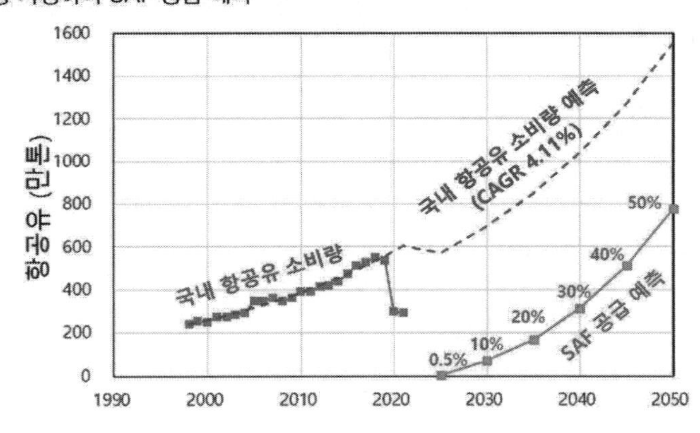

29

국내 항공유 소비량 통계 및 예측, SAF 공급 예측

- 원료별 국내 SAF 공급 시나리오

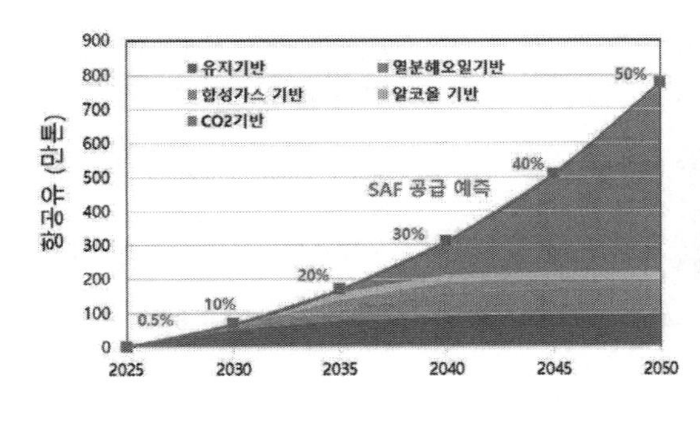

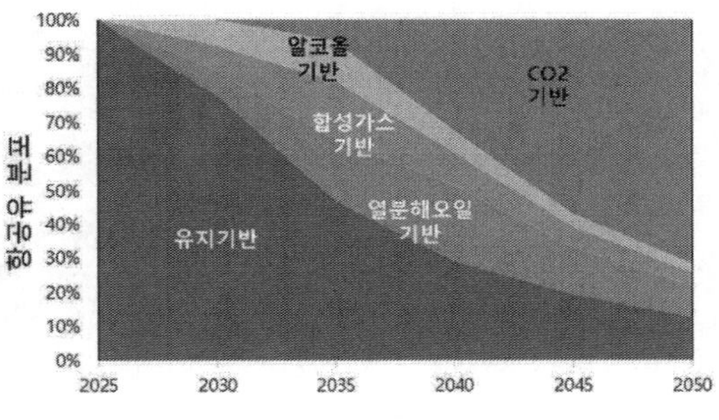

- 생산 가능한 유지 기반 연료 최대 100만톤, 열분해오일 기반 연료 70만톤, 합성가스유래 연료 30만톤, 알코올 기반 연료 20만톤 을 설정하면 '35년까지 현재 어느 정도 기술이 확보된 연료로 SAF 공급 가능
- '35년부터 소규모로 CO_2 기반 SAF를 생산하고 CCS 또는 CCU와 연계하여 지속적으로 SAF 생산량을 증대하면 '50년까지 필요한 SAF를 확보 가능함

30

04

탄소중립을 위한 SAF 기술 심포지움

국내 SAF 투자·생산·정책제언

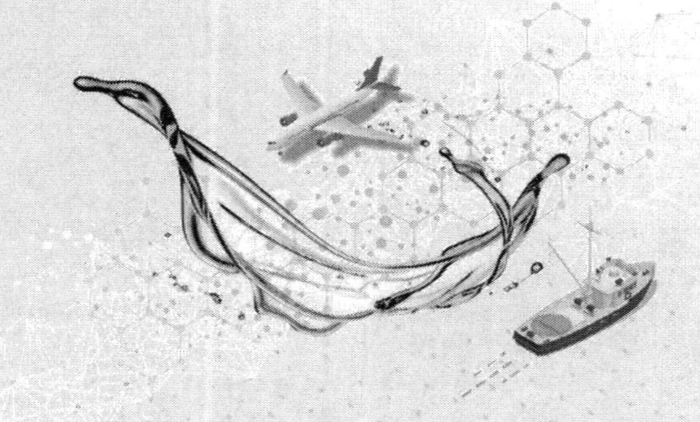

국내 SAF 투자·생산·정책제언

SAF 활성화 정책 기준 (ICAO SAF 정책방향 가이드라인)

SAF 공급 성장 촉진

- 정부 자금 지원을 통해 SAF R&D, 시범 및 보급 가속화
- SAF 공급 인프라 확대를 위한 인센티브 도입: 보조금, 대출 보증, 세제 혜택, 감가상각 가속, 사업 투자 세금 공제, 성과 기반 세금공제, 녹색 채권 등
- SAF 시설 운영을 지원하기 위한 인센티브 도입: 혼합연료 공급자 세금 공제, 생산자 세금 공제, 소비자 세금 공제, 원료 공급 구축 및 생산 지원
- SAF 사용에 따른 탄소 감축 효과 등 사용자 인식 제고 방안: 탄소세 혜택, 배출권거래 제도 내 SAF 사용 시 혜택 방안, 대기질 개선 제도 내 SAF 포함하여 인센티브 도입하는 방안

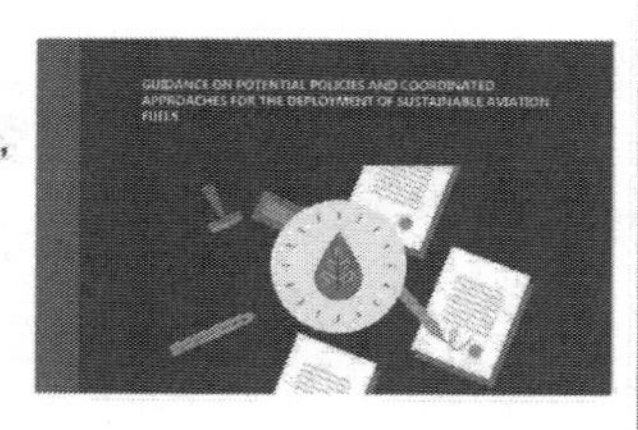

SAF 수요 창출 촉진

- SAF 공급 의무화: 연료 공급 시 재생에너지 공급 및 연료 공급 탄소 집약도 감축 의무화
- SAF 활용 정책 개선: 국가 및 지자체 기존 정책 내 통합 추진
- 정부의 리더십 표출: SAF 촉진을 위한 국가 정책 수립, 정부 주도 SAF 직접 구매·공급을 통한 탄소중립 항공여행 등

SAF 시장 활성화 촉진

- 공급 원료 및 연료 인증 표준화, 전주기 SAF 배출계수 도출, SAF 구매에 대한 소유권 이전 등 공유 시스템 개발(Book & Claim), SAF 이니셔티브 구성

32

국내 SAF 투자·생산·정책제언

국내 SAF 활성화를 위한 정책 마련

- 국내 SAF 상용 생산이 '25년 이후로 예상되어 단기적으로 신재생에너지법 및 석유사업 개정 필요. 중·장기적으로 SAF 품질기준과 인증절차 마련
- 생산자 및 사용자에게 의무를 부여할 지에 대한 법적·정책적 방향 결정 필요

SAF의 법적 근거 마련

- 법적 근거 마련
  - SAF를 석유 및 석유대체연료 사업법에 석유 대체 연료로 지정
- SAF 관련 법령에 포함
  - 원료 및 인증기준을 포함한 SAF 관련 법적 정의
- 전주기 SAF 배출계수 선정법 개발
  - 국내 SAF 생산시 LCA를 통한 온실가스 감축량 산정법 개발
- SAF 품질 및 혼합인증 절차 마련
  - 미국 ASTM D7566에 준하는 SAF 품질기준 정립
  - SAF 품질기준 인증절차, SAF 혼합비율 인증절차 정립 필요

SAF 이니셔티브 협력체계

- SAF 이니셔티브 및 상용화 지원단 구성
  - 국내에서 SAF를 활용하기 위해서는 다양한 이해관계자 의견 수렴 필요
  - 국내 SAF 상용화 기술개발, 보급, 확산을 위한 부처간 통합 원스톱 컨트롤타워
    - –산업통상자원부, 환경부, 국토교통부, 농림축산부 등 정부
    - –항공사, 공항공사, 연구기관, 한국석유관리원, 정유업계 등 민간
    - –대학, 연구소 및 국내외 협회 등 학계
  - 국내외 원료 확보를 위한 정책지원
  - 원료에 한계를 받지 않는 SAF (예, e-SAF) 개발에 대한 장기적 정책지원

SAF 시범사업 및 인센티브

- 정부자원지급
  - SAF R&D, 시범 및 보급사업 지원 가속화
- 직접적 및 간접적 인센티브 지원
  - 국내 SAF 인프라가 전무한 상태에서 초기에 국내 업체의 경쟁력 향상 필요
  - SAF 신규투자 기업에 대한 세금공제, 보조금, 시설의 감가상각 가속, 생산량 성과 기반 세금공제
  - 환경부의 대기오염물질 배출부과금 형태와 유사한 항공사의 대기오염물질 배출부과금 신설. 배출부과금을 활용한 SAF 구매자 비용보조금 지원
  - 정부 기후대응기금을 활용하여 SAF 활용 항공사에 일부 보조금 지원 검토
  - SAF사용 실적에 따른 항공노선 조정 및 배분

의무화

- SAF 혼합 비율 의무화
  - 국내 원료 수급 및 기술수준을 고려하여 국내 실정에 맞는 SAF 혼합 비율 의무화 설정
  - 구체적인 일정을 수립하여 매년 SAF 의무 공급량을 증가시켜 SAF 생산 및 활용 유도
- 생산자 의무공급
  - 국내생산 시 생산자의무공급 마련(규제)
  - 산업계에 예측가능한 의무화 정책 제시
- 사용자 의무활용
  - 정부의 SAF 사용 항공노선 선택 의무화
  - SAF 초기 수요 확보, 인식도 제고, 공공기관 선도

SAF를 포함한 바이오에너지 시사점 및 국내 대응방향

시사점

- 바이오에너지 산업은 급격히 성장하는 분야
  - 특히 전기화·수소화가 어려운 항공 분야에서 주요 온실가스 감축 수단으로 지속적인 위상을 유지할 것
- NZE 시나리오 달성을 위해서 2세대 바이오연료가 주요 플레이어로 등장
- SAF는 새로운 "연료 무기화"의 쟁점으로 등장 예상
  - 정부의 명확한 규제 체계 및 정책 구현 필요
  - 전폭적인 지원체계 수립 필요(세제 혜택 등)
- 지속가능한 공급원료 확보가 주요 이슈가 될 것
  - 식량자원과 경쟁하지 않음
  - 생물다양성 보존
  - 공급원료 다양화
- 바이오에너지+CCUS가 미래를 주도할 것
- 바이오에너지 주도권 확보를 위한 컨트롤 타워 구성, 정책개발, 기술 로드맵, 지속적 투자, 해외협력

국내 대응 방향

- 바이오에너지 확대를 위한 적극적인 정책 개발 필요
  - 강력한 다부처 바이오에너지 이니셔티브 구성
  - 바이오파워·바이오히트: 국민수용성 개진
  - 바이오에탄올, 바이오디젤, SAF 사용 확대를 위한 법·제도개선 (폐기물관리법, 규제샌드박스 등)
- 지속가능한 공급원료 확보
  - 2세대 원료의 국내 자원지도 및 물류유통 개발
  - 3세대 원료의 국내·해외 확보를 위한 기술 개발 및 지원
- 인력양성 및 재교육
  - 바이오에너지 융합학문 교육체계 마련
  - 바이오에너지 전문 인력 양성 및 재교육
  - 대국민 홍보, 인식 제고
- 신기술개발 및 인증체계
  - 에너지절약형 추출 및 전환공정
  - Negative 바이오에너지 실현을 위한 CO_2 전환공정
  - 한국형 바이오연료 LCA 및 인증체계 수립

34

감사합니다

한기보 박사

고등기술연구원
수석연구원

2023~	한국바이오연료포럼 재무이사
2009~2019	고등기술연구원 선임/책임연구원
2009	영남대학교 화학공학과 박사

전 세계적 항공운송 수요 증가 전망에 따라 항공산업의 탄소 배출이 증가할 것으로 예상되는 가운데, 항공산업 탄소중립을 위한 방안으로써의 탄소저감 기여도는 엔진, 기체역학 등 '기술적 요소'가 34%, 운행, 공항인프라 등에 해당하는 '운항 및 인프라 요소'가 7%, 그리고 '지속가능 항공유 (SAF, Sustainable Aviation Fuel)'는 53%로 예상하는 것으로 알려졌다. 이들 탄소저감 수단 가운데, 가장 탄소저감 기여도가 높은 '지속가능 항공유' 수단은 바이오항공유 등을 포함하며 석유계 항공유를 대체하여 사용하는 것이다. 지속가능 항공유를 제조하는 데에는 바이오매스뿐만 아니라, 폐기물, 그리고 나아가서는 배출되는 이산화탄소 등에 이르는 다양한 원료를 적용할 수 있다. 이러한 다양한 원료를 적용하여 생산할 수 있는 지속가능 항공유 중에서 최근 CORISA(Carbon Offsetting and Reduction Scheme for International Aviation, 국제 항공 탄소 상쇄 및 감축 계획) 정책에 따라 2027년부터 적용되는 지속가능 항공유 의무혼합사용 정책에 따라 시급하게 사용하도록 요구되는 바이오매스 유래 바이오항공유를 획득하는 기술 확보와 더불어 양산하여 사업화하는 데 관심이 높아지고 있다. 바이오항공유 제조기술에는 알코올을 활용한 ATJ (Alcohol-to-Jet), 동 · 식물성 오일을 활용하여 HEFA (hydroprocessed esters and fatty acids) 및 HRJ (hydroprocessed renewable jet)를 제조할 수 있는 OTJ (Oil-to-Jet), 합성가스를 활용한 F-T (Fischer-Tropsch) 공정에 의한 GTJ (Gas-to-Jet), 그리고 당질계 원료를 활용한 발효 및 촉매전환에 의한 STJ (Sugarto-jet) 등을 포함한다. 본 내용에서는 앞서 언급된 다양한 바이오항공유 제조기술에 대한 특징과 더불어, 최근 국내에서 터빈엔진 테스트에 적용하기 위하여 연료품질 규격을 만족하는 바이오항공유를 HEFA 공정에 기반하여 제조한 사례에 대하여 살펴보고자 한다.

바이오연료
전주기기술
무 료 교 육

바이오항공유 제조공정 -HEFA 공정 중심으로

한기보 박사
고등기술연구원

바이오항공유 제조공정:
HEFA 공정 중심으로

한 기 보

고등기술연구원

목차

바이오항공유 배경 및 필요성

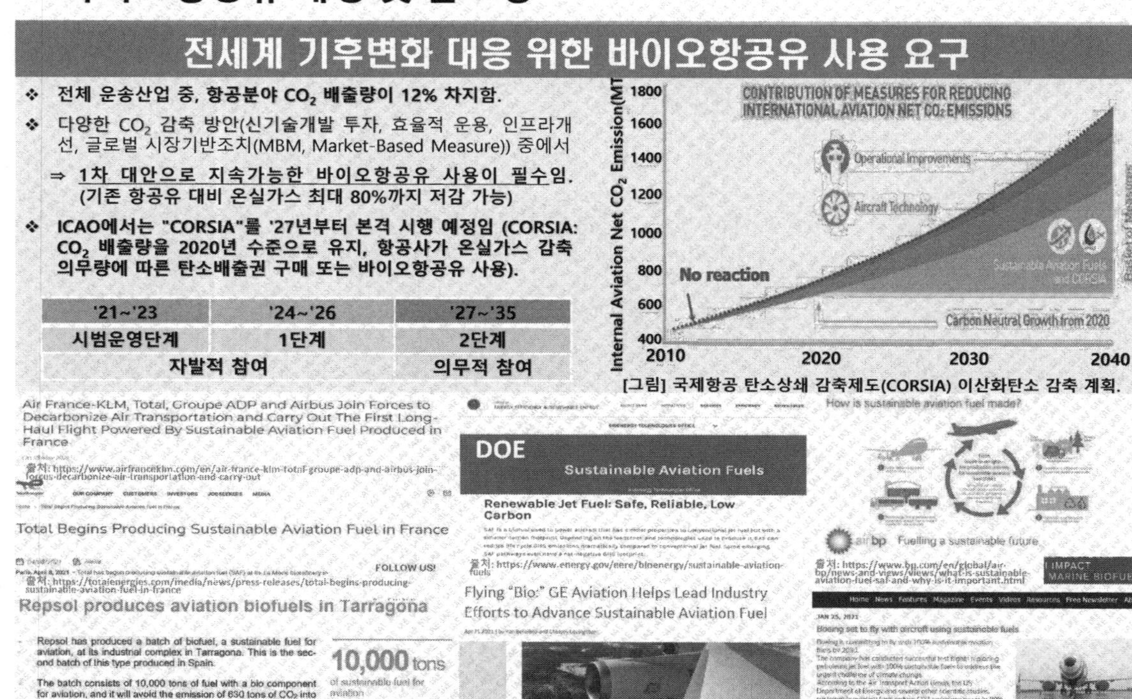

전세계 기후변화 대응 위한 바이오항공유 사용 요구
❖ 전체 운송산업 중, 항공분야 CO_2 배출량이 12% 차지함.
❖ 다양한 CO_2 감축 방안(신기술개발 투자, 효율적 운용, 인프라개선, 글로벌 시장기반조치(MBM, Market-Based Measure)) 중에서
⇒ 1차 대안으로 지속가능한 바이오항공유 사용이 필수임. (기존 항공유 대비 온실가스 최대 80%까지 저감 가능)
❖ ICAO에서는 "CORSIA"를 '27년부터 본격 시행 예정임 (CORSIA: CO_2 배출량을 2020년 수준으로 유지, 항공사가 온실가스 감축 의무량에 따른 탄소배출권 구매 또는 바이오항공유 사용).
'21~'23
'24~'26
'27~'35
시범운영단계
1단계
2단계
자발적 참여
의무적 참여
CONTRIBUTION OF MEASURES FOR REDUCING INTERNATIONAL AVIATION NET CO2 EMISSIONS
Operational Improvements
Aircraft Technology
No reaction
Sustainable Aviation Fuels and CORSIA
Carbon Neutral Growth from 2020
Basket of Measures
Internal Aviation Net CO2 Emission(MT)
1800
1600
1400
1200
1000
800
600
400
2010
2020
2030
2040
[그림] 국제항공 탄소상쇄 감축제도(CORSIA) 이산화탄소 감축 계획.
Air France-KLM, Total, Groupe ADP and Airbus Join Forces to Decarbonize Air Transportation and Carry Out The First Long-Haul Flight Powered By Sustainable Aviation Fuel Produced in France
Total Begins Producing Sustainable Aviation Fuel in France
Repsol produces aviation biofuels in Tarragona
10,000 tons
DOE
Sustainable Aviation Fuels
Renewable Jet Fuel: Safe, Reliable, Low Carbon
Flying "Bio:" GE Aviation Helps Lead Industry Efforts to Advance Sustainable Aviation Fuel
How is sustainable aviation fuel made?
bp Fuelling a sustainable future

ICAO: 국제민간항공기구(International Civil Aviation Organization)
CORSIA: 국제항공 탄소상쇄 감축제도(Carbon Offsetting and Reduction Scheme for International Aviation)

연료 적용 및 인증 관련 기술

항공산업 탄소배출

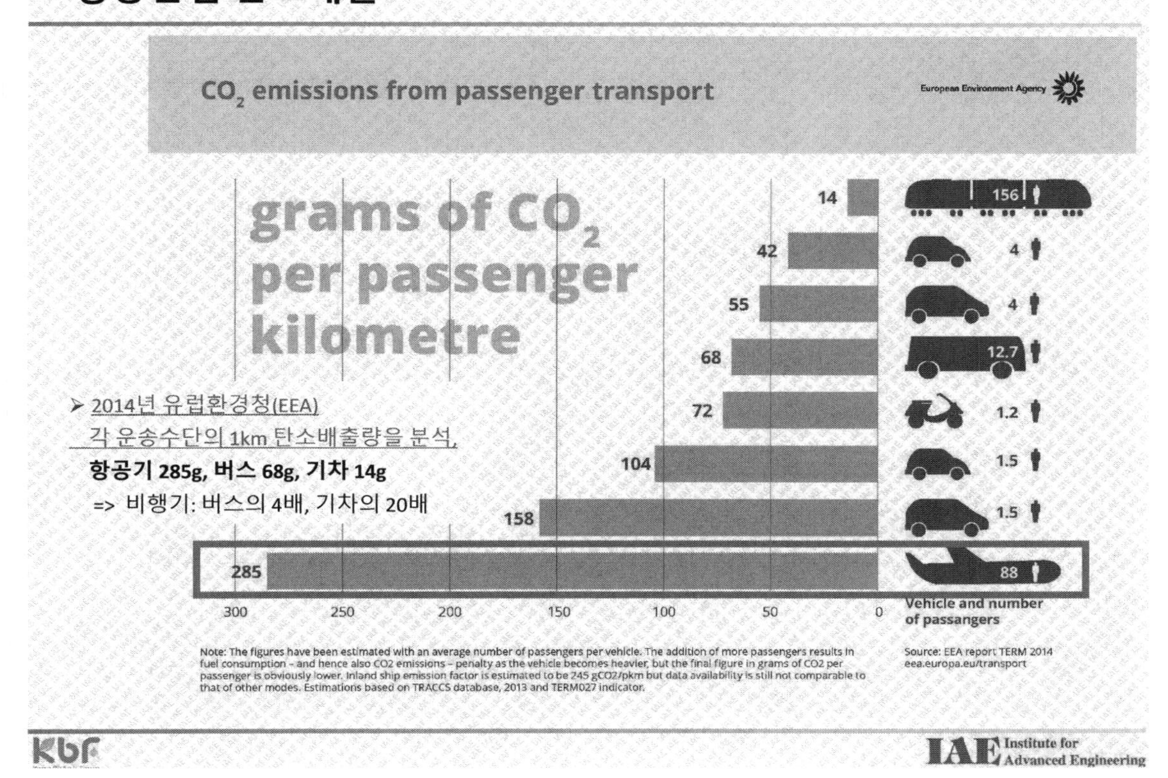

지속 가능 항공유

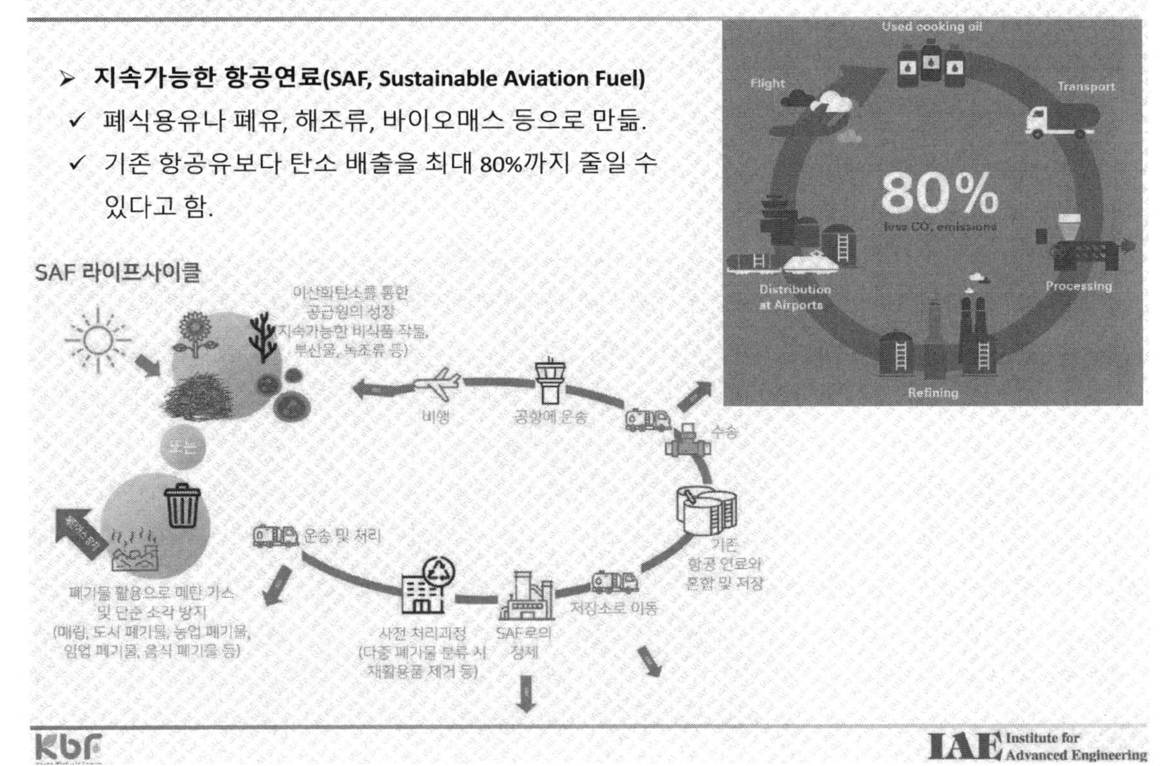

바이오연료

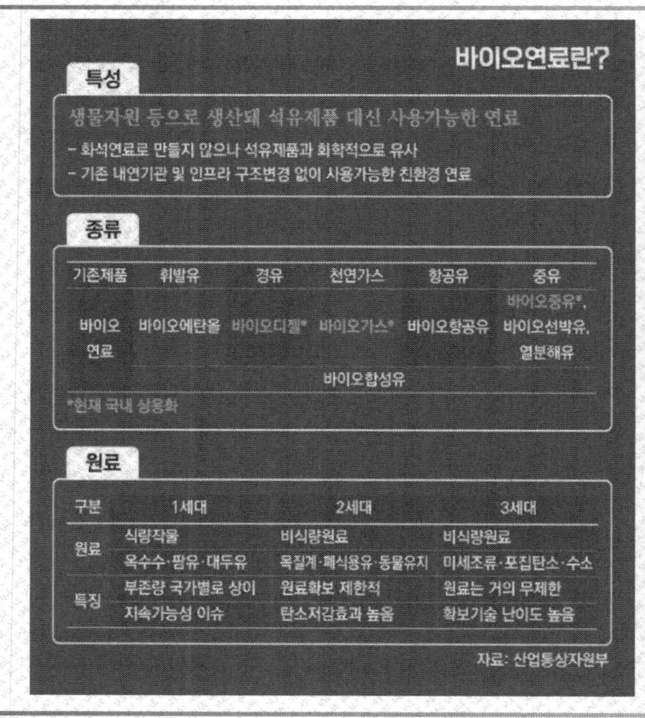

바이오연료란?

특성

생물자원 등으로 생산돼 석유제품 대신 사용가능한 연료

- 화석연료로 만들지 않으나 석유제품과 화학적으로 유사
- 기존 내연기관 및 인프라 구조변경 없이 사용가능한 친환경 연료

종류

기존제품	휘발유	경유	천연가스	항공유	중유
바이오 연료	바이오에탄올	바이오디젤*	바이오가스*	바이오항공유	바이오중유*, 바이오선박유, 열분해유
	바이오합성유				

*현재 국내 상용화

원료

구분	1세대	2세대	3세대
원료	식량작물	비식량원료	비식량원료
	옥수수·팜유·대두유	목질계·폐식용유·동물유지	미세조류·포집탄소·수소
특징	부존량 국가별로 상이	원료확보 제한적	원료는 거의 무제한
	지속가능성 이슈	탄소저감효과 높음	확보기술 난이도 높음

자료: 산업통상자원부

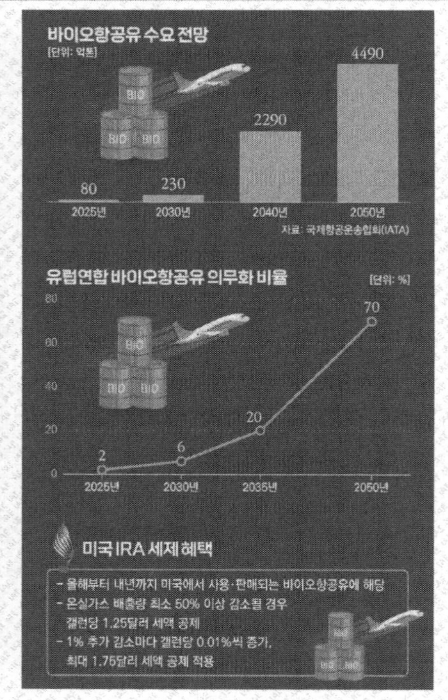

바이오항공유 제조기술 종류

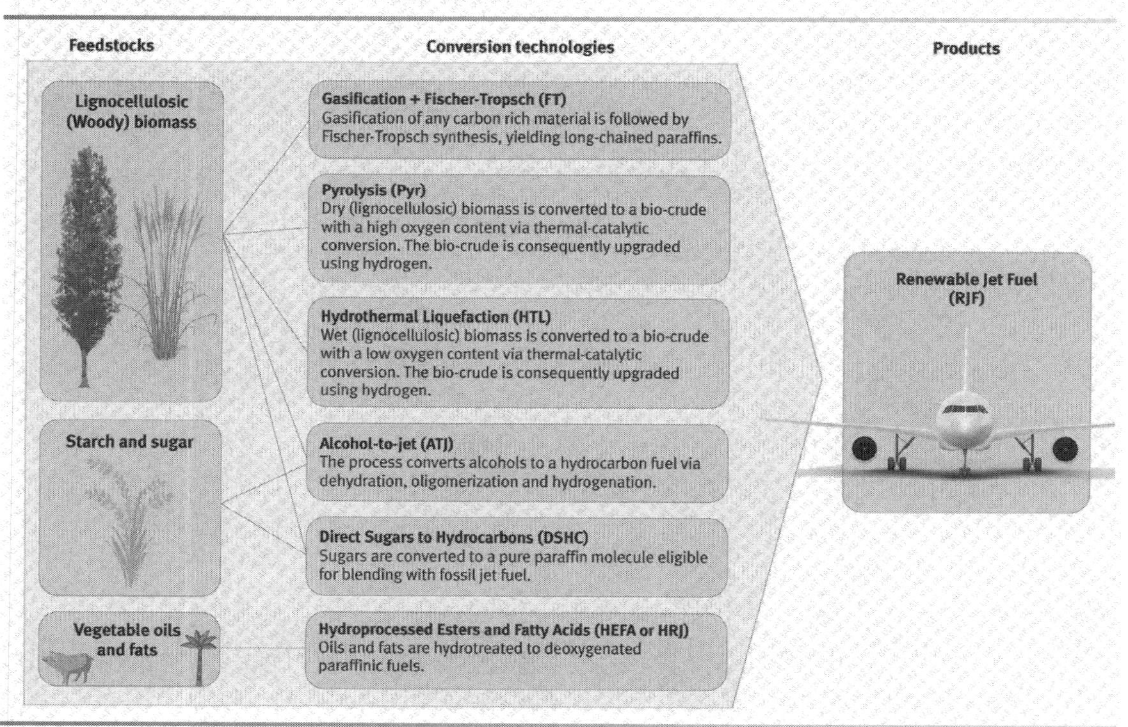

TG (Tryglceride) 기반 바이오매스 전환

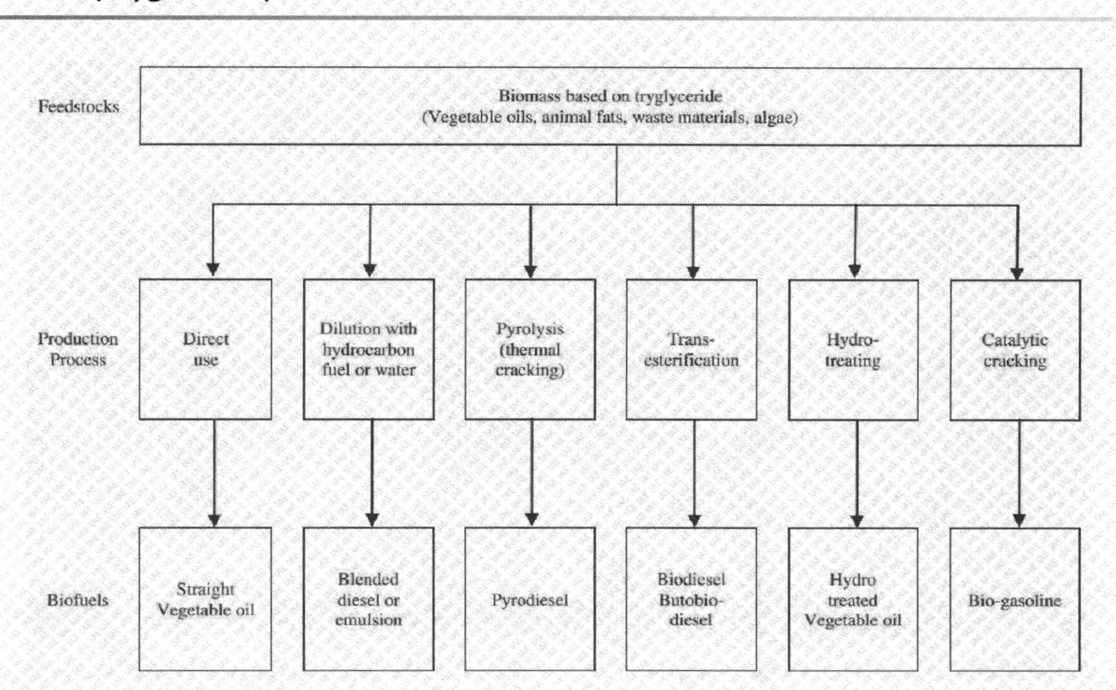

기존 바이오디젤 VS HVO

	Biodiesel (FAME)	Hydrotreated Vegetable Oil (HVO) (Renewable Diesel)
Source	Vegetable oils and fats	Vegetable oils and fats
Process	Transesterification	Hydrotreating
Chemistry	Fatty Acid Methyl Ester	n-Paraffin $CH_3-CH_2-CH_2-CH_2-CH_2-CH_2-CH_2-CH_2-CH_2-CH_3$ *n-Decane* $C_{10}H_{22}$
Product	Oxygenated, ester	Non-oxygenated, paraffin
Replacement for diesel?	Yes, with some cautions	Yes
Specifications	ASTM D6751, EN 14214, Cat Spec	EN 15940

HVO 연료 물성 비교

Empty Cell	Petrodiesel	Biodiesel	HVO	Green diesel	NExBTL	Iso-BHD
Density (kg/m³)	835	885	775–785	780	780–785	777
Viscosity (mm²/s)	3.5	4.5	2.9–3.5	–	3.0–3.5	2.64
Cloud point (°C)	−5	−5 to 15	−5 to −30	−10 to 20	−15	−5
Distillation (°C)	350	355	295–300	265–320	295–300	293
Heating value (MJ/kg)	43	38	44	44	44	47
Cetane number	53	50–65	84–99	70–90	98–99	86
Sulfur content (mg/kg)	<10	<1	~0	<1	<10	<1
Oxygen content (wt%)	0	11	0	0	0	0

* Petrodiesel: ULSD (ultra low sulfur diesel); HVO: hydrotreated vegetable oil.; NExBTL: next generation biomass-to-liquid.; Green diesel.; iso-BHD: Bio-Hydrogenated Diesel.
** a: at 15 °C., b: at 40 °C., c: 90 vol%.

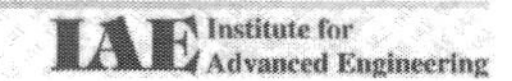

Neste MY Renewable Diesel

Renewable and sustainable
Neste MY Renewable Diesel uses a wide range of fats, oils and waste products.

Smaller carbon footprint
In addition to a reduction in tailpipe emissions, greenhouse gas emissions are also reduced by up to 75%.

Easy to use
Fully compatible with existing fuel infrastructure, no further investment required.

TOP TIER™ fuel
The first TOP TIER™ certified renewable diesel for its high quality and powerful performance.

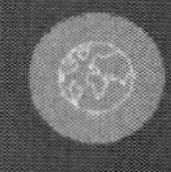

Excellent cold weather performance
Suitable for cold weather conditions, down to -4°F (-20°C) for Winter grade and 10°F (-12°C) for the summer grade.

Efficient combustion
With a high cetane number (70+), Neste MY ensures efficient and clean combustion.

Excellent storage properties
The fuel is stable and can be stored for a long time without losing quality or absorbing water.

Odorless
The fuel does not contain sulfur, oxygen or aromatics.

Lower maintenance costs compared to other renewable alternatives
Neste MY Renewable Diesel is a high quality fuel, which could mean fewer maintenance visits compared to other renewable alternatives.

Pure hydrocarbon
The chemical composition of Neste MY Renewable Diesel is similar to ordinary fossil diesel.

No blending limit
The fuel can be used neat (100% Neste MY Renewable Diesel) or in any ratio blended with fossil diesel.

The solution to improve local air quality Scientific studies and road tests have shown that if you fill up with 100% Neste MY Renewable Diesel, in addition to a CO2e reduction of up to 75%, the following emissions are reduced up to:

- 33% lower levels of fine particles
- 9% lower nitrogen oxides (NOx)
- 30% less hydrocarbons (HC)
- 24% lower carbon monoxide (CO), and
- reduced levels of polyaromatic hydrocarbons (PAH).

In order to achieve today's goals of eliminating fossil fuel, Neste MY Renewable Diesel offers a drop-in solution that all diesel vehicles can use immediately.

Kbr IAE Institute for Advanced Engineering

HVO 장점

Emission reduction:

Up to	Up to	Up to
90%	30%	86%
CO2e reduction	NOx reduction	PM reduction

Decarbonising The Easy Way

Would you like to calculate the carbon emissions you will save with using HVO? Head over to the GOV.UK website to use their handy calculator (you will save around 2.2kgs of CO2 emissions per litre you burn).

Please see a simple chart for the carbon reductions below:

Amount Of HVO Fuel Used	Saving Of CO2
5000 Litres	11,305kg
10,000 Litres	22,611kg
20,000 Litres	45,222kg
35,000 Litres	79,138kg

Cleaner, sustainable fuel

Results in up to 90% reduction in GHG emissions compared to fossil diesel* assured by the Renewable Fuels Assurance Scheme (RFAS).

Local air quality benefits - significantly lower Particulate Matter, NOx and unburnt hydrocarbons**

Produced from **100% renewable sources,** from ISCC certified suppliers.

Odourless and **virtually free from sulphur** and aromatics.

Outstanding performance

Higher cetane number than EN590 diesel = efficient and clean combustion

Exceptional cold weather performance. Better start-up and throttle response

Excellent storage properties. HVO is FAME-free = does not affect water or microbial growth

Switching made simple

Drop in replacement for diesel or gas oil in engines

Meets EN15940 paraffinic fuels standard, **approved by a wide range of OEMs** as a replacement for use in diesel engines without modification.

The benefits of switching to HVO:

Reduces greenhouse gas emissions by up to 90%

Fully reportable reduction of carbon supporting sustainability objectives

Produced from 100% sustainable renewable waste feedstocks; sustainability certification is available with every order

Drop-in replacement for standard diesel and gas oil- no retrofit required

Accredited with EN15940 standard for paraffinic fuels

Reduced maintenance requirements with a storage life of over 10 years

Reduces NOx (Nitrogen Oxides) emissions by 30% and PM (Particulate Matter) by 70%

CFPP (Freezing Point) of -40°C

Burning Neste's NEXBTL diesel vs. Fossil diesel. Credit: Neste

- Two fuels burning in petri dishes, the diesel produces more black smoke than the biofuel

https://youtu.be/P4ACk53nyyw

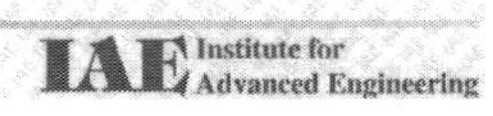

경유 대체 HVO(Hydrotreated Vegetable Oil)

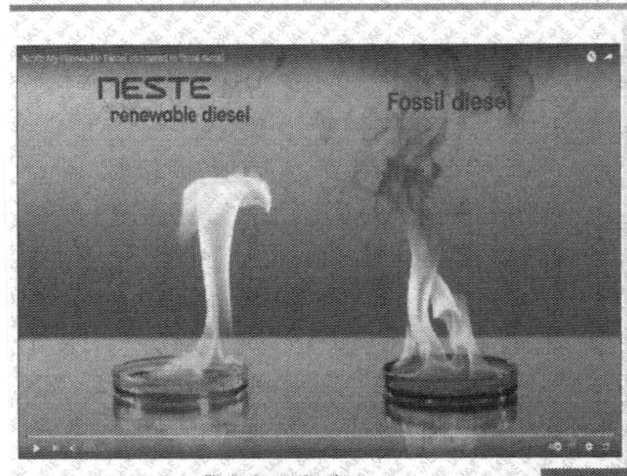

Cleaner, sustainable fuel

Results in up to 90% reduction in GHG emissions compared to fossil diesel* assured by the Renewable Fuels Assurance Scheme (RFAS).

Local air quality benefits - significantly lower Particulate Matter, NOx and unburnt hydrocarbons**

Produced from **100% renewable sources,** from ISCC certified suppliers.

Odourless and **virtually free from sulphur** and aromatics.

Outstanding performance

Higher cetane number than EN590 diesel = efficient and clean combustion

Exceptional cold weather performance. Better start-up and throttle response

Excellent storage properties. HVO is FAME-free = does not affect water or microbial growth

Switching made simple

Drop in replacement for diesel or gas oil in engines

Meets EN15940 paraffinic fuels standard, **approved by a wide range of OEMs** as a replacement for use in diesel engines without modification.

Emission reduction:

Up to	Up to	Up to
90%	30%	86%
CO2e reduction	NOx reduction	PM reduction

The benefits of switching to HVO:

Reduces greenhouse gas emissions by up to 90%

Fully reportable reduction of carbon supporting sustainability objectives

Produced from 100% sustainable renewable waste feedstocks; sustainability certification is available with every order

Drop-in replacement for standard diesel and gas oil- no retrofit required

Accredited with EN15940 standard for paraffinic fuels

Reduced maintenance requirements with a storage life of over 10 years

Reduces NOx (Nitrogen Oxides) emissions by 30% and PM (Particulate Matter) by 70%

CFPP (Freezing Point) of -40°C

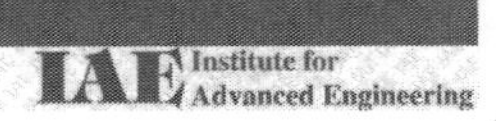

지속가능 항공유 생산 전망

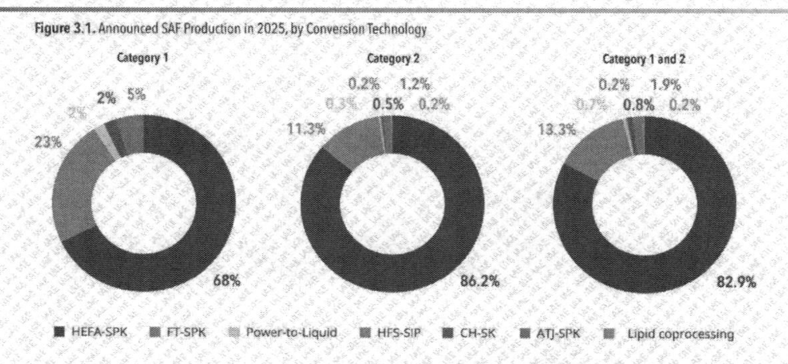

Source: Original figure produced for this publication.
Note: SAF volumes are based on announcements of fuel producers for category 1 facilities. For category 2 facilities, the pie chart is based on the high jet share from table 3.1.
HEFA-SPK = hydroprocessed esters and fatty acids, synthetic paraffinic kerosene; FT-SPK = Fischer-Tropsch synthetic paraffinic kerosene; HFS-SIP = hydroprocessed fermented sugars to synthetic isoparaffins; CH-SK = catalytic hydrothermolysis synthesized kerosene; ATJ-SPK = alcohol-to-jet synthetic paraffinic kerosene.

Table 7: Sustainable Aviation Fuel (SAF) Production Compared to Renewable Diesel Production

Millions of gallons

Year	SAF produced	Renewable diesel produced
2016	1.9	261.1
2017	1.7	274.5
2018	1.8	317.8
2019	2.4	439.2
2020	4.6	485.6
2021	5.1	619.7
2022	15.8	795.8

바이오항공유 가격 (예상)

	Current SAF	Future - All Fuels	Future - SAF	Location
World Energy	5+	350	150	Paramount, CA
Neste	30	-	500	Multiple
Fulcrum	-	11	-	Reno, NV
Red Rock	-	16	-	Lakeview, OR

Table 2: Annual production capacity of SAF producers in million gallons

Table 3.4. SAF Volumes by Year and Scenario, and Associated GHG Emissions Reduction Compared to a Baseline, Where the Complete Jet Fuel Demand Is Satisfied by Petroleum-Derived Jet Fuel

Kilotons (kt) and million metric tons (Mt)

Year	Low		Mid		High		Conventional jet fuel baseline	
	SAF (kt)	CO_2e reduction[a]	SAF (kt)	CO_2e reduction[a]	SAF (kt)	CO_2e reduction[a]	Jet fuel demand (kt)	CO_2e (Mt)
2025	1,107	0.2%	3,220	0.7%	17,537	4.6%	303,510	1,167
2030	4,679	0.7%	12,493	2.3%	52,447	12.0%	349,954	1,346
2035	17,964	2.4%	43,377	7.4%	129,430	27.2%	380,653	1,464
2040	51,430	6.3%	113,551	17.8%	230,602	45.4%	406,378	1,562
2045	89,743	10.5%	182,435	27.7%	300,891	56.1%	428,866	1,649
2050	108,218	11.7%	216,435	30.5%	331,046	57.4%	461,091	1,773

Source: Original table produced for this publication.
Note: a. Carbon dioxide equivalent (CO_2e) emission reductions are computed by comparing total GHG emissions to satisfy total jet fuel demand in each year when partially satisfied

Minimum fuel selling price RJF (€/t)

HEFA (UCO), FT (FR), FT (WS), HTL (FR), HTL (WS), Pyr (FR), Pyr (WS), ATJ (FR), ATJ (WS), DSHC (FR), DSHC (WS)

MFSP (nth plant)
MFSP (pioneer plant)
Utilities & other raw materials
Other OPEX (incl. corporate taxes)
Maintenance and repairs
CAPEX
Feedstock
Non-hydrocarbon co-products

Abbreviations
HEFA = Hydroprocessed Esters and Fatty Acids
FT = Fischer-Tropsch
HTL = Hydrothermal Liquefaction
Pyr = Pyrolysis
ATJ = Alcohol-to-Jet
DSHC = Direct Sugars to Hydrocarbons
UCO = Used cooking oil
FR = Forestry residues
WS = Wheat straw

Global SAF production cost for selected feedstocks *Indicative*

SAF production cost Dollars per ton

Lower range for PtL in regions with cheaper renewable power

2020, 2030, 2040, 2050

HEFA, Gasification/FT, Alcohol-to-jet, Power-to-liquid, Jet fuel price

IAE Institute for Advanced Engineering

해외 바이오항공유 기술 수준

❖ Honeywell UOP(미국) 및 NESTE(핀란드) 등을 중심으로 상용급 바이오항공유 제조 및 연료인증 기술 확보, 항공사와의 제휴를 통해 기존 석유계 항공유와 혼합하여 실제 항공기 시범운항을 다수 진행.

ASTM Approved Pathways- Alternative Jet Fuels

Pathway	Company	Max % Blend
Gasification & F-T (FT-SPK)	Fulcrum, Red Rock	50%
Hydroprocessing F.O.G. (HEFA-SPK)	AltAir, Paramount, California	50%
Hydroprocessing of fermented sugars (HFS-SIP)	Amyris, farnasene, Brazil	10%
F-T with Aromatics (FT-SPK/A)		50%
Thermochemical Conversion of Isobutanol to Jet (ATJ SPK)	Gevo, Luverne, MN	30%

DPA Initiative Accomplishments

- Fuels are approved for use as jet fuel by ASTM at up to 50/50 blends.
- Fuels successfully demonstrated during Rim of the Pacific (RIMPAC) demonstration in 2012 for ships and planes.
- Fuels can be utilized in Navy's warfighting platforms with no degradation to performance or mission.

Company	Location	Feedstock	Conversion Pathway	Off-Take Agreements	Capacity (MMgpy)
Emerald Biofuels	Gulf Coast	Fats, Oils, and Greases	Hydroprocessed Esters and Fatty Acids (HEFA)	TBD	82.0
Fulcrum Bioenergy	McCarran, NV	Municipal Solid Waste	Gasification – Fischer Tröpsch (FT)	United, Cathay Pacific	10.0
	Lakeview, OR	Woody Biomass	Gasification – Fischer Tröpsch (FT)	FedEx, Southwest Airlines	12.0

Latest Activities in Industry

- **AltAir** – United Airlines has begun using commercial scale alternative jet fuel volumes for regularly scheduled flights from LAX. Purchase 15 mgy from AltAir Paramount over 3 years.
- **Gevo** – Lufthansa agreement for alcohol-to-jet from Luverne, MN facility. 8 mgy from Gevo or up to 40 mgy over 5 years.
- **Fulcrum** – Strategic partnership between United, Cathay Pacific, BP Ventures, Air BP businesses to invest $30 million. 10 year off-take for 50 mgy from plants in North America. (DOE funded)
- **Red Rock** – 3 million gallons/year of renewable jet fuel for 3 years for FedEx Express. Southwest purchase agreement from Lakeview, Oregon facility to convert 140,000 dry tons/year of woody biomass into 15 million gallons/year of renewable jet, diesel, and naphtha. (DOE funded)
- **Byogy** – AVAPCO biomass-to-ethanol with Byogy alcohol-to-jet process to produce jet fuel from woody biomass. DOE award of $3.7 million to develop demonstration scale biorefinery. (DOE funded)
- **UOP** – Petrixo Oil and Gas to produce renewable jet and diesel at new refinery in Fujairah, UAE to convert 500,000 metric tonnes of renewable feedstocks into 1 million tons/year of biofuels.
- **KLM and SkyNRG** for 3 year agreement enabling LAX flights.
- **Neste, KLM, SAS, Lufthansa, SkyNRG Nordic, and Oslo Airport.**

Transitioning to AJF, Fuel Purchase Agreements

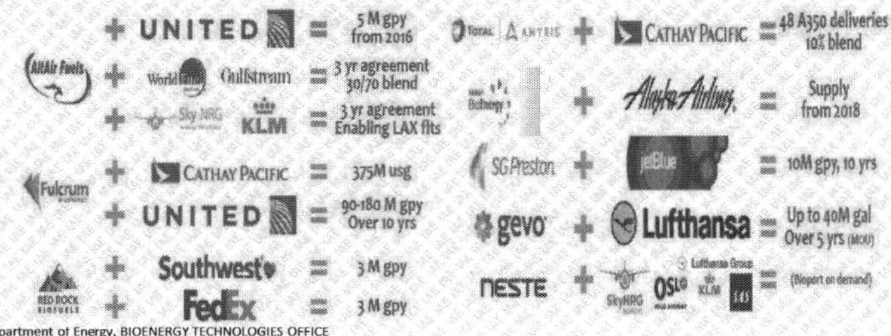

partment of Energy, BIOENERGY TECHNOLOGIES OFFICE

Kbf

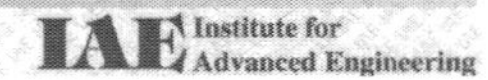

ASTM 인증 SAF 제조 공정

Conversion process	Abbreviation	Possible Feedstocks	Maximum Blend Ratio
Fischer-Tropsch hydroprocessed synthesized paraffinic kerosene	FT	Coal, natural gas, biomass	50%
Synthesized paraffinic kerosene from hydroprocessed esters and fatty acids	HEFA	Bio-oils, animal fat, recycled oils, Vegetable oils: palm, camelina, jatropha, used cooking oil	50%
Synthesized iso-paraffins from hydroprocessed fermented sugars	SIP	Biomass used for sugar production, Sugarcane, sugar beet	10%
Synthesized kerosene with aromatics derived by alkylation of light aromatics from non-petroleum sources	FT-SKA	Coal, natural gas, biomass, Wastes (MSW, etc.), coal, gas, sawdust	50%
Alcohol to jet synthetic paraffinic kerosene	ATJ-SPK	Biomass from ethanol, isobutanol or isobuthene, Sugarcane, sugar beet, sawdust, lignocellulosic residues (straw)	50%
Catalytic hydrothermolysis jet fuel	CHJ	Triglycerides such as soybean oil, jatropha oil, camelina oil, carinata oil, and tung oil, Waste oils or energy oils	50%
Synthesized paraffinic kerosene from hydrocarbon - hydroprocessed esters and fatty acids	HC-HEFA-SPK	Algae	10%
ATJ derivative starting with the mixed alcohols	ATJ-SKA	mixed alcohols(단일 C2~C5 알코올 또는 두 개 이상의 C2-C5 알코올 조합 원료)	??%
co-hydroprocessing of esters and fatty acids in a conventional petroleum refinery	co-processed HEFA	Fats, oils, and greases (FOG) co-processed with petroleum	5%
co-hydroprocessing of Fischer-Tropsch hydrocarbons in a conventional petroleum refinery	co-processed FT	Fischer-Tropsch hydrocarbons co-processed with petroleum	5%
co-hydroprocessiing of biomass	co-processed biomass		5%

Kbf

IAE Institute for Advanced Engineering

바이오 항공유 제조 상용 공정 (2019년도 기준)

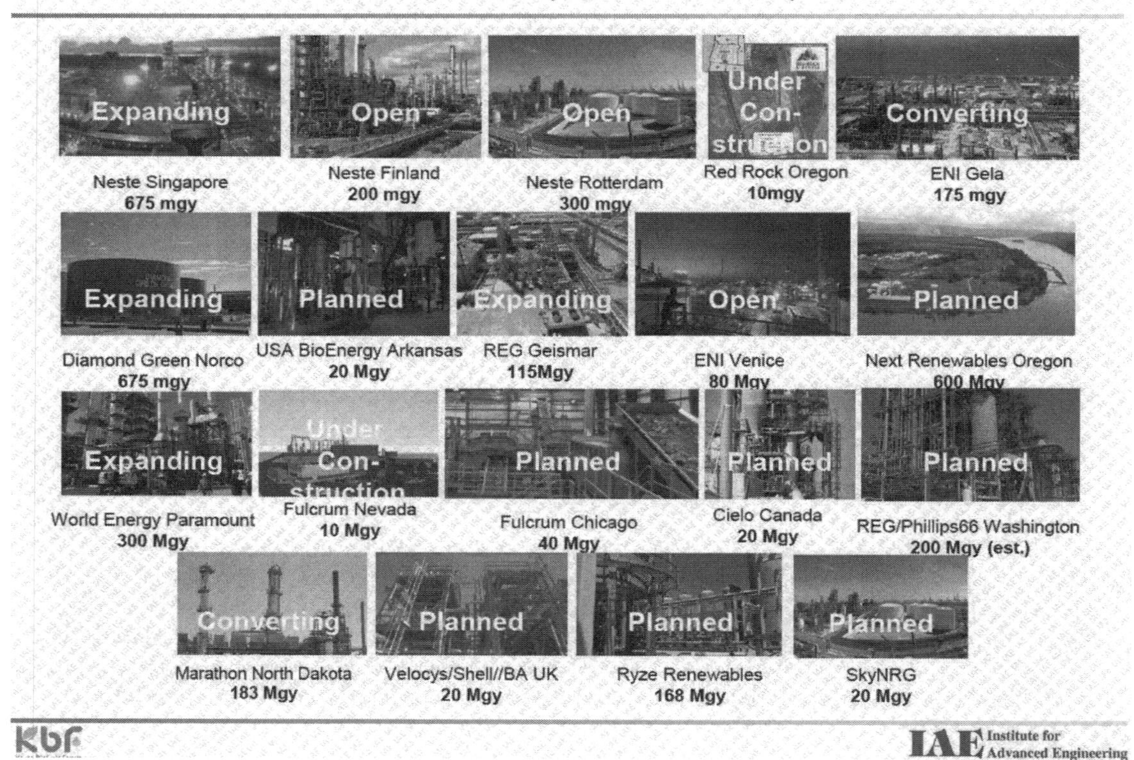

Kbf

IAE Institute for Advanced Engineering

국내 바이오항공유 동향

기후변화 대응 탄소중립 기반 저탄소 경제 통한 지속가능성 확보

3 미국의 뉴딜정책에 버금가는 「한국판 뉴딜」 추진
:위기 극복과 코로나 이후 글로벌 경제 선도를 위한 국가발전전략

❸ (개혁) 구조적 변화 적응·선도하기 위한 **토대** 구축

- **디지털·그린 경제 활성화**를 위한 **법령 제·개정** 및 **전국민 고용보험, 탄소중립**(Net Zero) **기반** 마련 등을 적극 추진

<표> 국내 연료 생산 현황('21년 통계청 자료)

구분 (단위: 천 배럴)	2019년도 (항공유: 5천2백만톤)			
	수입	생산	내수	수출
원유	1,071,923	-	-	-
휘발유	130	168,227	82,750	87,872
경유	138	366,713	171,795	195,231
항공유	94,093	170,744	38,833	114,850
LPG	3	32,893	122,138	5,807

■수입 ■생산 ■내수 ■수출

시기(년도)	2017	2018	2019
수출	121	115	115
내수	38	40	39
생산	174	171	171
수입	73	79	94

바이오항공유 상용화 준비 착수, 상용화 위한 국산기술 수준 부족

현대오일뱅크, 대한항공 손잡고 바이오 항공유 시장 뛰어든다

국방과학연구소, 식물성 오일로 친환경 바이오 항공유를 대량 생산하다

2021.07.06 방위사업청

ㅇ 국방과학연구소(국과연, 소장 박종승)는 식물성 오일인 팜유(Palm oil)를 이용해 바이오 항공유를 연 5톤 규모로 제조할 수 있는 제조기술을 확보하는 데 성공했다. 이는 '16년부터 '20년까지 4년 간 핵심기술개발 연구를 통해 이루어낸 성과로 석유계 항공유에 비해 탄소배출량이 낮은 식물성 오일을 원료로 하여 바이오 항공유를 대량 제조할 수 있는 기술을 국내 최초로 확보했다.

ㅇ 국과연은 국제민간항공기구(ICAO, International Civil Aviation Organization)에서 제정한 탄소상쇄 감축제도*가 '21년부터 시범적으로 운영됨에 따라 연 5톤 규모의 바이오 항공유로 제조하기 위해 필요한 식물성 오일의 탈산소 반응, 분해 및 구조전환 반응용 고체촉매 개선 및 반응기술을 개발했다.

바이오항공유 대량제조, 엔진적용 기술 확보

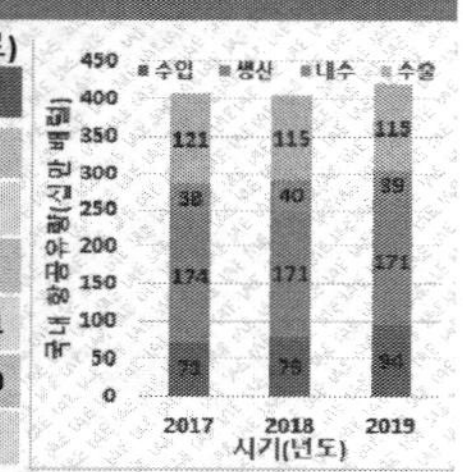

Kbf

국내 바이오항공유 제조기술 개발 사례 및 현황

기간	과제명	기술군	수행기관 (책임자)	부처	TRL
2010~ 2012	석유대체자원을 이용한 Bio-jet Fuel 제조 기술연구	GTJ	한국화학연구원	국방부	2
2010~ 2019	바이오매스 대량생산 및 저에너지 소모형 오일 추출/전환 공정 개발	OTJ	KAIST ((재)탄소순환형차세대바이오매스연구단)	과학기술정보통신부	3~4
2013~ 2016	비식용바이오매스로부터 통합형 바이오항공유 제조 기술 개발	OTJ	한국에너지기술연구원	미래창조과학부	3~4
2015~ 2018	바이오부탄올 유래 n-부텐 소중합반응을 통한 항공유 제조용 고활성 촉매 개발	ATJ	공주대학교	교육부	n/a (2~3)
2014~ 2015	미세조류로부터 추출한 Oil의 Bio Jet Fuel 생산	OTJ	SK이노베이션	미래창조 과학부	6~7
2015~ 2019	항공유 및 윤활기유 생산을 위한 촉매 공정 개발	OTJ	한국과학기술원	과학기술 정보통신부	3~4
2015~ 2018	에탄올 발효산물 업그레이딩을 통한 항공유급 바이오연료 생산기술 개발	ATJ	희성금속	산업통상 자원부	5
2016~ 2020	**Bio-jet fuel 터빈엔진 적용특성 연구 (목적: 바이오항공유 항공터빈엔진 시험)**	**OTJ**	**국방과학연구소 (고등기술연구원: 바이오항공유 제조용역)**	**국방부**	**4~6**
2020~ 2024	나무 유래 오일로부터 바이오항공유 생산 원천기술 개발	OTJ	한국과학기술연구원	과학기술정보통신부	3~5
2023~ 2026	**차세대 수첨 바이오연료 생산과 업그레이딩 통합공정 기술개발**	**OTJ**	**㈜엘티메탈**	**산업통상자원부**	**5~7**

- GTJ: Gas to Jet, OTJ: Oil to Jet, ATJ: Alcohol to Jet

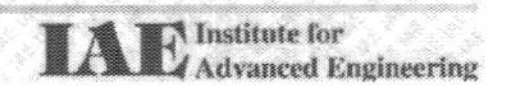

용역개요

용역명

Bio-Jet Fuel 제작 및 납품

추진 목적

- 바이오항공유 제조 설비 구축 운전
- 엔진테스트용 바이오 항공유 제조 납품

목표

- 바이오 항공유 제조 설비 규모: 5 ton/yr
- 바이오항공유 제조: 2.5 ton
- 혼합 바이오항공유 5 톤 납품 (석유계 50% 혼합)

기관

- 주관기관: 고등기술연구원
- 협력기관: 한양대, 한국과학기술원, 영남대, 한국석유관리원

규모

- 총연구기간: 계약일 - 2020. 06. 30 (44개월)
- 총예산: 29억 원

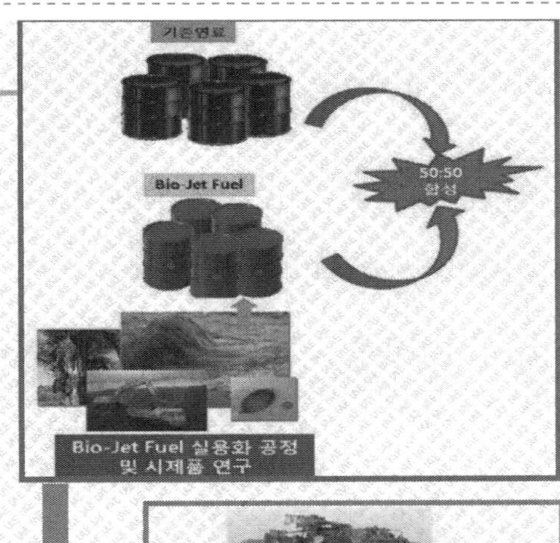

기술목표(1): 바이오항공유 제조기술 확보

톤급 바이오항공유 대량제조에 필요한 안정적 기술 확보

식물성 오일 (정제 팜유 등) → 촉매기반 업그레이딩 공정 → 고부가 바이오항공유

식물성 오일 전환용 고효율/고내구성 촉매 및 공정 개발
바이오항공유 제조를 위한 촉매 탈산소 및 크래킹/이성질화 반응기술 개발
식물성 오일 유래 바이오항공유 제조를 위한 파일롯 공정 설계인자 확보

성형촉매 개발	촉매 공정 개발	Scale-up 설계/구축
고효율 식물성 오일 전환 탄소침적/열화 저항 고내구성/장수명 촉매	식물성 오일로부터 탈산소-크래킹/이성질화 C_8 이상 알칸계 연료제조 맞춤형 바이오항공유 제조	Pilot 규모 바이오항공유 제조설비 운전 / 공정 최적화 연료품질확보

- ✓ 파일롯 바이오항공유 제조 설비 규모: 5 ton/yr
- ✓ 바이오항공유 수율: 43% 이상(GC 분석 기준)
- ✓ 혼합 바이오항공유 납품규모: 5 톤
- ✓ 기존 항공유 대비 혼합율: 50%

바이오항공유 제조 공정기술 특징(1): HEFA 선정

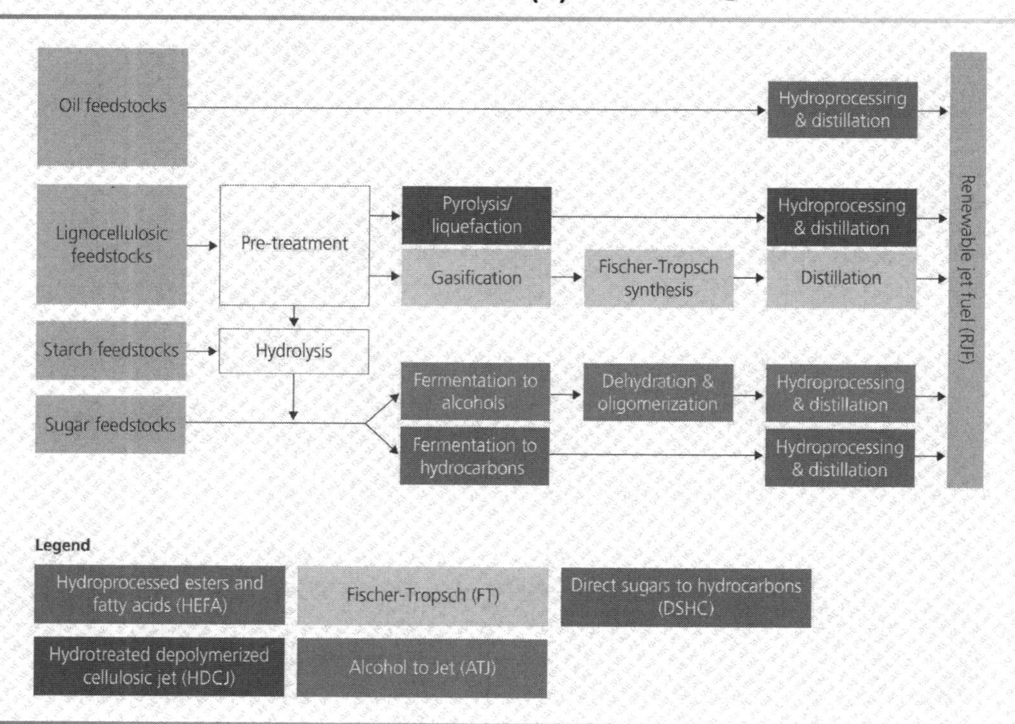

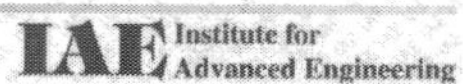

바이오항공유 제조 공정기술 특징(2): HEFA 선정

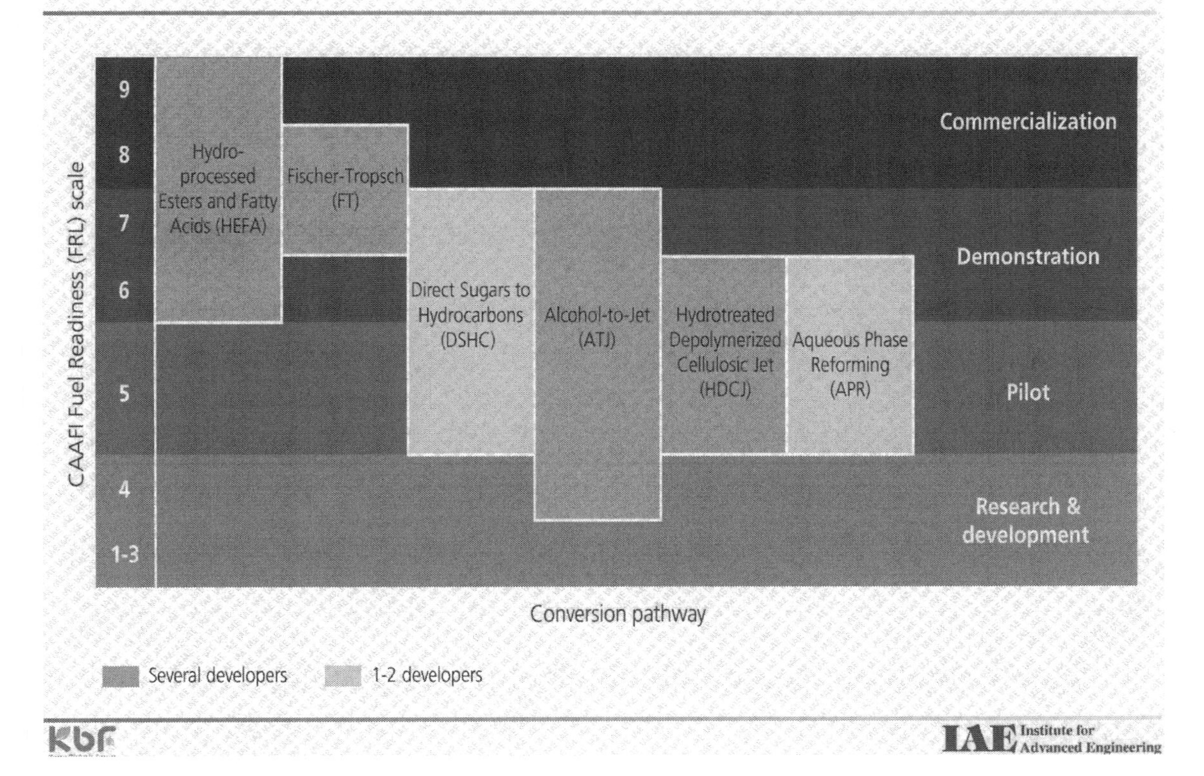

바이오항공유 제조기술 현황

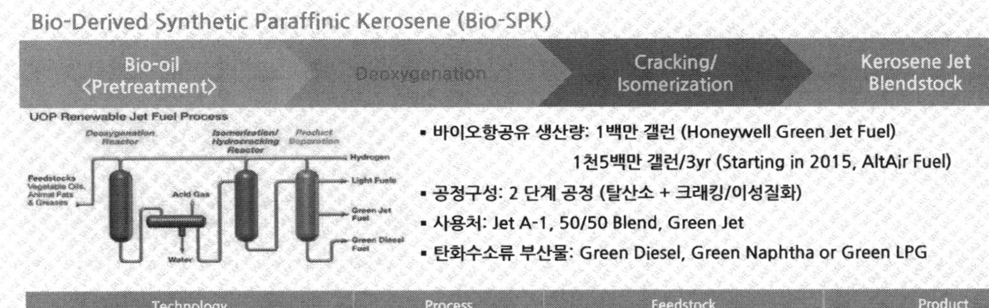

- 바이오항공유 생산량: 1백만 갤런 (Honeywell Green Jet Fuel)
  1천5백만 갤런/3yr (Starting in 2015, AltAir Fuel)
- 공정구성: 2 단계 공정 (탈산소 + 크래킹/이성질화)
- 사용처: Jet A-1, 50/50 Blend, Green Jet
- 탄화수소류 부산물: Green Diesel, Green Naphtha or Green LPG

Technology		Process	Feedstock	Product
	Oil Companies	Refining	Petroleum	Jet fuel, gasoline, diesel
UOP A Honeywell Company	UOP/Eni (Ecofining process)	Hydrotreating and isomerization	Triglycerides and/or free fatty acids	Green diesel and jet fuel
HALDOR TOPSOE	Haldor Topsoe	Hydrotreating	Raw tall oil	Green diesel and jet fuel
NESTE OIL	The Neste Oil. (NExBTL process)	Hydrotreating	Palm oil and waste animal fat	Green diesel
Syntroleum	Syntroleum Coporation	Hydrotreating	Animal fats	Green diesel and jet fuel
sasol	Sasol	FT synthesis	Coal, natural gas	Green diesel and jet fuel
SHELL	Shell	FT synthesis	Natural gas	Green diesel and jet fuel
gevo	Gevo	Dehydration, oligomerization	Isobutanol from biomass fermenation	Jet fuel

기술목표(2): 제조공정 연계 바이오항공유 연료품질 확보

Hydrocarbon Type	World Survey Avg. Jet A, Jet A-1	Composite Jet A Blend
	ASTM D2425[a],vol%	
Paraffins(n-+iso-)	53	48
Cycloparaffins (nc)[b]	19	26
Dicycloparaffins (c)[b]	8	6
Tricycloparaffins (c)[b]	1	<1
Alkylbenzenes	13	13
Indans + Tetralins	4.6	4.6
Indenes + C_nH_{2n-10}	<0.5	<0.5
Naphthalene	<0.5	<0.5
Substituted Naphthalenes	1.6	1.4
	ASTM D6379-HPLC, vol %	
Mono-aromatics	18.1	17.5
Di-aromatics	1.9	1.6
Total Aromatics	19.9	19.1
Total Saturates	80.1	80.9

항목		Jet A-1 (ASTM D1655)	Bio-Jet (ASTM D7566)	혼합 Jet A-1 (ASTM D7566)	시험방법 (ASTM)
산가(mgKOH/g)		0.10 이하	0.015 이하	0.10 이하	D3242
방향족(부피%)		25 이하	0.5 이하	8 – 25	D2425 D1319
황(무게%)		0.30 이하	15 mg/kg 이하	0.30 이하	D5453 D4294
머캅탄황(무게%)		0.003 이하	-	0.003 이하	D3227
증류성상	초류점(℃)	-	-	-	D86
	10% (℃)	205 이하	205 이하	205 이하	
	20% (℃)	-	-	-	
	50% (℃)	Report	Report	Report	
	90% (℃)	Report	Report	Report	
	T50-T10(℃)	-	-	15 이상	
	T90-T10(℃)	-	22 이하	40 이상	
	종류점(℃)	300 이하	300 이하	300 이하	
	잔류율(%)	1.5 이하	1.5 이하	1.5 이하	
	손실률(%)	1.5 이하	1.5 이하	1.5 이하	
인화점(℃)		38 이상	38 이상	38 이상	D93, D56
밀도(15℃, g/cm³)		775 - 840	730 – 772	775 – 840	D4052
빙점(℃)		-47 이하	-40 이하	-47 이하	D2386
순발열량(MJ/kg)		42.8 이상	-	42.8 이상	D4809
수소 함량(무게 %)		-	-	-	D7171
열안정도 JFTOT /260℃	압력차 (mmHg)	25 이하	25 이하 (@325℃ 이상)	25 이하	D3241
	관퇴적도 VTR 또는	3 미만	3 미만	3 미만	
	관퇴적도 ETR, ITR (nm)	85 이하	85 이하	85 이하	
FAME(mg/kg)		50 이하	5 미만	-	D7797 IP 585

KbF

IAE Institute for Advanced Engineering

항공유 조성 VS 물성 제어

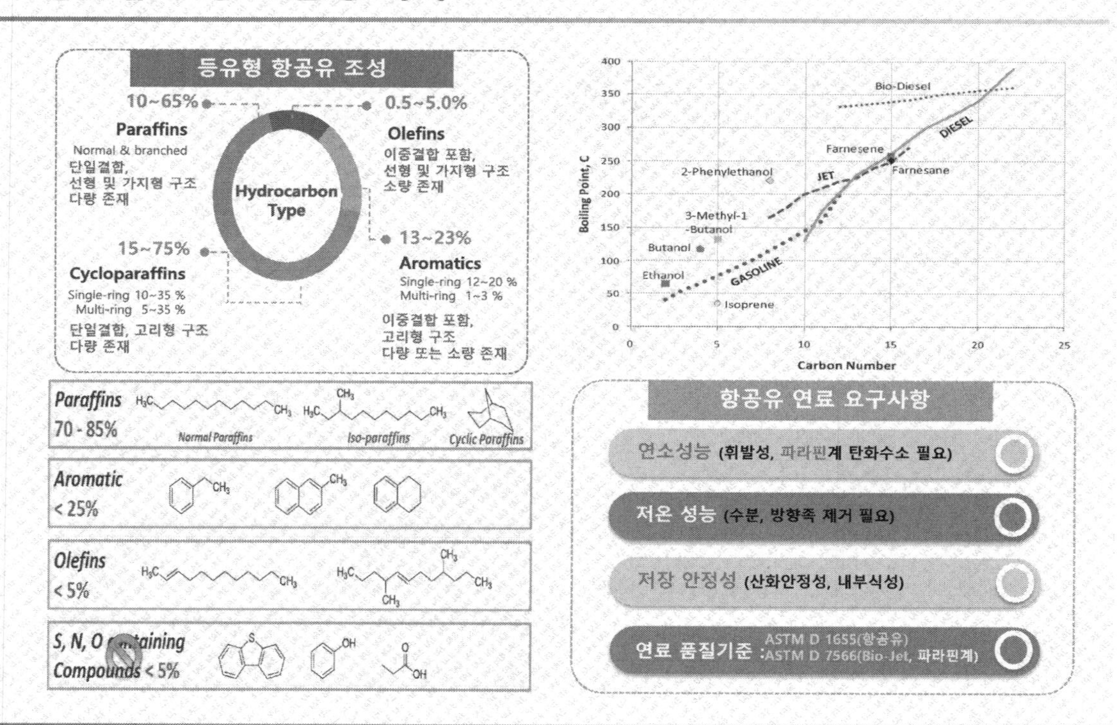

KbF

IAE Institute for Advanced Engineering

바이오항공유 제조 관련 시제 사진

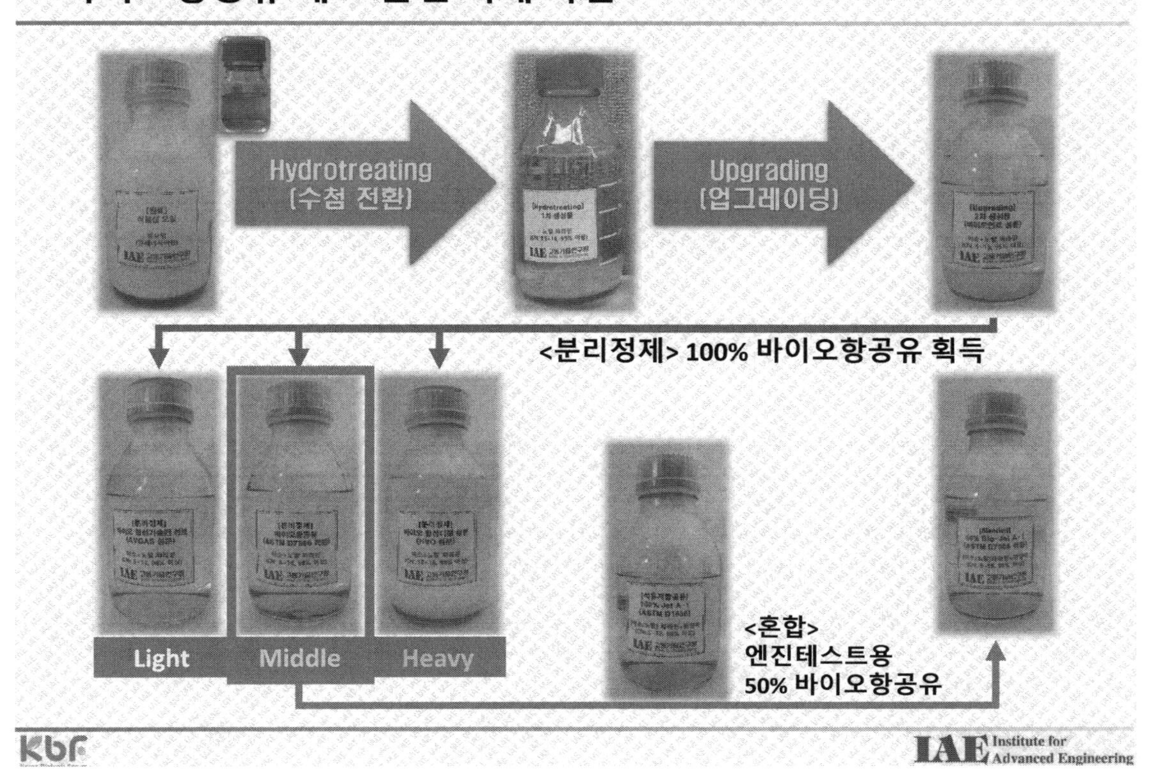

원료 수첨 전환 공정 운전

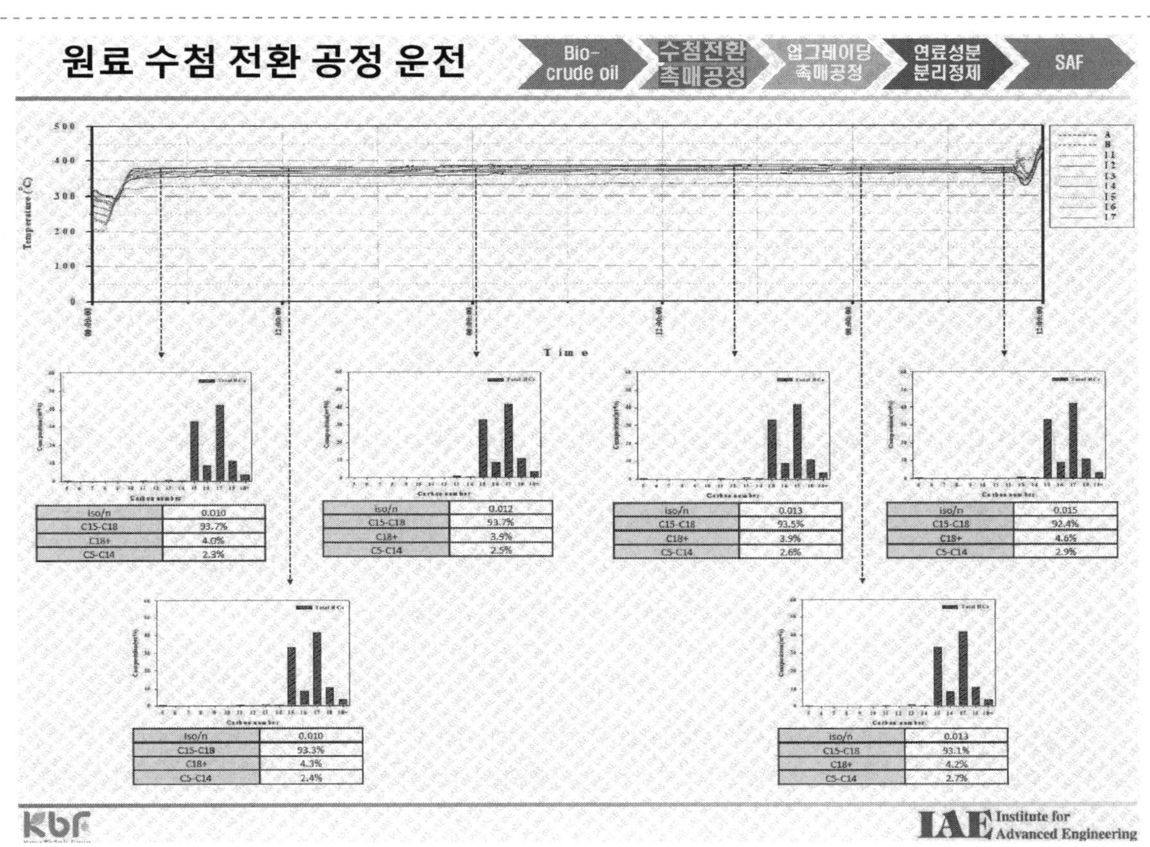

iso/n	0.010
C15-C18	93.7%
C18+	4.0%
C5-C14	2.3%

iso/n	0.012
C15-C18	93.7%
C18+	3.9%
C5-C14	2.5%

iso/n	0.013
C15-C18	93.5%
C18+	3.9%
C5-C14	2.6%

iso/n	0.015
C15-C18	92.4%
C18+	4.6%
C5-C14	2.9%

iso/n	0.010
C15-C18	93.3%
C18+	4.3%
C5-C14	2.4%

iso/n	0.013
C15-C18	93.1%
C18+	4.2%
C5-C14	2.7%

연료성분 업그레이딩 공정 운전

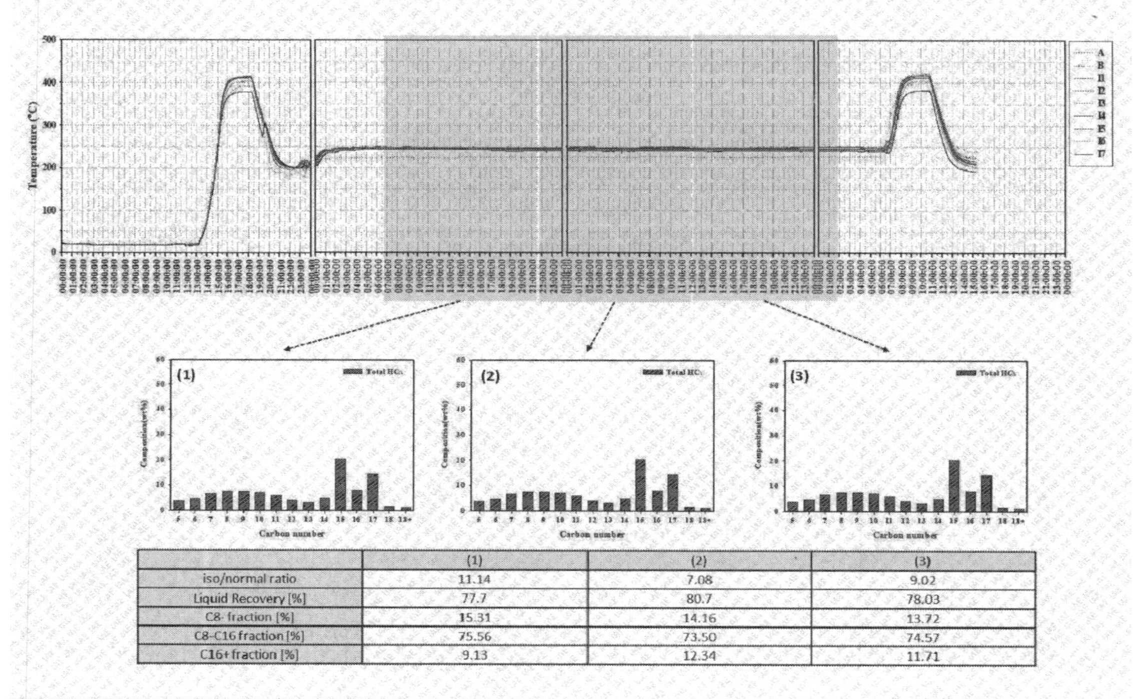

	(1)	(2)	(3)
iso/normal ratio	11.14	7.08	9.02
Liquid Recovery [%]	77.7	80.7	78.03
C8- fraction [%]	15.31	14.16	13.72
C8-C16 fraction [%]	75.56	73.50	74.57
C16+ fraction [%]	9.13	12.34	11.71

50% 바이오항공유 제조/납품

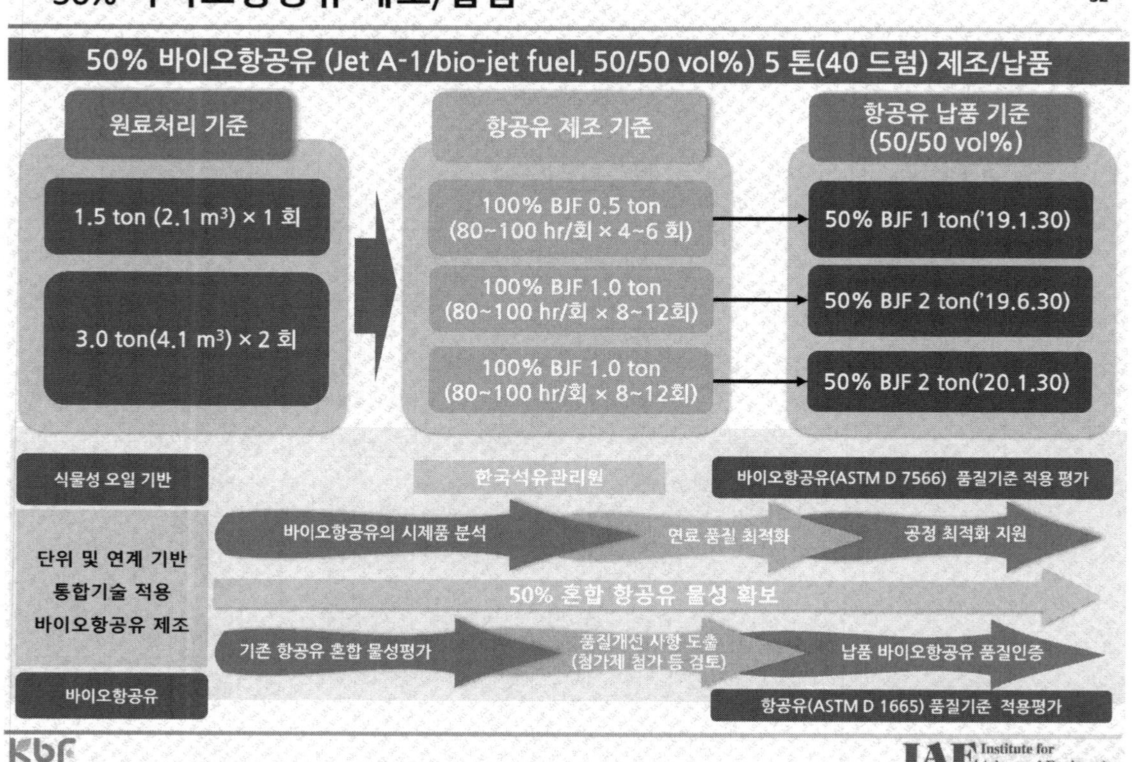

납품용 대량제조 톤급 바이오항공유 물성최적화

실험 명			실험조건		생성물	특성		
			온도 범위					
구분	시료 No.	장비	Bio jet-fuel		Bio-jet fuel	인화점	어는점	산도
			(℃)		(kg)	(℃)	(℃)	mg KOH/g
1	M1	A	205.0	280.0	14.3	49.0	-42.8	
2	M2	A	205.0	280.0	13.4	50.0	-48.6	0.002
3	M3	A	205.0	280.0	13.2	51.0	-44.9	0.003
4	M4	A	205.0	280.0	14.1	43.0	-42.5	0.008
5	M5	A	205.0	280.0	13.7	39.0	-43.1	0.002
6	M6	A	205.0	280.0	14.7	38.8	-41.0	0.003
7	M7	A	205.0	280.0	14.1	40.0	-41.6	0.002
8	M8	A	205.0	280.0	13.6	38.5	-42.7	0.002
9	M9	A	205.0	280.0	13.3	38.6	-41.3	0.002
10	M10	A	205.0	280.0	16.1	40.5	-44.9	0.003
11	MA11	A	205.0	280.0	16.0	41.0	-46.7	0.003
12	MB11	B	207.0	280.0	13.4	44.0	-41.0	0.007
13	MA12	A	207.0	280.0	15.4	43.5	-40.5	0.001
14	MB12	B	207.0	280.0	15.4	47.5	-41.2	0.003
16	MA13	A	207.0	280.0	12.3	38.0	-43.7	0.011
17	MB13	B	207.0	280.0	12.5	41.0	-43.2	0.008
18	MA14	A	207.0	280.0	14.7	43.0	-47.0	0.008
19	MB14	B	207.0	280.0	15.2	43.5	-42.0	0.009
20	MA15	A	207.0	280.0	14.0	45.5	-46.6	0.007
21	MB15	B	207.0	280.0	14.8	46.0	-44.3	0.013
22	MA16	A	207.0	280.0	14.6	47.5	-43.4	0.008
23	MB16	B	207.0	280.0	14.9	49.0	-42.0	0.007
24	MA17	A	207.0	280.0	14.9	47.0	-41.8	0.005
25	MB17	B	207.0	280.0	15.4	43.5	-42.6	0.002
26	MA18	A	207.0	280.0	13.1	39.0	-45.3	0.002
27	MB18	B	207.0	280.0	11.7	38.0	-43.8	0.003
28	MA19	A	207.0	280.0	14.4	38.0	-40.9	0.002
29	MB19	B	207.0	280.0	14.6	43.5	-42.1	0.002
30	MA20	A	207.0	280.0	14.3	38.9	-41.7	0.002
31	MB20	B	207.0	280.0	13.9	39.3	-43.7	0.001
32	MA21	A	207.0	280.0	15.2	40.1	-41.8	0.004
33	MB21	B	207.0	280.0	15.3	38.0	-43.1	0.010
34	MA22	A	208.0	279.0	10.2	39.1	-50.5	0.001
35	MB22	B	208.0	279.0	10.2	41.2	-44.3	0.001
36	MA23	A	209.0	278.0	13.8	40.9	-49.7	0.003
37	MB23	B	209.0	278.0	12.8	41.7	-51.7	0.003
38	MA24	A	210.0	278.0	13.6	43.4	-43.8	0.002
39	MB24	B	210.0	278.0	13.2	41.6	-42.3	0.002

Kbf

IAE Institute for Advanced Engineering

50% 바이오항공유 제조 및 포장/납품

Kbf

IAE Institute for Advanced Engineering

납품용 100% 바이오항공유 물성 공인시험성적서

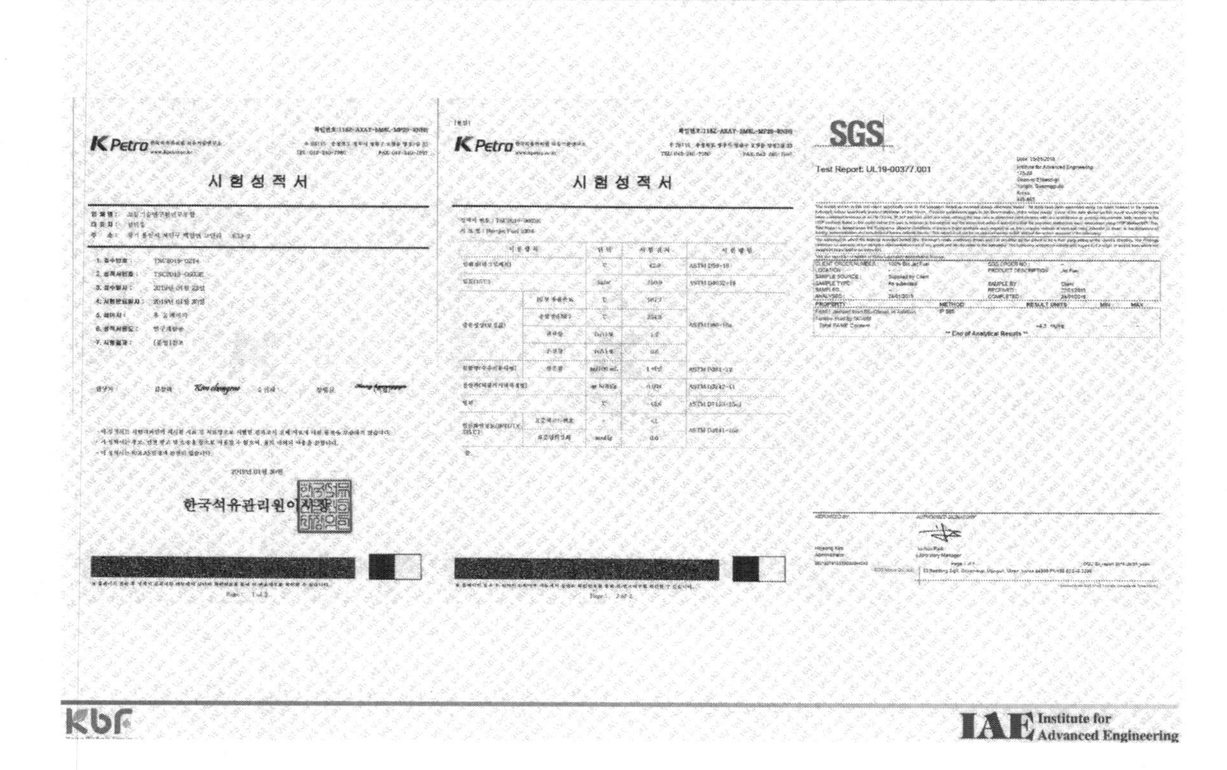

K Petro

시 험 성 적 서

한국석유관리원이사장

SGS

Test Report: UL19-00377.001

** End of Analytical Results **

납품용 100% 석유계항공유(JET A-1) 물성 공인성적서

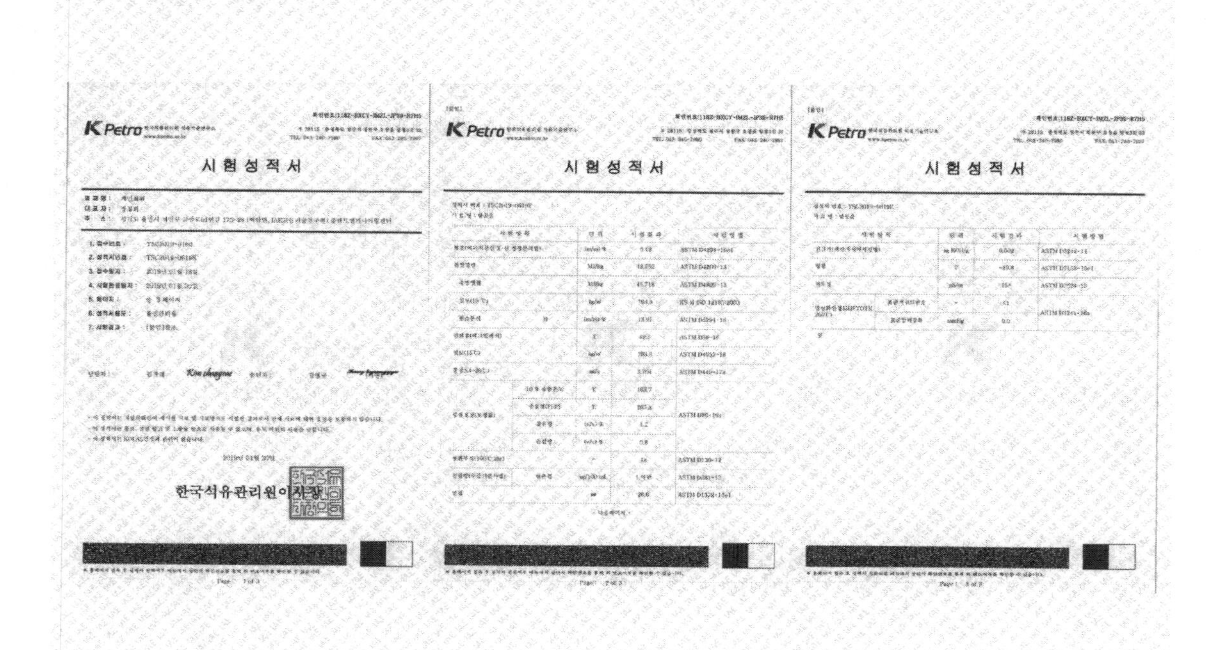

K Petro

시 험 성 적 서

한국석유관리원이사장

납품용 50% 혼합 바이오항공유 물성 공인성적서

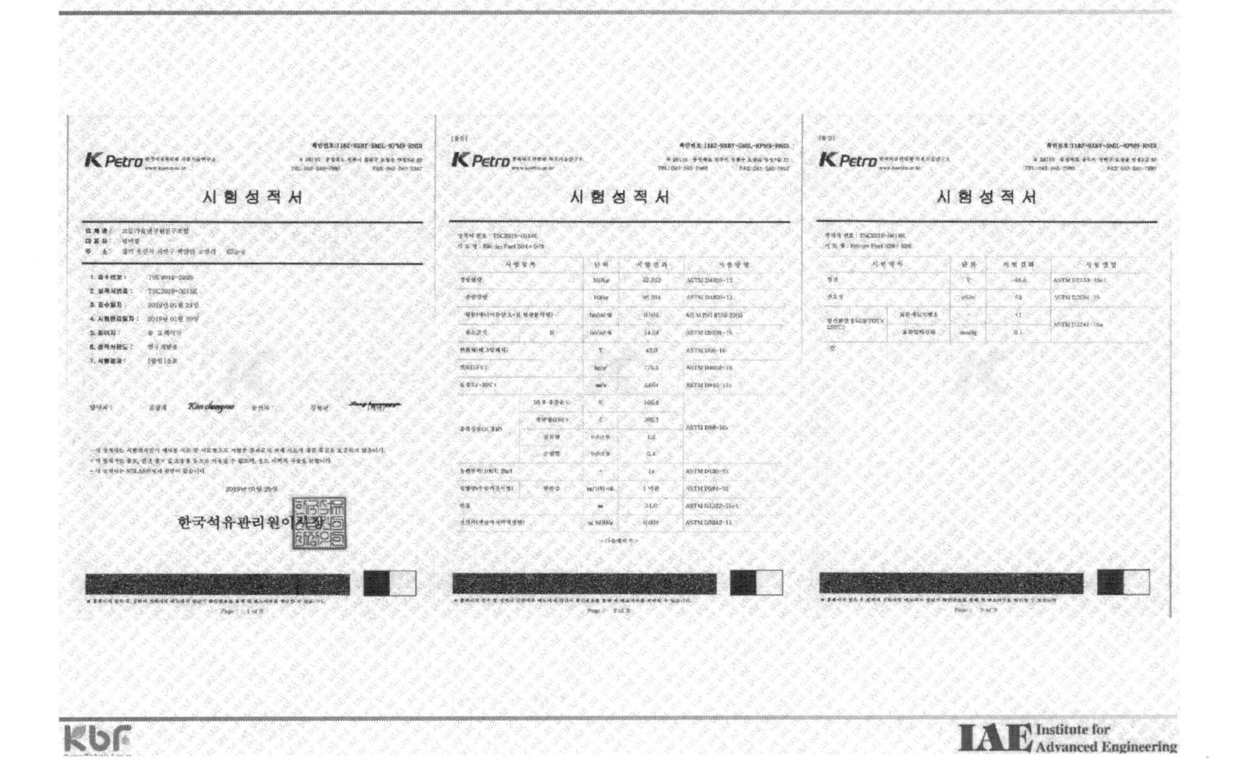

K Petro

시 험 성 적 서

한국석유관리원이사장

K Petro

시 험 성 적 서

K Petro

시 험 성 적 서

엔진테스트용 바이오항공유 제조 통합기술 확보

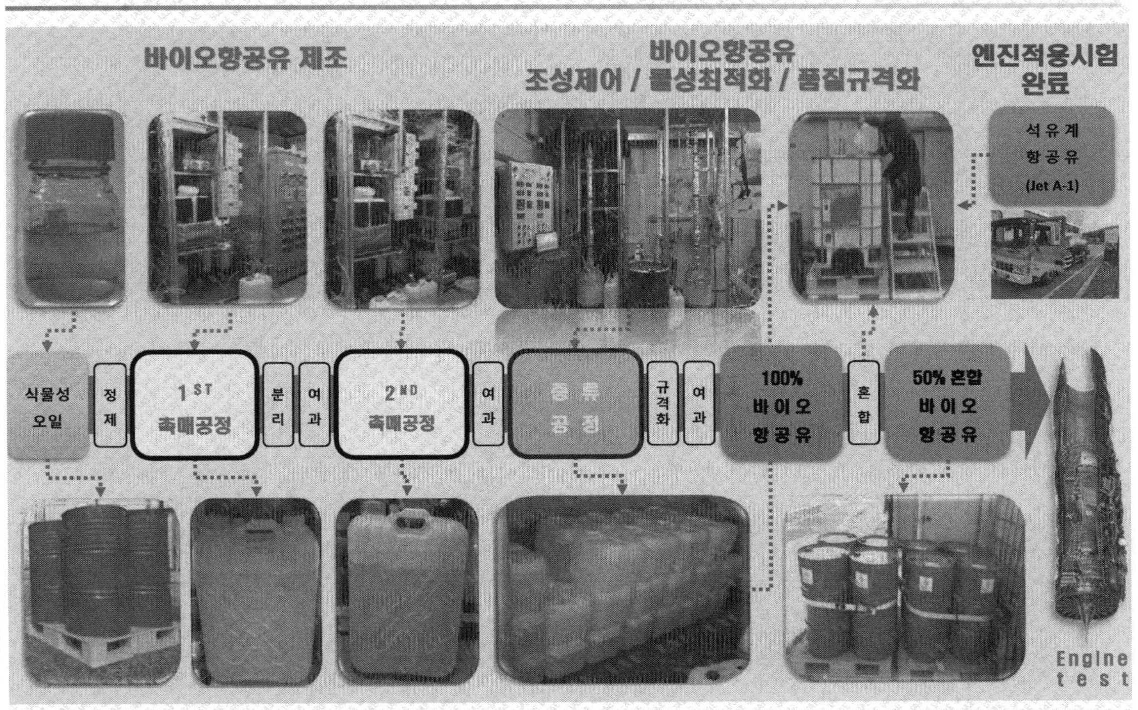

결언: 바이오항공유 제조 기술 확보

바이오항공유 제조 기술 실용-상용화 기반 확보

❐ 바이오항공유 제조기술 확보
- 바이오항공유 제조용 촉매제조 기술
- 바이오항공유 제조용 촉매공정-시스템 및 운전기술 확보
- 조성/물성 변화에 탄력적 대응 가능한 바이오항공유 제조기술 확보
- 수소화 공정에 운용 가능한 수소공급 인프라 확보

❐ 바이오항공유 제조용 촉매공정-시스템 설비 운전기술 확보
- 대량 원료공급 가능한 장기연속운전 및 바이오항공유 준생산 설비기술 확보
- 다단 수소화 기반 연계 촉매공정-시스템에 대한 탄력적/효율적 운전기술 확보
- 바이오항공유 제조 과정에서 중간생성물 및 최종생성물의 물성 및 수율 안정화

❐ 바이오항공유 분리정제 기술 확보
- 상압/감압 증류시스템 운전기술 확보
- 분리정제에 의한 바이오항공유 종류별 조성 및 물성 최적화 가능
- 증류시스템 운전조건 확보 위한 공정모사 기술 확보

❐ 바이오항공유 제조용 촉매 공정-시스템 스케일-업 기술 확보
- 파일롯~ 규모 바이오항공유 공정 적용 촉매반응기 기본/상세설계
- 파일롯~ 규모 바이오항공유 생산 공정-시스템 기본/상세설계
- 파일롯~ 규모 바이오항공유 생산 공정-시스템 제어 설계

❐ 바이오항공유 물성 최적화 기술 확보
- 준생산 규모 제조 및 분리정제 기술에 따른 바이오항공유 물성제어 기술 확보
- 유관기관 등의 인프라 활용한 원활한 협조 하 바이오항공유 물성 최적화 방안 확보

ADD 용역 수행 바이오항공유 기술개발 성과 홍보

ADD, 팜유 이용해 바이오항공유 대량 제조기술 확보
ADD, 팜유 이용해 바이오항공유 대량 제조기술 확보
0:00 / 1:47

경청해주셔서
감사합니다.

Kbf

IAE Institute for Advanced Engineering

김덕근 박사

한국에너지기술연구원 바이오자원순환연구실
실장/책임연구원

2020~	한국바이오연료포럼 홍보이사/운영위원
2000~	한국에너지기술연구원 책임연구원
2014	한국과학기술원 생명화학공학 박사

전세계적인 탄소중립 정책 추진으로 기후변화 대응을 위한 탈탄소화가 발전, 철강, 시멘트, 정유, 석유화학 등 다양한 분야에서 빠르게 진행되고 있다. 도로, 해상, 항공 등의 수송 분야에서 탈탄소화를 위해 육상에서는 전기차 등의 전동화가 추진되고 있으나, 선박과 항공 운송 부문에서는 단기간에 전기화가 어려워, 그린 수소, 암모니아, 메탄올, 바이오연료 등의 저탄소 및 무탄소 연료 개발 및 보급이 활발히 추진되고 있다. 그 중에 바이오연료는 기존 도로, 선박, 항공 분야 기반 인프라의 큰 변경 없이 사용이 가능하기 때문에 미래 수소 사회 도달 전에 탈탄소화에 비용 효과적으로 일정부분 기여 가능한 장점을 가진다. 바이오연료는 바이오매스 자원을 생물/화학/열화학적으로 전환 및 정제하여 제조하는 화석연료의 대체 연료로서 그 원료 및 특성에 따라 액체/고체/기체의 다양한 형태의 연료로 활용된다. 일반적으로 수송용 연료로는 에너지 밀도가 높고 보관 및 운송, 이용이 편리한 액체 연료가 주로 보급 활용되고 있다. 대표적으로 바이오에탄올과 바이오디젤이 있으며 현재의 액체 바이오연료의 생산 규모는 약 2억kL/년으로 300조원 내외의 경제적 규모를 가진다. 최근에는 증가하는 바이오연료 수요 대응을 위해 다양한 바이오매스 자원을 활용한 바이오연료 제조 기술 개발이 다각적으로 추진되고 있다. 대표적으로 비식용이고 자원이 풍부한 리그노셀룰로오스 바이오매스를 이용한 열분해/가스화를 통한 도로, 선박, 항공용 바이오연료 생산이다. 목질계 바이오매스는 원료 특성상 바이오연료 제조가 쉽지 않아 현재도 개발이 활발히 진행되고 있는 반면에, 유지계 바이오매스의 바이오연료 제조기술은 목질계 보다 기술준비도가 높게 개발되어 도로, 선박, 항공 분야에 그 이용 비율이 점차 높아지고 있는 추세이다. 본 글에서는 바이오선박유의 현황에 대해 살펴보고, 바이오선박유로 활용 확대가 예상되는 유지계 바이오연료인 바이오디젤, 바이오중유의 제조 공정과 연료 특성에 대해 주로 다루고자 한다.

바이오연료
전주기기술
무 료 교 육

바이오선박유 실무_
바이오디젤/중유 중심

김덕근 박사
한국에너지기술연구원

2023년도 바이오연료 전주기 기술교육 (국가표준기술력향상사업)

바이오선박유 실무 – 바이오디젤/중유 중심

2023년 12월 7일

김 덕 근

한국에너지기술연구원

목 차

< 2/50 >

배경 – 지구온난화 및 탄소중립

인간의 영향에 의해 과거 2000년 동안 유례없이 빠른 속도로 기후가 온난화되었다.

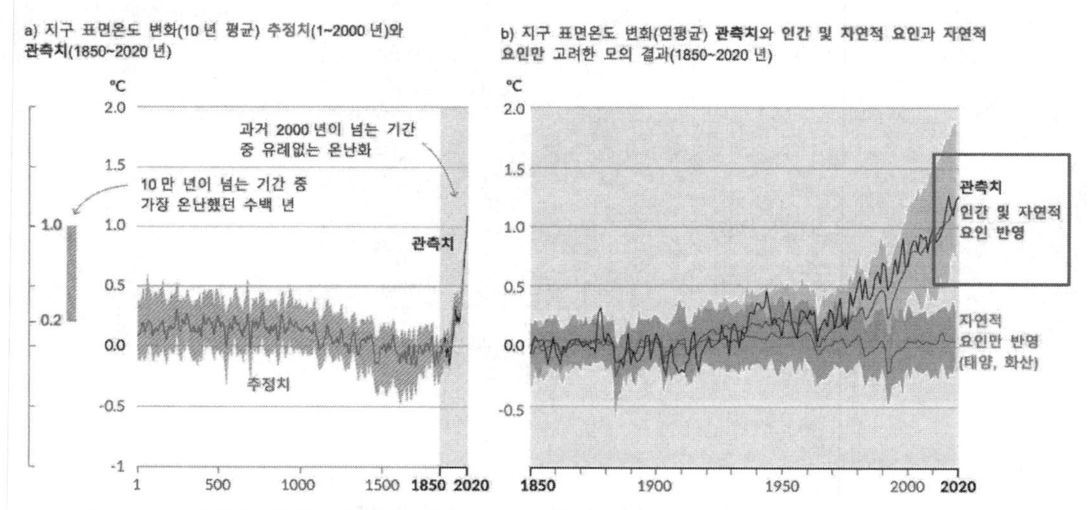

< 과거 지구 온도 변화와 최근 온난화 원인, 출처: IPCC Report AR6, 2021.8 >

< 3/50 >

배경 – 바이오에너지 (탄소중립)

CO_2 Neutral 에너지

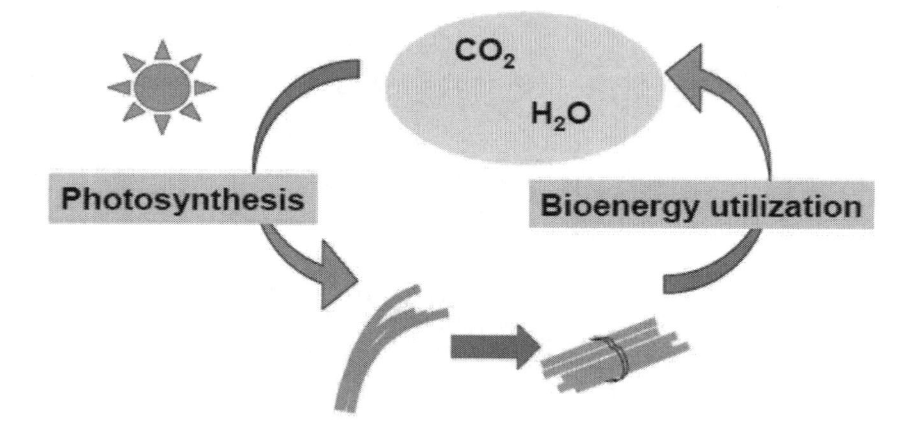

바이오에너지 사용에 의해 발생한 CO_2는 국가 배출량에서 제외 (IPCC)

< 4/50 >

배경 – 수송용 바이오연료 전망

- 2060년 2℃ 이하 억제를 위해 수송부문 바이오 연료 비중은 30.7% 예상
- 바이오연료 시장은 2020년 대비 2060년 10배 증가 예측(IEA, 2017)

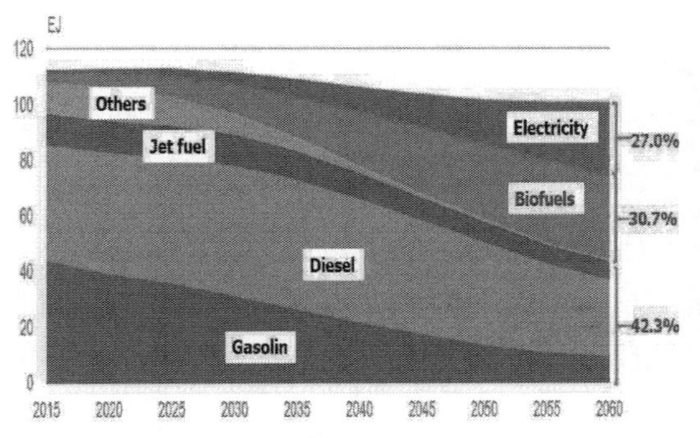

〈2℃ 시나리오의 수송용 에너지 전망〉

	바이오에탄올	바이오디젤	바이오가스
생산량, toe	6.0×10^7 (600억$)	3.2×10^7 (390억$)	Negligible
적용 기술	바이오	열화학	바이오/열화학
원료	사탕수수, 옥수수	유채, 대두	유기성 폐기물
대체 연료	휘발유	경유	LNG
혼합율	10% 이하	7% 이하	100

〈수송용 바이오 연료 보급 현황〉

- 바이오 에탄올과 바이오 디젤 중심으로 보급 중으로 각각 평균 혼합율: 10%, 7%(2017년)
- 향후 전세계적인 탄소중립 선언과 이행 정책 추진으로 혼합율의 지속적 증가 예상
- 식용 원료보다 목질계, 폐유지계(음폐유, 탕유, 부산폐유)등의 탄소감축율이 높은 비식용 (폐)자원을 이용하는 2세대 기술 개발 진행

< 5/50 >

배경 – 바이오선박유 국내

바다 위의 탄소 감축을 위한 해결사, 바이오선박유(Bio Marine Fuel)

GS칼텍스 – 2023.10.27

기존 선박유 + 바이오디젤 = 바이오선박유

GS칼텍스는 국내 정유사 최초로 바이오디젤이 30% 함유된 바이오선박유 제조를 시작하였고, 'B30'이라는 명칭을 붙였습니다. 기존 선박유 대비 80% 이상의 탄소배출 감축 효과가 있는 바이오디젤을 30% 사용하였기에, B30 바이오선박유는 기존 화석연료를 이용한 선박유 대비 약 24%의 탄소배출 감축 효과를 기대할 수 있습니다.

[산업통상자원부] 바이오선박유(Bio Marine Fuel) 첫 시범 운항 2023.09.15

바이오선박유(Bio Marine Fuel) 첫 시범 운항

- 부산-브라질 구간 컨테이너 선박... 향후 바이오선박유 품질기준 마련

산업통상자원부(이하 산업부)와 해양수산부(이하 해수부)는 9월 15일부터 내년 상반기까지 국제 컨테이너 선박에 바이오선박유(Bio Marine Fuel)*를 급유하여 시범 운항한다고 밝혔다.

첫 시범 운항 선박은 9월 15일(금) 20시 부산에서 브라질 파라나구아(Paranagua)로 가는 HMM의 현대타코마호이며, GS칼텍스에서 공급한 선박용 바이오디젤 30%가 혼합된 선박유로 운항한다. 앞으로 내년 상반기까지 선박용 바이오디젤뿐만 아니라 선박용 바이오중유가 혼합된 선박유 등을 연료로 사용하여 총 5차례 이상의 시범 운항이 실시될 예정이다.

< 6/50 >

배경 – 바이오선박유 해외

MARINE

NESTE
marine 0.1
Co-processed

'22.05.17
핀란드 정유기업 네스테(Neste) :
고유 바이오선박유 브랜드를 공개함.

Up to 80%* lower GHG emissions achievable today

Emission reduction of the renewable share of the product compared to fossil fuels over the lifecycle. ISCC PLUS** certified.

Refined quality

IMO에서 규정하는 품질기준에 부합함

Compliance with ISO 8217 and SECA*** requirements, good stability, less operational problems.

Easy to switch

Good compatibility and a composition similar to conventional marine fuels. No modifications or investments in infrastructure needed.

< 7/50 >

배경 – 바이오선박유 해외

ExxonMobil Completes Two Commercial Bio-based marine Fuel Deliveries

PUBLISHED NOV 20, 2022 7:35 PM BY THE MARITIME EXECUTIVE

ExxonMobil successfully delivered two commercial bio-based marine fuel oil bunkering operations in the port of Singapore on 13 August 2022 and 27 September 2022. PAPUA, chartered by Papua New Guinea Liquefied Natural Gas Global Company LDC (PNG LNG), received ExxonMobil's marine biofuel via ship-to-ship transfer in Singapore waters as part of the two deliveries. The bio-based marine fuel oil was consumed during PAPUA's voyages in the Asia Pacific region.

'22.08.13, '22.09.27
싱가폴 항구에서 바이오선박유를 급유함.
아시아-태평양 지역에서 총 2회의 시험운항을 성공적으로 마침.

< 8/50 >

배경 – 바이오선박유 해외

NYK kicks off Japan's first 100% biofuel supply trial for ships

July 27, 2022, by Ajsa Habibic

Japanese shipping company Nippon Yusen Kabushiki Kaisha (NYK) and NYK Group company Shin-Nippon Kaiyosha Corporation have started test navigation using 100% concentration of biodiesel in tugboats operated by Shin-Nippon Kaiyosha.

The biofuel in this trial is being imported from Japan through a contract that Itochu Corporation has signed with the Neste OYJ Group, one of the world's largest renewable fuel manufacturers.

Neste renewable diesel is a Neste RD is a 100% renewable fuel product that is manufactured from waste cooking oil and animal oil that would not be used by the food industry, NYK explains.

'22.01

핀란드 정유기업 네스테(Neste)에서 제공한 바이오선박유를 급유하여, 니폰유센(해운회사)의 선박을 시험 운행함

선박 종류/분류/운항 현황

상선 현황, 크기에 따른 분류 및 운항 경로 (IEA Bioenrgy,2017)

< Merchant shipping vessel classifications >

Vessel	Carrying capacity	% of merchant fleet		Purpose
		By tonnage	By number	
Dry bulk carriers	10,000 – 400,000 DWT	35	15	Transport unpacked bulk cargo (grains, coal, ore, etc.)
General cargo ships	20,000 – 550,000 DWT	6	21	Multi-purpose vessels transporting non-bulk cargo
Work and service vessels	Varies	4	19	Tug boats, offshore support vessels, harbour work craft
Tankers	10,000 – 550,000 DWT	20	14	Transport of fluids (crude oil, petroleum), also known as liquid bulk carriers
Container ships	3,000 – 19,000 TEU (approx. 50,000 – 160,000 DWT)	18	10	Transport non-bulk cargo in containers
Chemical tankers	3,000 – 42,000 DWT	6	10	Transport of bulk liquid and dry chemicals
Passenger ships	2,000 – 225,000 GT (approx. 1,000 – 25,000 DWT)	6	8	Ferries, cruise ships, roll-on/roll-off passenger ships
LNG tankers	500 – 300,000 DWT	5	3	Transport of LNG, also known as gas carriers

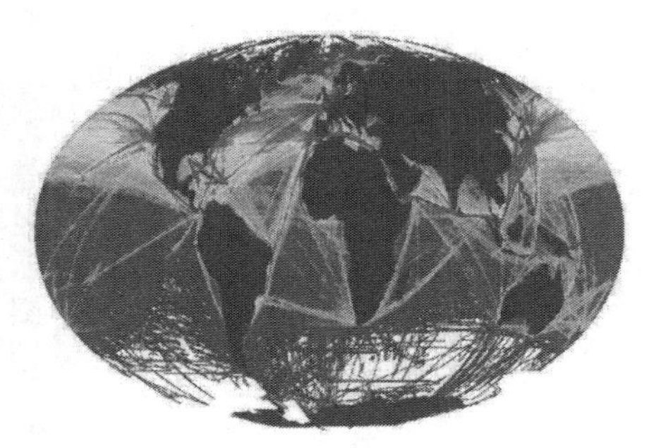

< Merchant shipping routes around the world>

< Classification of merchant vessels by size>

Vessel	Size (GT)	% of world fleet	
		By total number	By gross tonnage
Small	100-499	37	1
Medium	500-24,999	44	19
Large	25,000-59,999	13	35
Very large	≥60,000	6	45

해운 분야 선박 연료 현황(공정)

선박유(Marine Oil) 제조 단계 : 석유계 원료 기반 공정

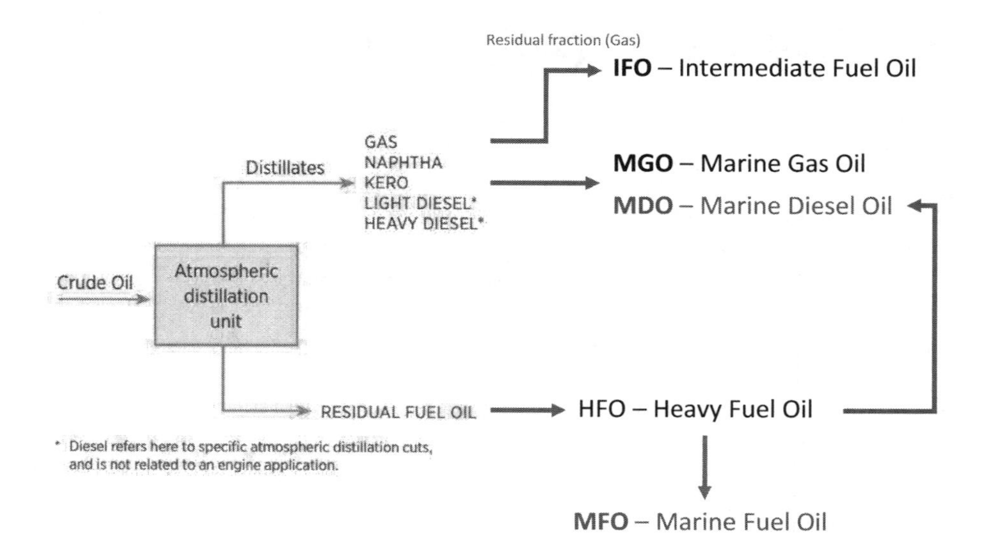

〈 11/50 〉

해운 분야 선박 연료 보급 전망

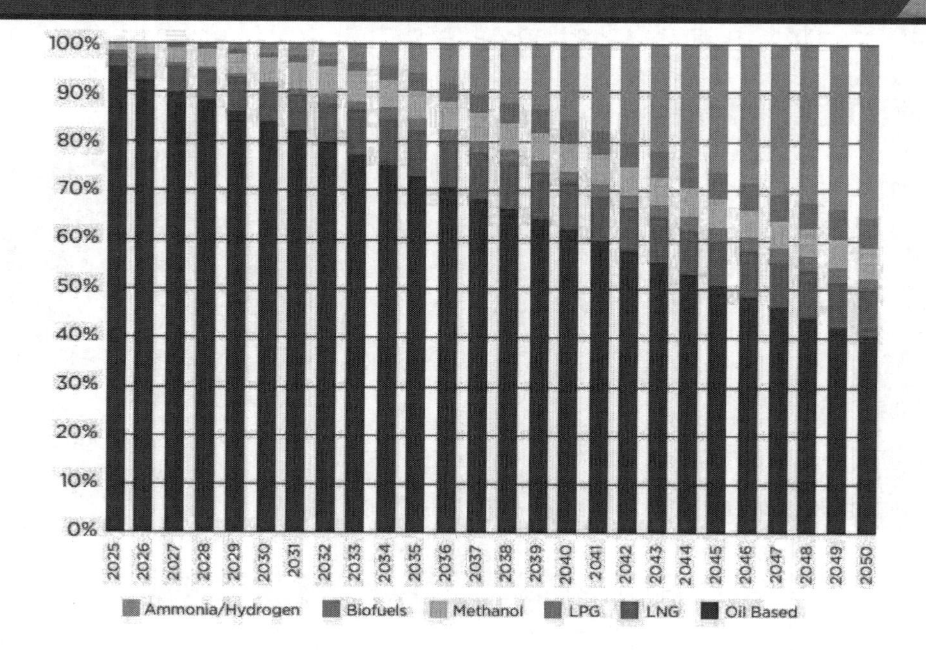

바이오연료 : 장기적으로 전체 사용량 중 약 5%를 차지할 것으로 추정됨.

〈 12/50 〉

바이오선박유 도입 배경 및 공정

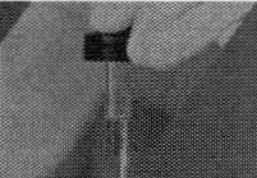

국제 바이오선박유 규정 및 생산기술 (IEA Bioenergy, 2017)

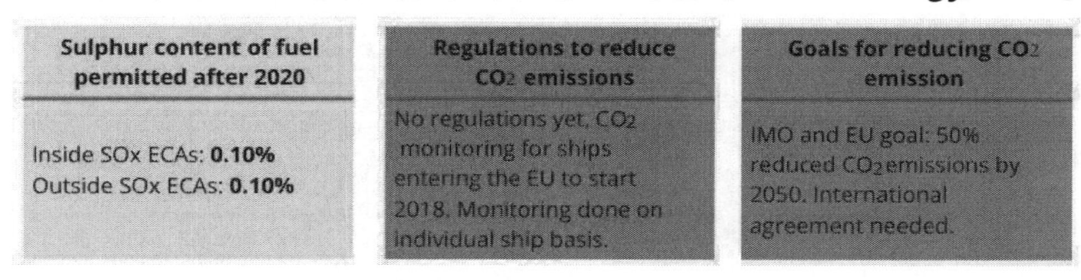

Sulphur content of fuel permitted after 2020
Inside SOx ECAs: 0.10%
Outside SOx ECAs: 0.10%
Regulations to reduce CO2 emissions
No regulations yet. CO2 monitoring for ships entering the EU to start 2018. Monitoring done on individual ship basis.
Goals for reducing CO2 emission
IMO and EU goal: 50% reduced CO2 emissions by 2050. International agreement needed.

Marine biofuel production technologies

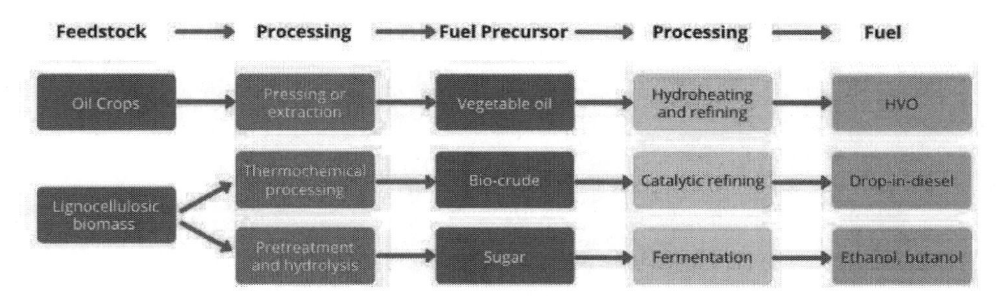

바이오선박유 원료별 생산 기술

원료 및 반응경로에 따른 바이오연료(선박유) 제조 공정

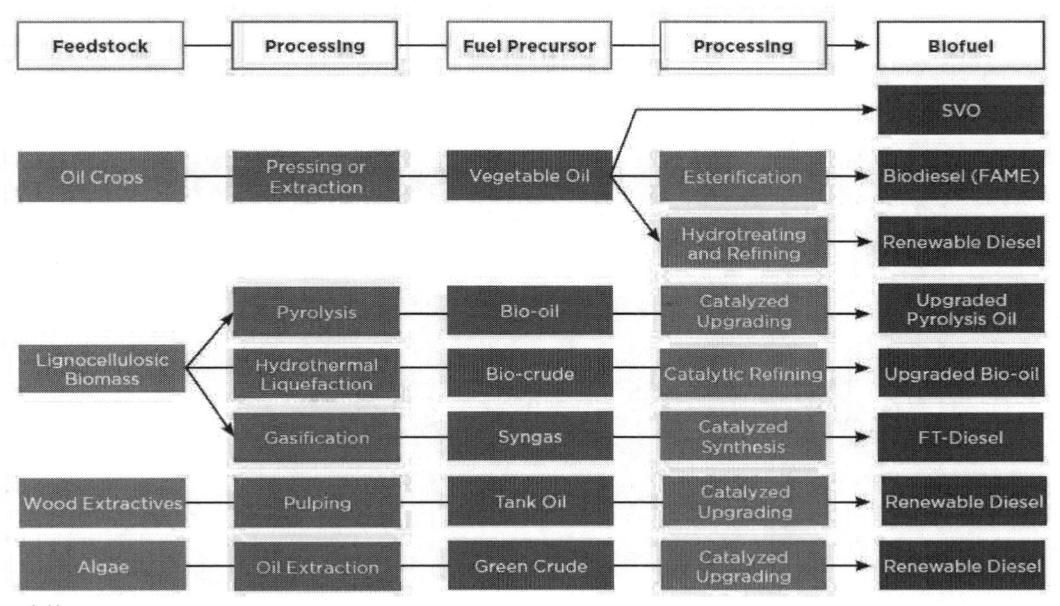

출처 : ABS (America Bureau of Shipping, 2021)

바이오선박유 현황 (지역별 원료)

지역에 따른 바이오연료의 특성 : 발생량 및 원료

AREA	BIOFUEL VOLUME (BILLION GALLONS) IN 2020	COUNTRY	MAJOR BIOFUEL FEEDSTOCK
European	3.5	UK	Rapeseed and Waste Oil
		Germany	Rapeseed
		Italy	Rapeseed and Sunflower
		France	Rapeseed and Sunflower
		Turkey	Rapeseed and Sunflower
		Spain	Linseed and Sunflower
		Greece	Cottonseed
		Sweden	Rapeseed
North America	3.0	USA	Soybeans and Waste Oil
		Canada	Canola
		Mexico	Animal Fat and Waste Oil
South America	2.0	Brazil	Soybeans and Palm Oil
		Argentina	Soybeans
Indonesia/Malaysia	1.0	Malaysia	Palm Oil
		Indonesia	Palm Oil
		Thailand	Palm Oil and Coconut Oil
		Philippines	Coconut Oil
		China	Rapeseed and Waste Oil
India/Africa/Other	1.5	India	Jatropha and Pongamia
		South Africa	Jatropha and Castor
		Japan	Waste Oil
		Australia	Jatropha
		New Zealand	Waste Oil and Tallow

〈 15/50 〉

바이오선박유 제조 및 활용

원료에서 바이오연료 사용까지 유통/제조 과정

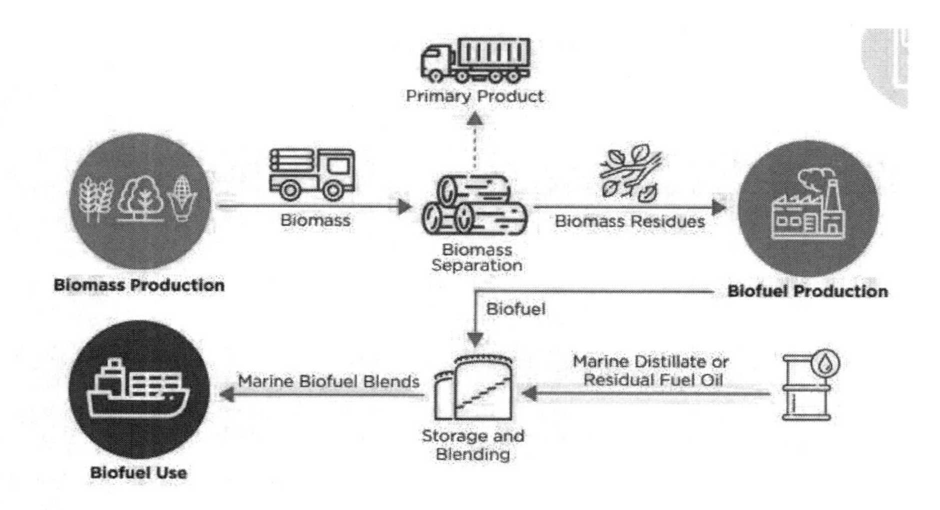

출처 : ABS (America Bureau of Shipping, 2021)

〈 16/50 〉

선박유 품질 규격

ISO 8217(IMO 2020) : Specifications for Distillate Marine Fuels

Characteristics		Unit	Limit	Category ISO-F-						
				DMX	DMA	DFA	DMZ	DFZ	DMB	DFB
Kinematic viscosity at 40 °C		mm²/s[a]	Max	5,500	6,000		6,000		11,00	
			Min	1,400	2,000		3,000		2,000	
Density at 15 °C		kg/m³	Max	—	890,0		890,0		900,0	
Cetane index			Min	45	40		40		35	
Sulfur[b]		mass %	Max	1,00	1,00		1,00		1,50	
Flash point		°C	Min	43,0	60,0		60,0		60,0	
Hydrogen sulfide		mg/kg	Max	2,00	2,00		2,00		2,00	
Acid number		mg KOH/g	Max	0,5	0,5		0,5		0,5	
Total sediment by hot filtration		mass %	Max	—	—		—		0,10[c]	
Oxidation stability		g/m³	Max	25	25		25		25[d]	
Fatty acid methyl ester (FAME)[e]		volume %	Max	—	—	7,0	—	7,0	—	7,0
Carbon residue – Micro method on the 10 % volume distillation residue		mass %	Max	0,30	0,30		0,30		—	
Carbon residue – Micro method		mass %	Max	—	—		—		0,30	
Cloud point[f]	winter	°C	Max	-16	report		report		—	
	summer	°C	Max	-16	—		—		—	
Cold filter plugging point[f]	winter	°C	Max	—	report		report		—	
	summer	°C	Max	—	—		—		—	
Pour point (upper)[f]	winter	°C	Max	—	-6		-6		0	
	summer	°C	Max	—	0		0		6	
Appearance				Clear & Bright[g]					c	
Water		volume %	Max	—	—		—		0,30[c]	
Ash		mass %	Max	0,010	0,010		0,010		0,010	
Lubricity, corrected wear scar diameter (WSD) at 60 °C[h]		µm	Max	520	520		520		520[d]	

바이오선박유와 기존연료 물성 비교

바이오연료 & 석유연료의 종류와 물성

MAN
MAN Energy Solutions
Future in the making

Overview of biofuel and fossil fuel type properties

Bio-Marine Fuel ('20 이후)

Components	FAME FAME	HVO Paraffinic hydrocarbon	Similar FAME-type FAME + residuals from production	Blends FAME/HVO + fossil fuel	ULSFO DM-grade (diesel)	VLSFO RM-grade (heavy fuel)	HSFO RM-grade (heavy fuel)
Nitrogen [%]	~0.1	~0	~0.1	~0.1–0.4	~0.1	~0.4	~0.4
Oxygen [%]	~10	~0	~11	~0–10	~0	~0	~0
Sulphur [%]	~0	~0	~0	Low[1]	≤0.10	≤0.50	>0.50. Average: 2.9
LCV [MJ/kg]	37	43	36–37	37–43	42–43	39–42	39–41
Kin. viscosity [mm²/s]	3–5 at 40°C	2–3 at 40°C	15–40 at 50°C	Low[1]	2–11 at 40°C	2–500 at 50°C	200–700 at 50°C
Pour point [°C]	<-6 to >+6[2]	low	~0	[1]	ISO 8217	ISO 8217	ISO 8217
Stability	Low-high[2]	Very high	Medium-high	Medium-high	Very high	High	High
Lubricity	Analyse[3]	Analyse[3]	Analyse[3]	Analyse[3]	ISO 8217	ISO 8217	ISO 8217
Standard[3]	EN 14214, ASTM D6751	EN 15940:2016+ A1:2018+AC, ISO 8217 DMA grade	No standard	No standard[4] ISO 8217:2017: up to 7% FAME in DM	ISO 8217	ISO 8217	ISO 8217

[1] Depending on biofuel blend ratio and properties of the bio-part and the fossil fuel.
[2] Depending on FAME feedstock.
[3] Most relevant for fuels with lower than 0.05% sulphur (500 ppm S)
[4] Standards are updated from time to time. Always refer to the latest edition.

Marine Fuel

출처 : MAN Energy Solutions : Operational guidelines for biofuels (Service Letter SL2023-741/JUSV))

상용 선박용 엔진에 따른 연료

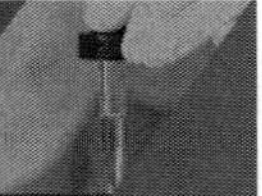

상용 선박용 엔진 및 (바이오)연료 호환가능여부 (IEA Bionergy, 2017)

Engine	HFO	MDO	LSHFO	LNG	Gasoline
Compression ignition (diesel)					
2-stroke slow speed					
4-stroke medium speed					
Diesel electric					
Dual fuel (diesel+other)					
Spark-ignition					
Petrol engine					
Gas engine					
Non-reciprocating systems					
Steam turbines					
Gas turbines					

· **HFO :** Heavy Fuel Oil, **MDO :** Marine Diesel Oil, **LSHFO :** Low Sulphur Heavy Fuel Oil, **LNG :** Liquefied Natural Gas

▶ 대부분 선박은 CI(Compression ignition) 방식이 적용된 디젤엔진을 채용하고 있음

▶ MDO → FAME, HVO, FTD 등으로 대체 가능

▶ HFO → SVO, PBO, HTL 등으로 대체 가능

(Blending ratio의 경우 요구되는 Specification에 따라 조정 필요)

바이오선박유로 대체 가능 선박유

기존 MDO 대체 가능한 후보
바이오연료 및 제조 공정

FUEL OIL REPLACED	FUEL
Distillate (e.g., MGO)	FAME biodiesel
	Hydrotreated renewable diesel (e.g., HVO)
	FT diesel
Residual (e.g., HFO)	Straight Vegetable Oil (SVO)
	Pyrolysis bio-oil
	Hydrothermal liquefaction (HTL) bio-crude

FUEL	PRODUCTION PROCESS	BIOMATERIAL FEEDSTOCKS
FAME biodiesel	Transesterification	Fats, oils and greases
		Vegetable oils (e.g., palm, soy)
Hydrotreated renewable diesel	Hydrotreating	Waste fats, oils and grease
		Vegetable oils (e.g., palm, soy)
FT diesel	Gasification then Fischer-Tropsch synthesis	Lignocellulosic biomass
Straight vegetable oil (SVO)	N/A	Vegetable oils (e.g., palm, soy)
Pyrolysis bio-oil	Catalytic fast pyrolysis	Lignocellulosic biomass
HTL bio-crude	Hydrothermal liquefaction (HTL)	Lignocellulosic biomass

바이오선박유 호환성 및 주의점

선박용 엔진 종류에 따른 바이오연료 호환성 및 주의점

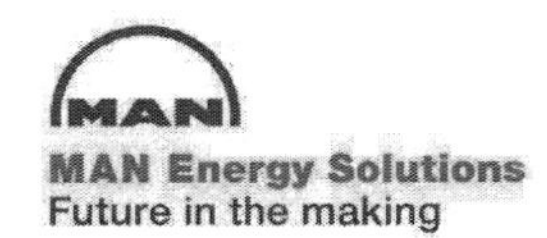

MAN
MAN Energy Solutions
Future in the making

Overview of accepted biofuel use

Technology	Biofuel			
	FAME	HVO	Similar FAME-type	Blends
Engine design: MC/MC-C, ME/ME-C, ME-B, ME-GI, ME-GIE, ME-LGIM, ME-LGIP and ME-GA	Acceptable[1]	Acceptable[1]	Acceptable[1]	Acceptable[1]
Tier III: EGR, EcoEGR	Acceptable[1]	Acceptable[1]	Acceptable[1]	Acceptable[1]
Tier III: HPSCR[2]	Acceptable[1]	Acceptable[1]	Acceptable[1]	Acceptable[1]
Tier III: LPSCR[2, 3]	Acceptable[1]	Acceptable[1]	Acceptable[1]	Acceptable[1]
Pilot fuel in dual-fuel engines	Acceptable[1]	Acceptable[1]	Acceptable[1]	Acceptable[1]

1) Lifetime of components may be reduced.
2) Urea consumption may slightly increase due to potentially slightly increased NO_x during biofuel operation.
3) LPSCR is only for max 0.10% S fuels.

< 21/50 >

바이오선박유 유통/보관 재질

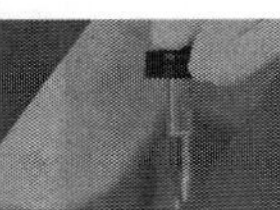

바이오연료의 유통 및 보관을 위한 유의점 : 접촉 재료(물질)

RECOMMENDED/COMPATIBLE MATERIALS WITH BIOFUELS	NOT RECOMMENDED/INCOMPATIBLE MATERIALS WITH BIOFUELS
Steel	Bronze
Aluminum	Brass
Fiberglass	Copper
Teflon	Lead
Fluorinated Polyethylene	Tin
Fluorinated Polypropylene	Zinc

▶ Coating/Tank보관/Pipe이동에 따른 부식 발생 가능
▶ 품질관리를 위한 제조/공급/유통 단계의 이동경로 파악 필요
▶ 부적절(Incompatible) 물질의 경우, FAME을 산화하거나 침전물 발생을 야기할 수 있음
▶ 이외 바이오연료의 특성에 따라 부식/변질의 위험성이 있는 요인 파악이 중요

< 22/50 >

바이오/선박유 대기오염물질 배출

연료 종류에 따른 대기오염물질(SO_x, GHG) 배출량의 차이 출처 : ABS (America Bureau of Shipping, 2021)

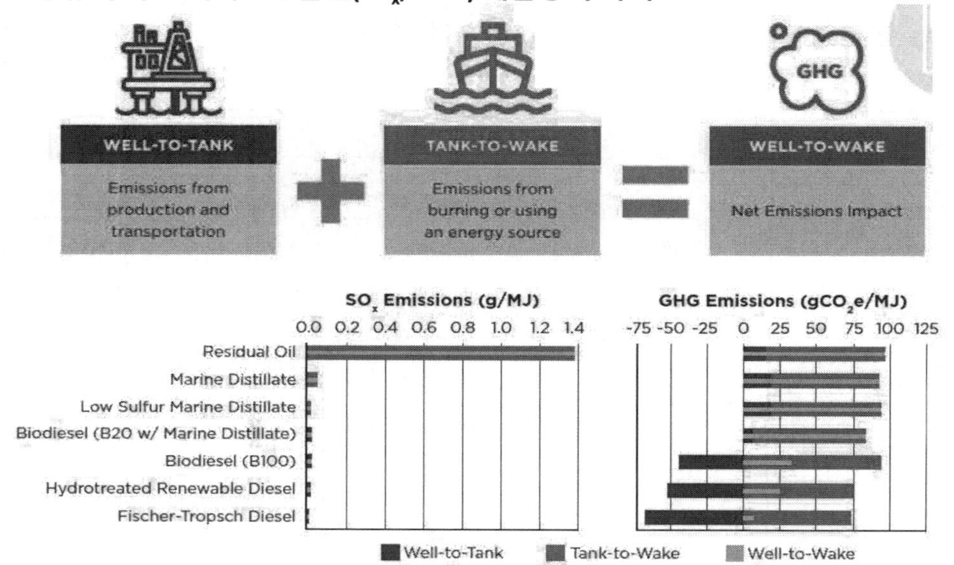

바이오연료 : 기존 잔사유(Residual Oil) 대비 대기오염물질 저감 효과가 우수함

< 23/50 >

연료 종류에 따른 온실가스(GHG) 배출량

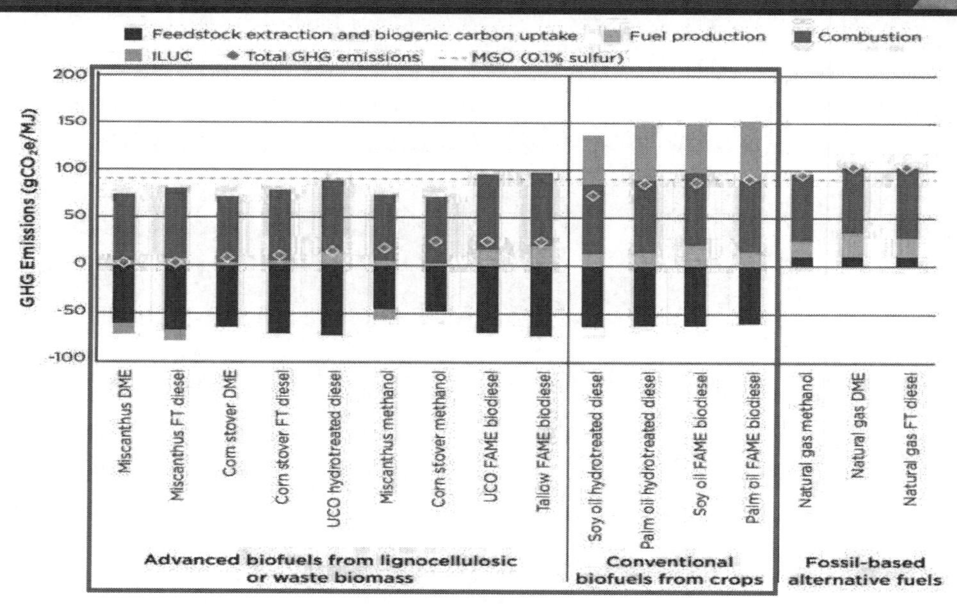

바이오연료 : 석유계 대체연료 대비 온실가스 저감 효과가 우수함

출처 : ABS (America Bureau of Shipping, 2021)

< 24/50 >

바이오선박유의 SWOT 분석

Strengths
- Feedstocks are extremly low in sulphur content
- 2nd generation lignocellulosic feedstocks are abundant
- Marine fuels are of lower quality and do not need intensive upgrading and refining
- Drop-in fuels do not require major changes in the bunkering infrastructure

Weaknesses
- Marine biofuels are not cost competitive with fossil fuels
- Lack of long-term fuel testing data for marine biofuels
- Concerns about storage and oxidation stability of the fuel
- Commercial production of high biofuel volumes required for shipping vessels is not yet established

Opportunities
- Regulations regarding bunker fuels and emissions have become stricter
- Introducing new alternative fuels in the marine fuel mix would reduce fossil fuel dependency
- Drop-in marine biofuels show a strong potential to replace part of the fuel mix
- New engine technologies may open a marine market for bioethanol

Threats
- Operations with standard petroleum-derived fuels are well understood, switching to biofuels involves an effort between engine manufacturers, fuels suppliers and ship owners and operators
- LNG is slowly gaining popularity as an alternative fuel
- Vessel operators would have to adapt to new fuels in the fuel mix
- Low price of oil has delayed biofuel development

< 25/50 >

선박 연료 시스템 (two-stroke diesel engine)

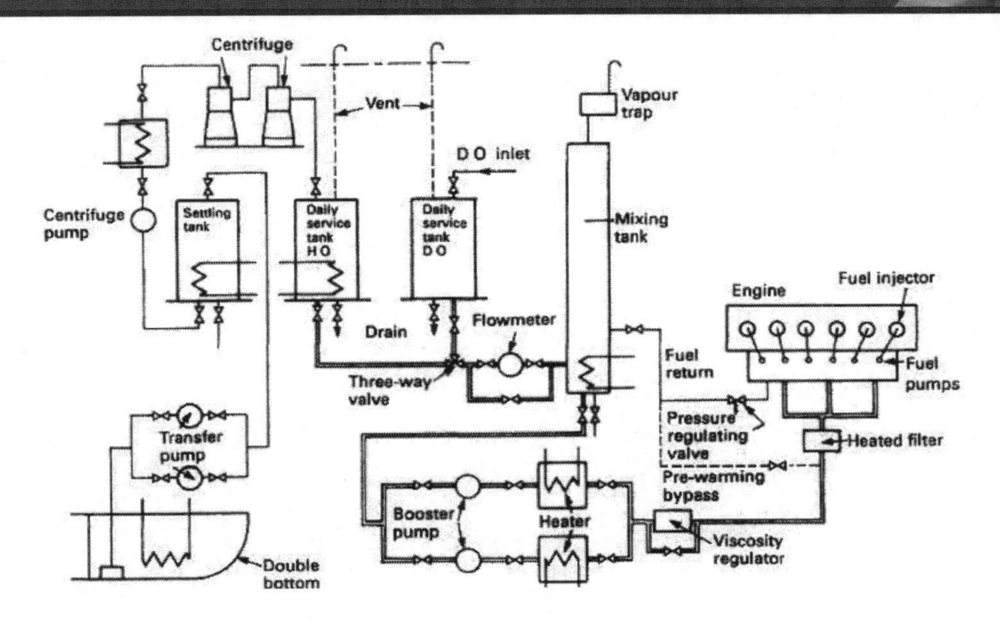

< Two-stroke marine diesel engine 연료 시스템 >

< 26/50 >

선박 관련 일반 현황

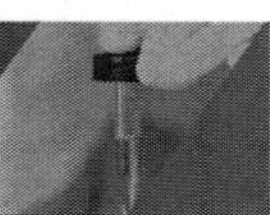

MERCHANT SHIPPING IN NUMBERS

- 등록된 상선은 85,000 이상으로 전세계 무역의 약 80%을 담당하고 있음.
- 해운분야에서 년간 3억3천만톤 연료를 소비하고, 이중의 77%는 중유임.
- 해운분야는 Global CO_2 2-3%, 4-9% SOx, 10-15% NOx를 배출하고 있음.

Oceon-going merchant vessels

- Two-stroke diesel engine 추진 시스템을 이용
- 1만-1만4천톤의 연료 저장 용량을 가짐.
- 200-250톤/일의 연료를 소비함.
- 도로 및 항공 분야보다 낮은 CO_2 배출 수준.
- 그러나, SOx나 NOx 배출은 더 높음.

< 27/50 >

선박 연료 가격 및 환경 규제

연료 물성과 비용 (2016.12, IEA)

Properties	HFO Heavy Fuel Oil	MDO Marine Diesel Oil	LNG Liquefied Natural gas	FAME Fatty Acid Methyl Ester	HVO Hydrotreated Vegetable Oil	Ethanol	Methanol
Heating value(MJ/kg)	39	43	48	38	43	27	20
Sulphur (% m/m)	<3.5	2.0	0	0	0	0	0
Price (USD/Mt)	290	482	270	1040	542	503	464

해운분야 환경규제

Sulphur content of fuel permitted after 2020	Regulations to reduce CO_2 emissions	Goals for reducing CO_2 emission
Inside SOx ECAs: **0.10%** Outside SOx ECAs: **0.50%**	No regulations yet. CO_2 monitoring for ships entering the EU to start 2018. Monitoring done on individual ship basis	IMO and EU goal: 50% reduced CO_2 emissions by 2050. International agreement needed

< 28/50 >

국내 바이오디젤 및 바이오중유 현황

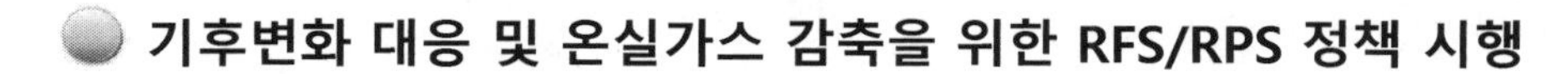

기후변화 대응 및 온실가스 감축을 위한 RFS/RPS 정책 시행

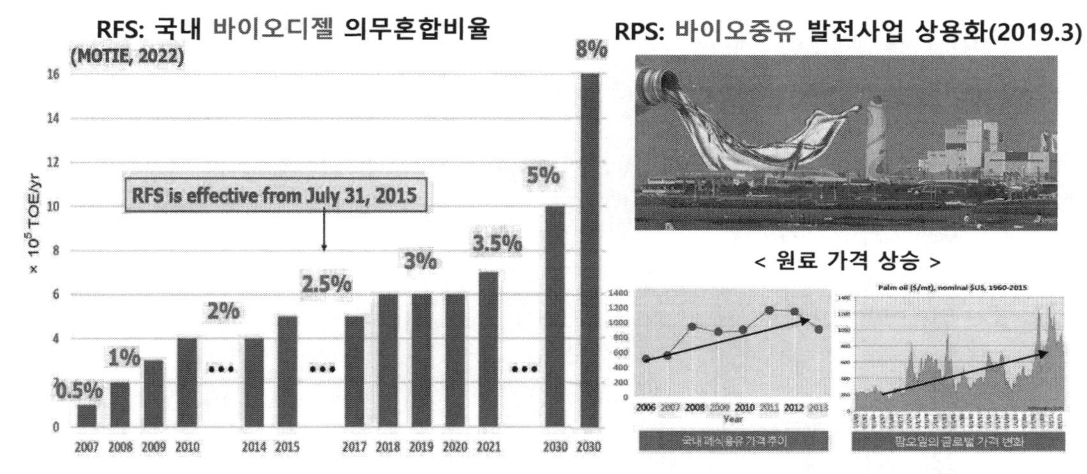

- 온실가스 감축의무와 신재생에너지 발전 3020 → 수송용 및 발전용 바이오연료 수요 급증
- 바이오연료 생산 원료로 CO_2 감축효과 낮은 원료 사용 제한 (EU 등 선진국)
- 원료 가격상승 및 수급 불안정, 경제성 악화 -> 미활용 저가 비식용 유지의 활용 필요

세계 바이오디젤 생산 현황 (UFOP, 2020.10)

Biodiesel production	2012	2013	2014	2015	2016	2017	2018	2019
EU-28	8,471	9,169	10,542	10,539	10,438	11,523	12,374	11,850
Canada	88	154	300	260	352	350	270	350
USA	3,299.9	4,523.2	4,230.1	4,216.8	5,226	5,316	6,185.3	5,742.3
Argentina	2,455.3	1,997.8	2,584.3	1,810.7	2,659.3	2,871.4	2,429	2,147.3
Brazil	2,391.4	2,567.4	3,009.5	3,464.8	3,345.2	3,776.3	4,708	5,193
Colombia	490.1	503.3	518.5	513.4	447.8	509.8	555	530
Peru	16	16	2	1	0	33	99	100
India	44	110	65	55	75	65	75	90
Indonesia	1,880	2,411	3,162	1,283	2,877	2,742	3,550	7,360
Malaysia	238	446	538	581	642	807	1,095	1,500
Philippines	121	136	151	180	199	194	199	170
Thailand	788.7	923.6	1,032	1,089	1,084.2	1,256.3	1,391.8	1,470
Rest of the world	1,236.9	1,221	1,029.9	1,295.9	1,637.9	1,888	1,861	2,332.9
TOTAL	21,520.3	24,178.3	27,164.3	25,289.6	28,983.4	31,331.8	34,792.1	38,835.5

세계 바이오디젤 소비 전망(OECD FAO, 2013)

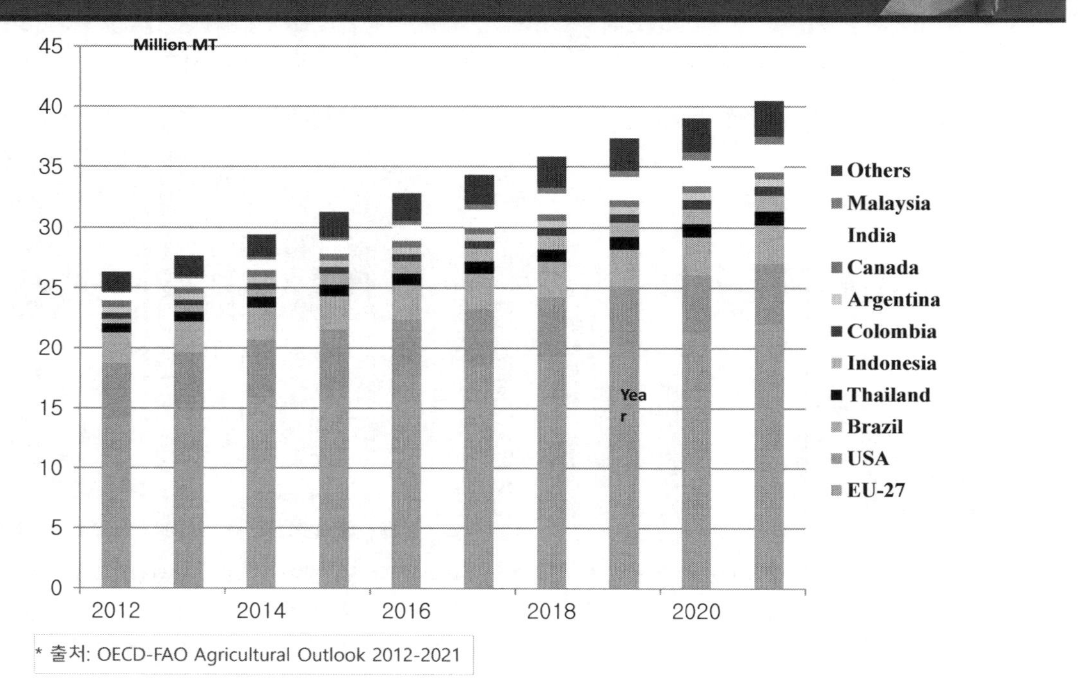

* 출처: OECD-FAO Agricultural Outlook 2012-2021

< 31/50 >

바이오디젤 합성 경로

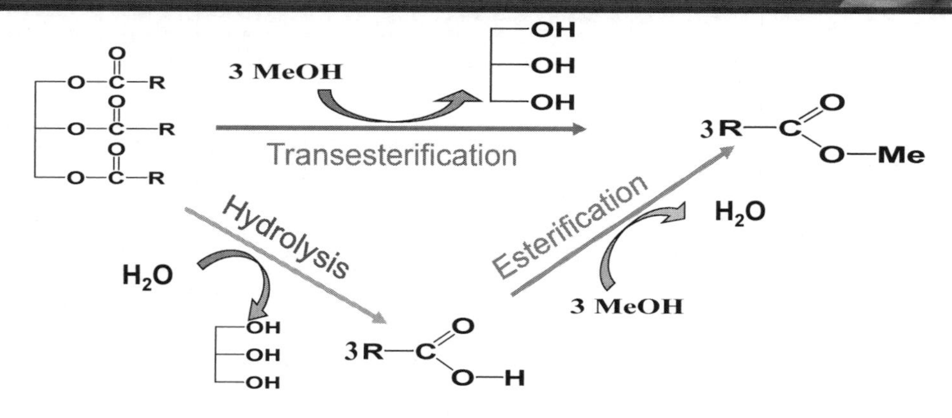

- 식물성 유지 : 대두유, 유채유, 팜유, 자트로파유, 면실유, 해바라기씨유, 옥수수유, 미강유, **미세조류**, 쪽동백, 커피찌꺼기 추출오일 등 (Tung oil, Castor oil 불가)
- 폐유지 : 폐식용유, 음폐유, 돈지, 우지, 어유, Trapped Grease, Yellow Grease, Soapstock, Palm Sludge Oil, Acid Oil 등

✓ **적당한 길이(C14~C24)의 지방산을 포함한 모든 동식물성 유지 이용 가능 !!**

✓ **2013년도 C6~C24로 EU EN14214 개정됨**

< 32/50 >

바이오디젤 생산 반응 개요

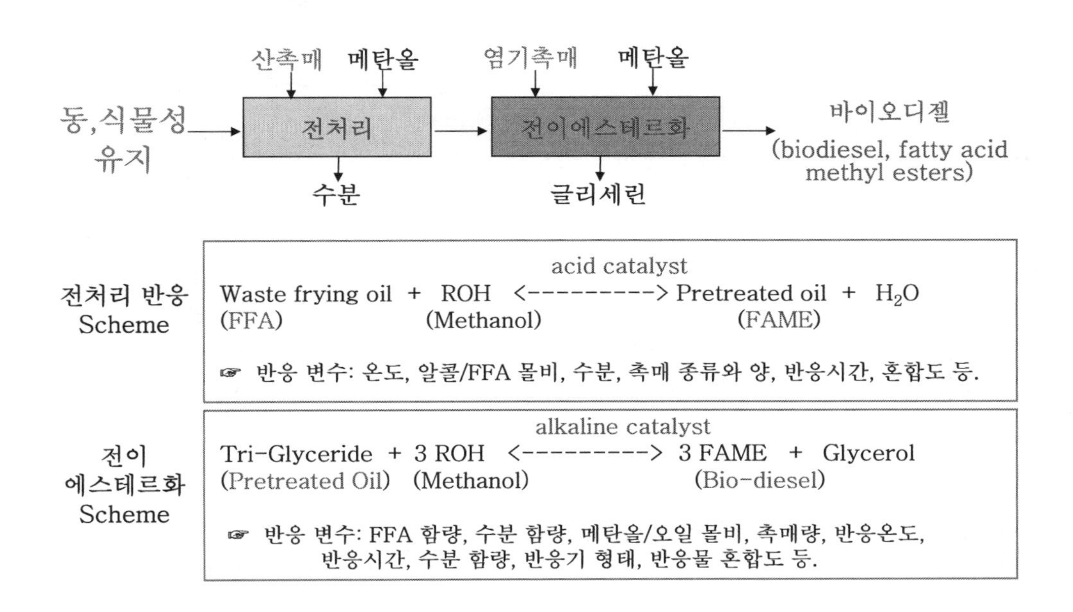

바이오디젤 생산 공정 개요

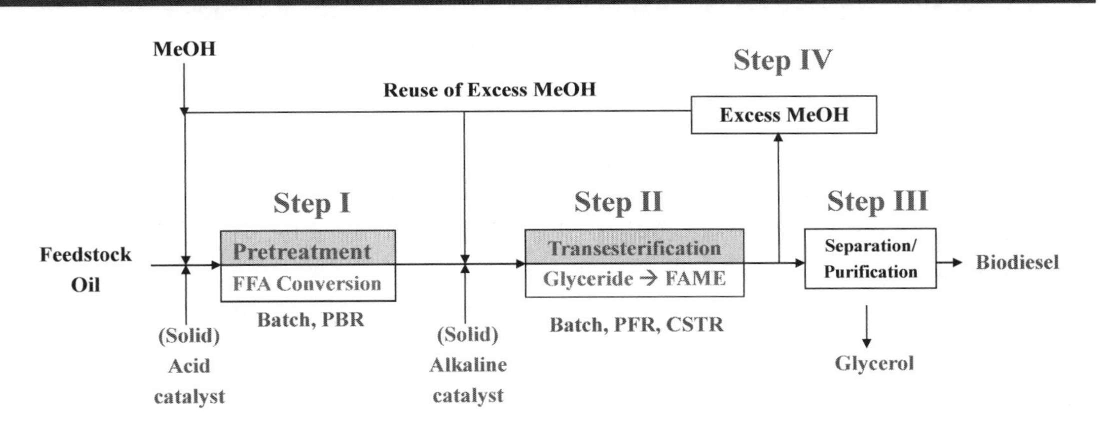

- ✓ 전이에스테르화 반응 : 염기촉매 이용, **FFA 0.5%이하**
- ✓ 에스테르화 반응 : 반응 저해 **수분 0.1% 이하**
- ✓ 반응공정 외 메탄올/오일, BD/글리세린, BD/세정폐수 분리공정 효율
- ➢ 원료유 품질은 바이오디젤 생산 **yield**에 지대한 영향을 가짐

바이오디젤 품질 표준 규격(EU, EN14214)

EN 14214 : 2003

Table 1 – Generally applicable requirements and test methods

Property	Unit	Limits		Test method [a]
		Minimum	Maximum	
Ester content [a]	% (*m/m*)	96,5 [b]		EN 14103
Density at 15 °C [c]	kg/m^3	860	900	EN ISO 3675 EN ISO 12185
Viscosity at 40 °C [d]	mm^2/s	3,50	5,00	EN ISO 3104
Flash point	°C	120	–	prEN ISO 3679 [e]
Sulfur content	mg/kg	–	10,0	prEN ISO 20846 prEN ISO 20884
Carbon residue (on 10 % distillation residue) [f]	% (*m/m*)	–	0,30	EN ISO 10370
Cetane number [g]		51,0		EN ISO 5165
Sulfated ash content	% (*m/m*)	–	0,02	ISO 3987
Water content	mg/kg	–	500	EN ISO 12937
Total contamination [h]	mg/kg	–	24	EN 12662
Copper strip corrosion (3 h at 50 °C)	rating	class 1		EN ISO 2160
Oxidation stability, 110 °C	hours	6,0	–	EN 14112

Property depends on the production process　Property depends on the purification process

‹ 35/50 ›

바이오디젤 품질 표준 규격(EU, EN14214)

Property	Unit	Minimum	Maximum	Test method
Acid value	mg KOH/g		0,50	EN 14104
Iodine value	gr iodine/100 gr		120	EN 14111
Linolenic acid methyl ester	% (*m/m*)		12,0	EN 14103
Polyunsaturated (>= 4 double bonds) methyl esters [i]	% (*m/m*)		1	
Methanol content	% (*m/m*)		0,20	EN 14110
Monoglyceride content	% (*m/m*)		0,80	EN 14105
Diglyceride content	% (*m/m*)		0,20	EN 14105
Triglyceride content [j]	% (*m/m*)		0,20	EN 14105
Free glycerol [j]	% (*m/m*)		0,02	EN 14105 EN 14106
Total glycerol	% (*m/m*)		0,25	EN 14105
Group I metals (Na + K) [k]	mg/kg		5,0	EN 14108 EN 14109
Group II metals (Ca + Mg) [l]	mg/kg		5,0	prEN 14538
Phosphorus content	mg/kg		10,0	EN 14107

Free glycerol: 0.02%(m/m), mono-glyceride: 0.80%(m/m), di-glyceride: 0.20%(m/m), Tri-glyceride: 0.20%(m/m), Total glycerol: 0.25%(m/m)

Total glycerol(%,m/m) = G + 0.255 M + 0.146 D + 0.103 T

Property depends on the original oil/fat material

바이오디젤 품질 규격의 차량 영향

차량 영향	바이오디젤 품질규격
연료계 부품 손상: 금속부식, 고무 등 팽윤	산가, 메탄올, 산화안정성, 에스테르 함량, 수분
연료펌프에 석출물이 부착되어 연료펌프 작동 불능, 연료필터 막힘 ⇒ 연료공급이 중단되어 주행 불능	산화안정성, 다불포화지방산, 에스테르 함량, 트리글리세리드, 디글리세리드, 모노글리세리드, 글리세린, 고형물질, 수분, 금속분
배출가스 성상 악화	트리글리세리드, 금속분
기온 하강시 엔진시동 불능	저온성능 (운점, 필터막힘점, 유동점)
배출가스 처리용 촉매성능 저하	금속분, 인

< 37/50 >

바이오디젤 생산 경제성

바이오디젤(BD) 생산에 영향을 주는 요인

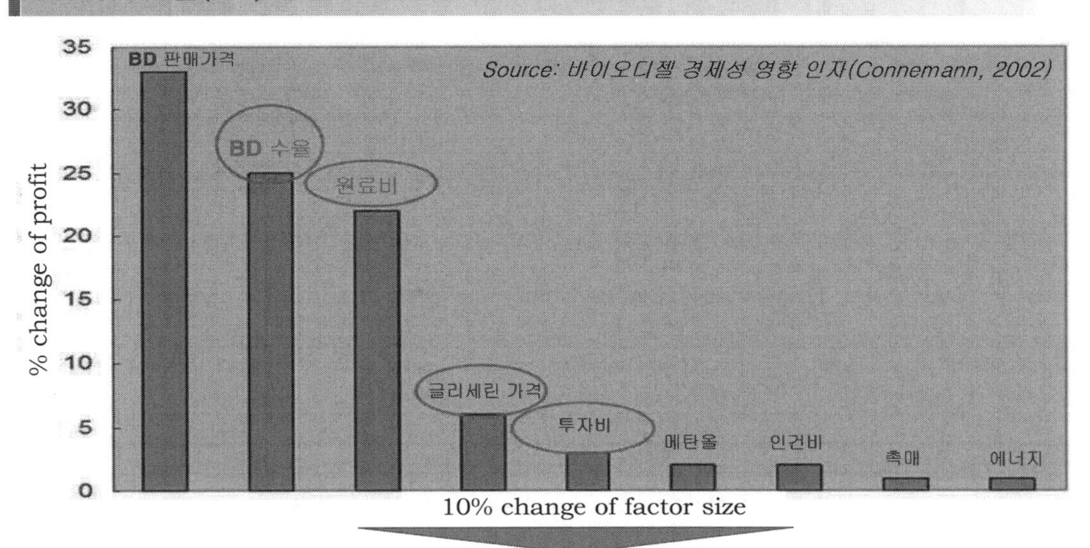

저가 원료 적용/바이오디젤 수율 극대화 필요!

< 38/50 >

바이오디젤 전처리 정제 공정 기술

1. 중화 탈산
2. 황산 에스테르화
3. 고체 산 촉매 에스테르화
4. 효소 촉매, 초임계/무촉매 전환, 복합 촉매
5. 글리세린/지방산 반응
6. 증류/막분리
7. 용매추출(메탄올)
8. 결정화 분획(Winterization)
9. 가수분해/분리정제
10. 식용 정제(탈검,탈산,탈색,탈취)

: 원료 성상(FFA, 수분 함량), 지방산 조성, 발생 특성, 주요 공정 연계 등 다양한 특성 고려 필요

< 39/50 >

폐유지 바이오디젤 해외 사례

	개발사	허용 FFA 함량, %	비고
고체 촉매	Incbio (포르투갈)[1]	0-25	- BD 플랜트 미국 수출 (용량: 28,000톤/년)
	BDI (오스트리아)[2]	0-100	- 파일롯 실증 운전중
	Benefuel, LLC (미국)[3]	0-100	- 용량: 400kL/년
	Menlo Energy, LLC (미국)3)	0-100	- 글리세린 순도 99.7% - 2014년 상용 공정 구축 예정
초임계/무촉매	Asahi Chemical (일본)[4]	0-100	- 쿄토대 기술 적용 실증연구 후 2012년 상용화 포기
	Patriot Biodiesel LLC (미국)[3]	0-100	- 용량: 1,300 kL/년
효소 촉매	Biodiesel Experts Int'l (미국) - Trasnsbiodiesel (이스라엘)[3]	0-100	- 최대 설비 용량: 7,000 kL/년 - 운전 비용: 260원/L

주 1) Biodiesel Magazine, January, 2013.
2) BDI 홈페이지, www.bdi-bioenergy.com
3) Biodiesel Magazine, January, 2014.
4) S. Saka 교수 (2013).

✓ 바이오디젤 주생산 반응용 고체(염기)촉매, 초임계/무촉매, 효소 촉매 공정을 개발 중.,
✓ 전처리(FFA 에스테르화)+바이오디젤 주생산(염기촉매), 단일/다단계 반응 및 분리공정 등 다양한 촉매/공정 기술

< 40/50 >

저급 오일의 유리지방산(FFA) 전처리

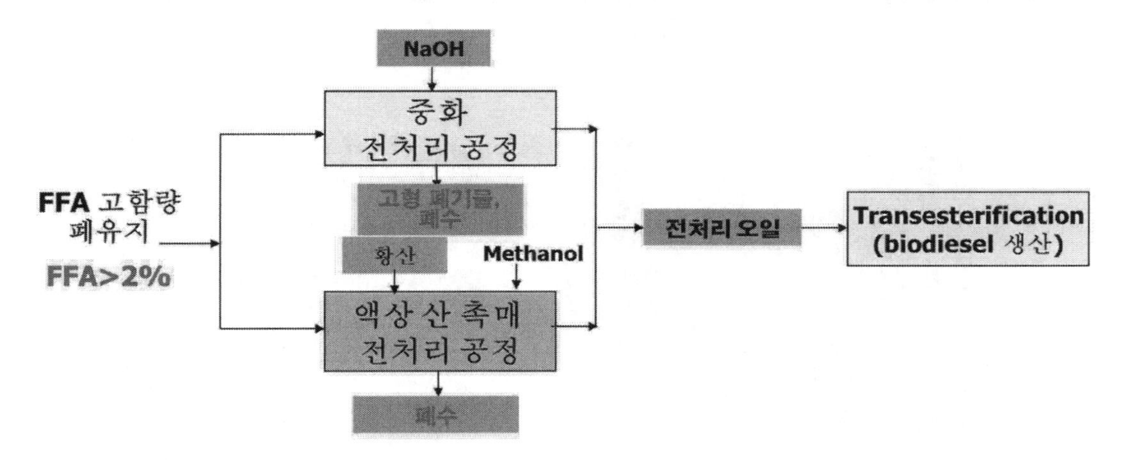

- To get high yield of biodiesel, FFA acid content in feed should be lower than 0.5%
- Pretreatment by neutralization cause the formation of soap which brings to lower yield.
- Pretreatment by sulfuric acid should generate large amounts of waste water

☞ Pretreatment by solid acid catalyst may solve the problems mentioned above.

고체 산촉매 에스테르화 전처리

이온교환수지 촉매 종류별 전처리 성능비교

1. 실험 촉매
   - 강산성 이온교환수지 6종
2. 운전 변수
   - 온도, 메탄올양, 촉매양, 교반강도 등
3. 연구 결과
   - Amberlyst 15가 가장 우수한 성능 보임.
   (가격, 물리적, 화학적 안정성이 우수)

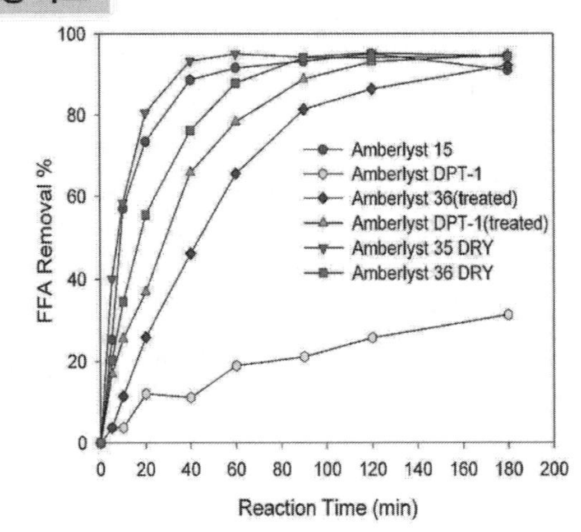

KIER 한국에너지기술연구원 KOREA INSTITUTE OF ENERGY RESEARCH

바이오디젤 생산 반응 특성 및 공정

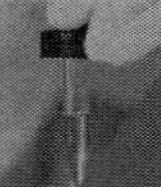

바이오디젤 생산 공정의 특정

1) 2상 반응(two phase reaction)

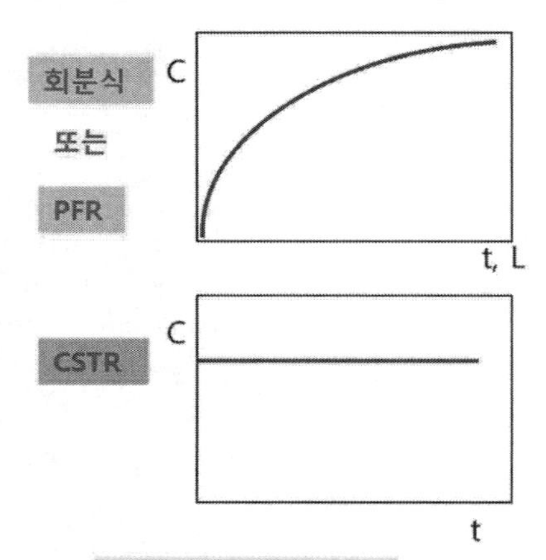

2) 가역 반응

유지 + 알콜 ⇄ 글리세린 + 바이오디젤

- 상용화 공정 현황
  - 소용량: 회분식
  - 대용량: PFR

Henkel Process (US Patent 5,514,820)

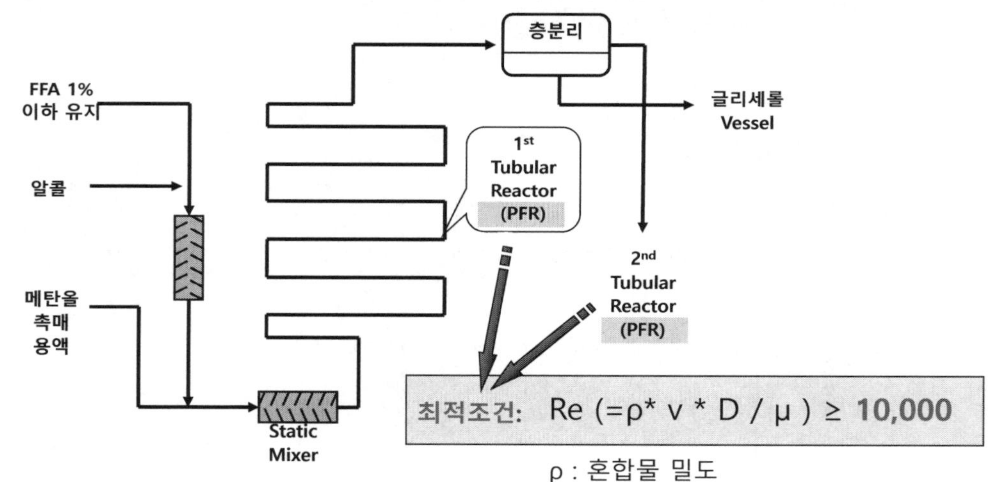

ρ : 혼합물 밀도
v : 평균 PFR 유속
D: PFR 내경(ID)
μ : 혼합물 점도

정제 원료 및 바이오디젤 생산 공정

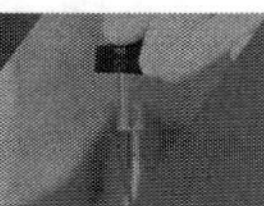

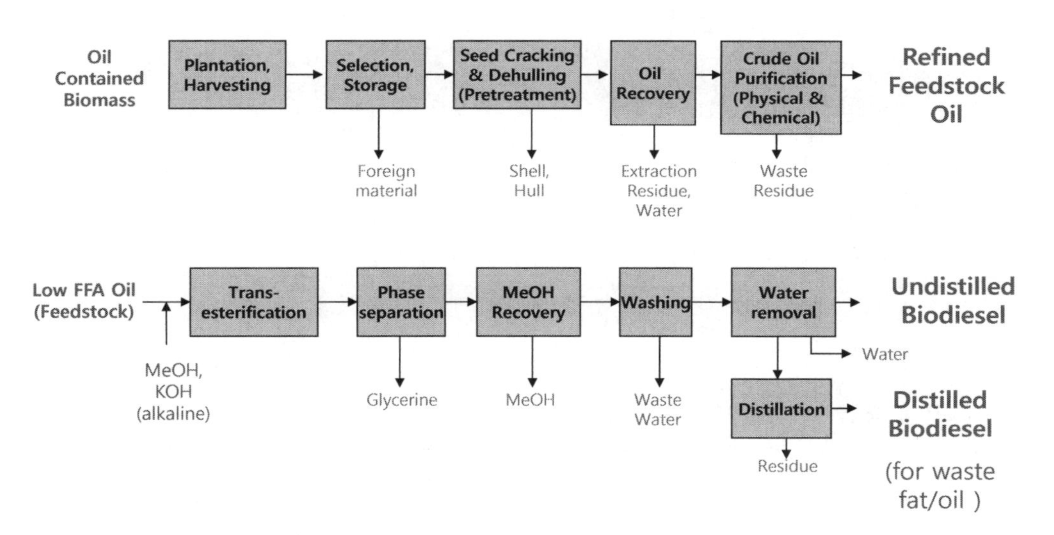

- 불순물 수준을 최소화 하면서(품질규격 만족),
- 바이오디젤(원료) 수율 극대화 가능한 공정 운전 필요

< 45/50 >

유망 비식용 바이오디젤 원료

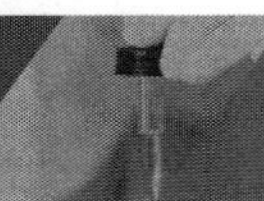

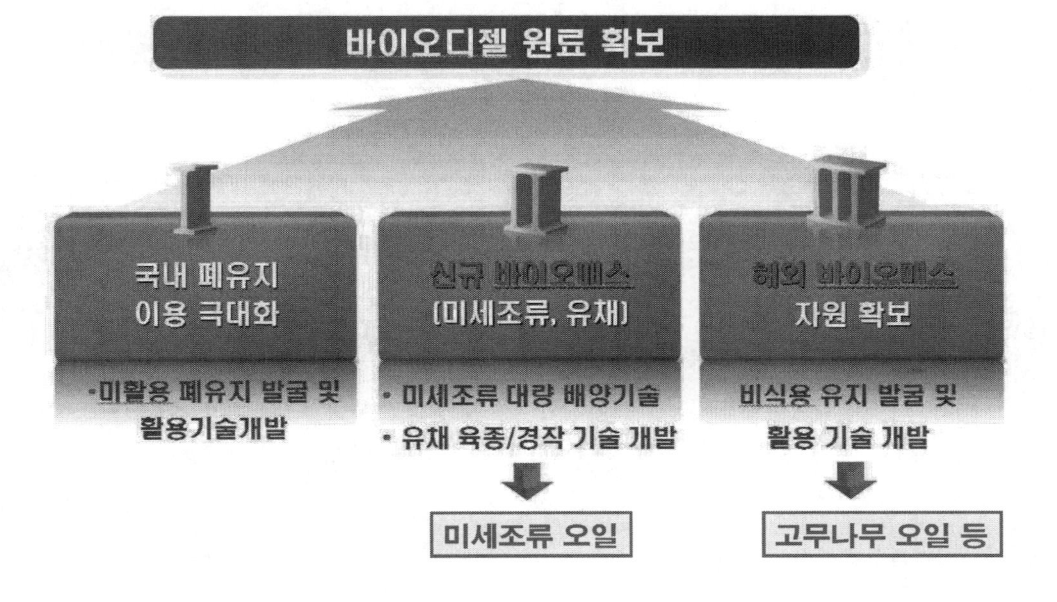

< 46/50 >

바이오중유 개요 (바이오에너지협회)

✓ **바이오중유(Bio Fuel Oil) 란?**

- 바이오디젤 공정 부산물(피치), 동물성 유지, 음식물쓰레기기름(음폐유), 팜 부산물 등 미활용 자원을 원료로 제조한 친환경 발전용 연료
- 기존 BC유 발전설비를 그대로 이용하고, BC유 대비 미세먼지 약 28%, 질소산화물 39%, 온실가스 85%, 황산화물 100% 저감되는 친환경 신재생에너지

✓ **바이오중유 보급 추진 배경**

- 2012년 신재생에너지 공급의무화제도(RPS) 시행에 따라 발전사의 의무공급량 이행을 위한 중유(BC유) 대체 연료인 바이오중유 사용 검토
    - **RPS(Renewables Portfolio Standard)** : 신재생에너지 공급 의무화제도- 설비규모 500MW 이상의 발전사업자로 총발전량의 일정비율 이상을 신재생에너지전력으로 공급하도록 의무화 제도

✓ 2013년 12월「발전용 바이오중유 시범보급사업 추진에 관한 고시」제정

- 시범보급사업의 발전사업자 5개사별 발전기 각 1기 지정, 생산업자 21개사 지정
- 바이오중유의 시범보급사업 추진(2014년 1월 1일~2018년 12월 31일) 및 실증연구(2014.1~2018.2) 결과, 발전기에 적합한 품질·성능 및 안전성 확인
- 바이오중유를 법령상 석유대체연료와 재생에너지로 명문화
    - 「석유 및 석유대체연료 사업법」 및「신에너지 및 재생에너지 개발·이용·보급 촉진법」 시행령 개정

✓ **2019년 3월 15일 바이오중유 전면보급 개시**

- 전면보급 이후 생산업체 등록 현황(11개사 등록 완료)

< 47/50 >

선박용 바이오중유 상용화 추진

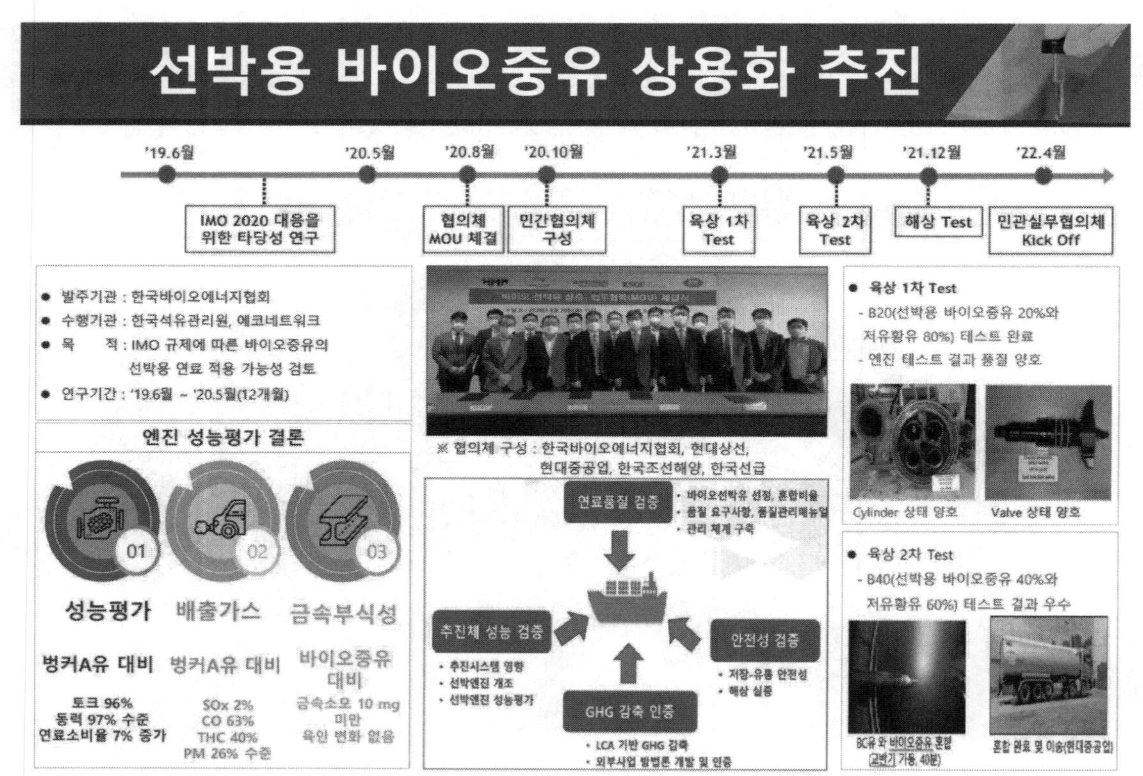

출처 : 바이오연료포럼 심포지움 자료집 (서유현, 2022)

< 48/50 >

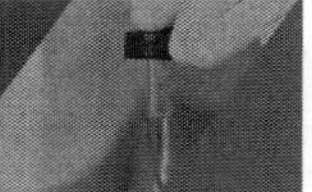

바이오중유 원료 및 제조 공정

➢ 고산가 팜 부산물(PFAD, PAO), BD 공정 부산물(Pitch), Oleo chem 부산물, 동물성유지 등 비식용이자 저가의 Waste에 가까운 원료들을 품질기준에 맞게 반응·정제·혼합 제조하여 생산

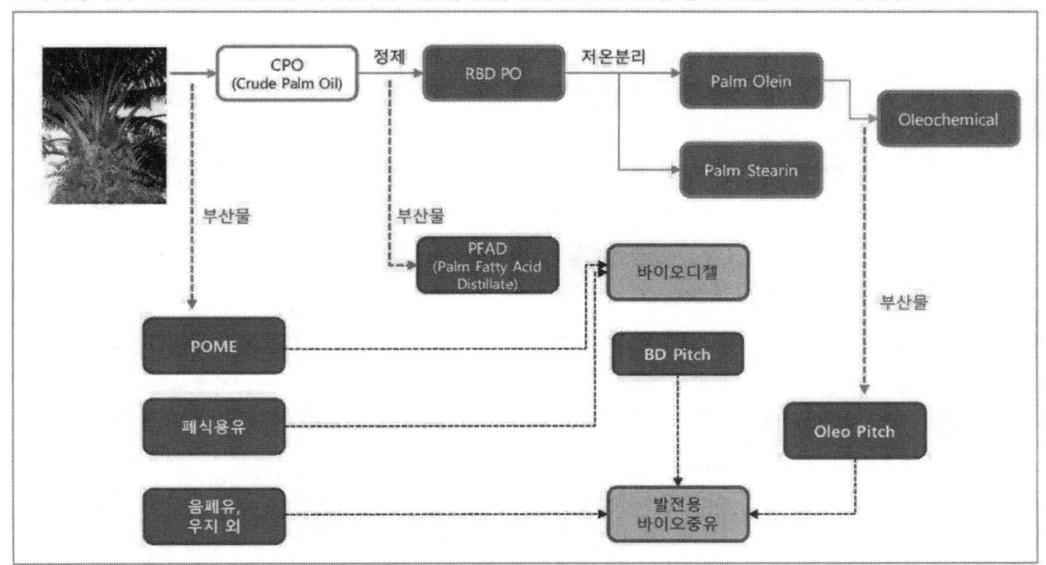

출처 : 바이오연료포럼 심포지움 자료집 (서유현, 2022)

‹ 49/50 ›

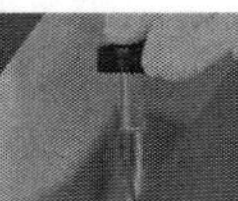

바이오선박유의 장점 및 향후 과제

Benefits of Biofuels

- 매우 낮은 S(sulfur) 함량을 가짐.
- 2세대 lingocellulosic feedstocks은 잠재적으로 대량으로 활용 가능
- 기존 Infra-structure의 변경없이 사용 가능한 Drop-in fuel임.
- 환경 배출 규제에 부합함.
- 다중 연료 엔진과 바이오에탄올은 Synergy 발생 가능.

Future Developments

- 상용 바이오연료 생산을 위한 '원료 및 기술 개발'이 필요
- Deep see shipping을 위한 충분한 바이오연료 생산
- 바이오연료로 운전되는 디젤 엔진의 long-term test 데이터 확보
- 바이오연료 활용을 위한 International Fuel Standards 업데이트

‹ 50/50 ›

감사합니다

김덕근, 실장/책임연구원/공학박사
바이오자원순환연구실, 한국에너지기술연구원
34129 대전 유성구 가정로 152
T: +82-42-860-3552, M: 010-7651-2242
E-mail: dkkim@kier.re.kr

임영일 교수

한경국립대학교 화학공학과
교수

2015~	지속가능 공정기술 연구센터장
2004~	한경대학교 화학공학과 정교수
2001	ENSIACET (프랑스 뚤루즈) 화학공학 박사

바이오연료 전주기 기술 교육에서 바이오연료 공정에 대한 기술경제성 평가(techno-economic analysis; TEA)에 대한 개론과 미세조류로부터 수첨바이오디젤 (hydrogenated bio-diesel; HBO) 및 항공기유 (sustainable aviation fuel; SAF) 생산공정의 사례에 대하여 다음 순서로 교육을 진행한다

- TEA 관련 선행 연구 내용 요약
- TEA 방법 (Class 4)
- 미세조류로부터 HBO/SAF 생산공정 흐름도
- TEA 결과 및 민감도 분석

TEA는 주어진 생산공정에 대하여 공정흐름도(PFD; process flow diagram)를 구축하여 공정의 기술적 측면을 고려하는 동시에, PFD의 물질 및 에너지 수지식 계산에서 도출된 흐름선 정보(온도, 압력, 유량, 조성)를 이용하여 공장 건설을 위한 총투자비(TCI; total capital investment), 총생산비용(TPC; total production cost) 등을 산출하는 경제성 평가를 포함한다. 본 강의에서는 이러한 TEA 에 대한 방법, 그리고 활용 사례를 교육한다.

기술경제성평가(TEA) 개론 및 바이오연료 적용 사례

임영일 교수
한경대학교

TEA of biofuel production processes

Fundamentals of techno-economic analysis (TEA) and its application to biofuels

기술경제성평가 (TEA) 개론 및 바이오연료 적용 사례

2023. 12. 07. 15:30 – 16:10

임 영 일 (limyi@hknu.ac.kr)

CoSPE (center of sustainable process engineering),
Department of Chemical Engineering, Hankyong National University
Tel: +82 31 670 5207, homepage: http://www.cospe.or.kr

한경국립대학교

Outline

TEA of biofuel production processes

1. Previous studies on TEA
2. Methodology of short-cut economic analysis (경제성평가 방법)
3. Process flow diagram of HBD/SAF production process (공정 개요)
4. Economic values and plot of sensitivity (결과 및 민감도 분석)
5. Conclusion (결론)

TEA of biofuel production processes

1 Previous studies on TEA (2014-2023): 14 Papers

1. Truong X. Do, Young-Il Lim*, and Heejung Yeo (2014), Economic analysis of bio-oil production process from empty fruit bunches, *Energy Conversion and Management*, 80, 525-534.
2. Truong Xuan Do, Young-il Lim*, Heejung Yeo, Uen-do Lee, Young-tai Choi, and Jae-Hun Song (2014), Techno-economic analysis of power generation plant with fluidized-bed gasification from woodchips, Energy, 70, 547-560.
3. Truong Xuan Do, Young-il Lim*, Sungsoo Jang, and Hwa-Jee Chung (2015), Hierarchical economic potentials for techno-economic evaluation applied to bioethanol production from palm empty fruit bunches (EFB), Bioresource technology, 189, 224-235.
4. Truong X. Do, Young-Il Lim*, Jinsuk Lee, and Woojo Lee (2016), Techno-economic analysis of retrofit petrochemical complex by simulated moving-bed, Chemical Engineering Research and Design, 106, 222-241.
5. Truong Xuan Do and Young-il Lim* (2016), Techno-economic comparison of three energy conversion pathways from empty fruit bunches, *Renewable Energy*, 90, 307-318.
6. Truong Xuan Do, Young-il Lim*, Hyodeuk Cho, Jaehui Shim, Jeongkeun Yoo, Kyutai Rho, Seong-Geun Choi, Chanwoo Park, Byeong-Yun Park (2018), Techno-economic analysis of fry-drying and torrefaction plant for bio-solid fuel production, Renewable energy, 119(4), 45-53.
7. Young-Il Lim, JinSoon Choi, HeungMan Moon, and Kooki Kim (2016), Techno-economic Comparison of Absorption and Adsorption Processes for Carbon Monoxide (CO) Separation from Linze-Donawitz Gas (LDG), Korean Chem. Eng. Res., 54(3), 320-331.
8. Chang-ho Oh and Young-Il Lim* (2018), Process simulation and economic analysis of fast pyrolysis and hydro-processing biooil production process from sawdust, Korean Chem. Eng. Res., Korean Chem. Eng. Res., 56, 496-523.
9. Truong X. Do, Hermawan Prajitno, Young-il Lim*, and Jaehoon Kim* (2019), Process modeling and economic analysis for bio-heavy-oil production from sewage sludge using supercritical ethanol and methanol, Journal of Supercritical Fluid, 150, 137-146.
10. Thang Toan Vu, Young-Il Lim*, Daesung Song*, Tae-Young Mun, Ji-Hong Moon, Dowon Sun, Yoon-Tae Hwang, Jae-Goo Lee, Young Cheol Park (2020), Techno-economic analysis of conventional and oxy-combustion power plants with and without CO_2 capture and storage, *Energy, 194(3), 116855.*
11. Truong Xuan Do, Rana Mujahid, Hyun Soo Lim, Jae-Kon Kim, Young-Il Lim*, Jaehoon Kim* (2020), Techno-economic analysis of bio-heavy oil production from sewage sludge using subcritical and supercritical water, Renewable Energy, 151(5), 30-42.
12. Semie Kim, Young-Il Lim*, Doyeon Lee, Myung Won Seo, Tae-Young Mun, and Jae-Goo Lee (2021), Effect of flue gas recirculation on energy, exergy, environment, and economics in oxy-coal circulating fluidized-bed power plants with CO_2 capture, Int. J. Energy Research, 45(4), 5852-5865.
13. Semie Kim, Young-Il Lim*, Doyeon Lee, Wonchul Cho, Myung Won Seo*, Jae Goo Lee, Yong Sik Ok (2022), Perspectives of oxy-coal power plants equipped with CO_2 capture, utilization, and storage in terms of energy, economic, and environmental impacts, Energy Conversion and Management, 273, 116361.
14. Thang Toan Vu, Young-Il Lim, Daesung-Song, Kyung-Ran Hwang and Deog-keun Kim (2023), Economic analysis of vanillin production from Kraft lignin using alkaline oxidation and regeneration, *Biomass conversion and Biorefinery (IF =4.050), 13(4), 1819-1829.*

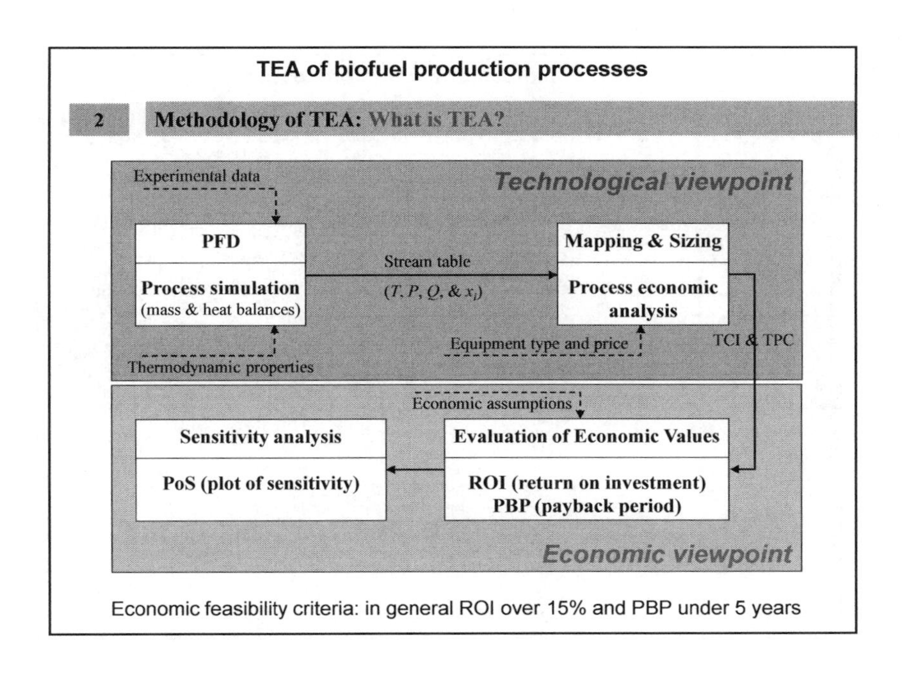

Terminology

ASR: annual sales revenue
FCI: fixed capital investment
HBD: hydrogenated bio-diesel
HTL: hydrothermal liquefaction
IRR: internal rate of return
LNG: liquefied natural gas
MSFP: minimum selling fuel price
PBP: payback period
PFD: process flow diagram
PoS: plot of sensitivity
ROI: Return on investment
SAF: sustainable aviation fuel
TCI: total capital investment
TEA: techno-economic analysis
TPC: total production cost
WC: working capital

TEA of biofuel production processes

2 Methodology of TEA: AACE

COST ESTIMATE CLASSIFICATION MATRIX FOR THE PROCESS INDUSTRIES

	Primary Characteristic	Secondary Characteristic		
ESTIMATE CLASS	MATURITY LEVEL OF PROJECT DEFINITION DELIVERABLES Expressed as % of complete definition	END USAGE Typical purpose of estimate	METHODOLOGY Typical estimating method	EXPECTED ACCURACY RANGE Typical variation in low and high ranges [a]
Class 5	0% to 2%	Concept screening	Capacity factored, parametric models, judgment, or analogy	L: -20% to -50% H: +30% to +100%
Class 4	1% to 15%	Study or feasibility	Equipment factored or parametric models	L: -15% to -30% H: +20% to +50%
Class 3	10% to 40%	Budget authorization or control	Semi-detailed unit costs with assembly level line items	L: -10% to -20% H: +10% to +30%
Class 2	30% to 75%	Control or bid/tender	Detailed unit cost with forced detailed take-off	L: -5% to -15% H: +5% to +20%
Class 1	65% to 100%	Check estimate or bid/tender	Detailed unit cost with detailed take-off	L: -3% to -10% H: +3% to +15%

Known cost for a given plant capacity

Rough PFD and factorial method

Christensen, P. and Dysert, L. R., "Cost Estimate Classification System", AACE (American Association of Cost Engineering) International, Practice No. 17R-97(2011).

TEA of biofuel production processes

2 Methodology of TEA: Class 4 (stochastic method)

Class 4: Factorial (or stochastic) method

$$TCI = FCI + WC = (1+d)(1+c)\sum_{i=1}^{M}(PEC_i(a_i + b))$$

TCI: total capital investment (총 투자비)
FCI: fixed capital investment
WC: working capital (운전 자본)
a_i: installation cost factor
b: indirect installation cost factor
c: contingency cost factor
d: working capital cost factor

- Turton, R., Bailie, R. C., Whiting, W. B., Shaeiwitz, J. A. and Bhattacharyya, D., *Analysis, Synthesis and Design of Chemical Processes*, 4th ed., Prentice Hall, New York(2012).
- Towler, G. and Sinnott, R., *Chemical Engineering Design*, 2nd ed., Elsevier, Boston(2008).
- Young-Il Lim, JinSoon Choi, HeungMan Moon, and Kooki Kim (2016), Linze-Donawitz 가스로부터 일산화탄소(CO) 분리를 위한 흡수 및 흡착공정에 대한 기술경제성 비교, Korean Chem. Eng. Res., 54(3), 320-331.

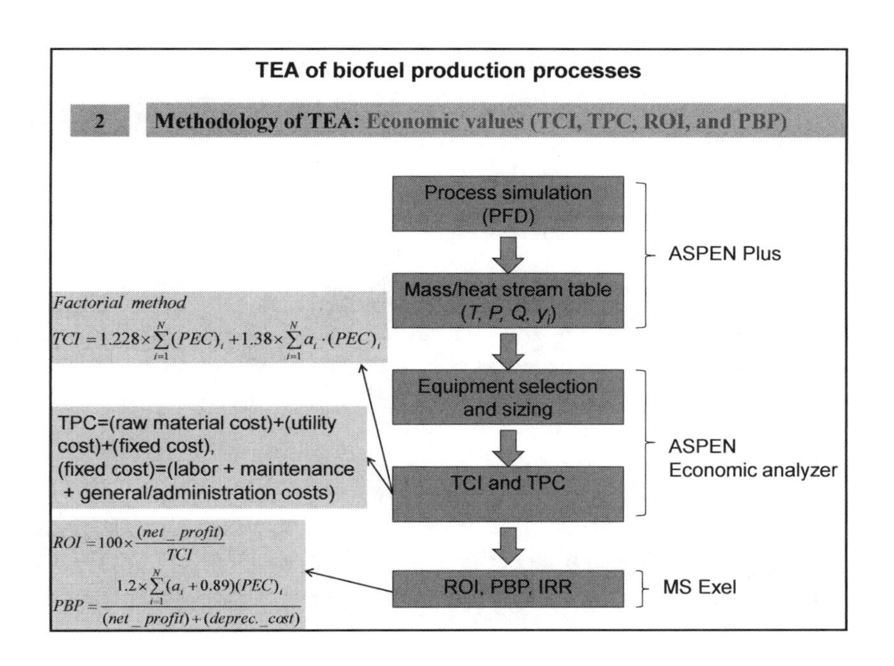

TEA of biofuel production processes

2 Methodology of TEA: Economic assumptions

Parameter	Assumption
Debt ratio (λ)	70 (30 % equity)
Plant availability	8,000 h/yr
Construction period	1 yr
Startup time	4 months
Plant life (N)	20 yr
Plant depreciation period	20 yr
Inflation rate (α)[a]	2.0 %
Corporation tax rate (β)[a]	22 %
Interest rate (γ)[a]	5.0 %
Labors salary (4 shifts/day, total 12 labors and 1 supervisor)	$10/hr (labor) & $20/hr (supervisor)
Currency[b]	1,100 Korea won/$
Desired ROI to determine minimum plant size	15 %
CAPEX (annual capital expenditure, M$/yr)	30% of FCI
Purchased equipment cost (reformer in Case 1)	2.285 & 2.348 M$

Utility & catalyst price	Electricity price	0.098 $/kWh
	LNG	0.672 $/kg
	Cooling water price	0.273 $/m[3]
	Adsorbent (PSA for Case 1)[b]	50 $/kg
	Catalyst (hydrotreating)[d]	37 $/kg
	Catalyst (hydrocracking)[e]	37 $/kg
	Catalyst (reformer for Case 1)[f]	50 $/kg
Raw material and product price[c]	Biomass (sawdust, 40% water)	50 $/t
	H_2[g]	1,150 $/t
	Cooling tower chemicals	5.5 $/kg
	Gasoline	927 $/t
	Diesel	927 $/t
	Methane	55 $/t
	HP steam	45 $/t
	MP steam	45 $/t
	Hot water	11 $/t
Cooling water loss[c]		2%
Catalyst life time (in reformer)[d]		1 yr
Catalyst life time (in hydrotreating/hydrocracking)[d]		2 yr
Adsorbent life time (in PSA)[b]		2 yr

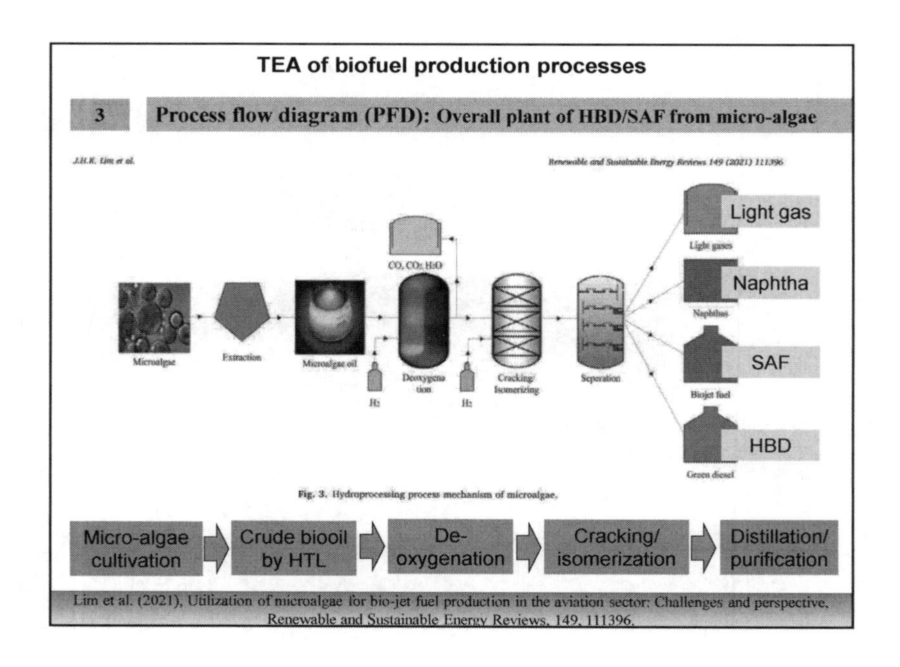

TEA of biofuel production processes
3
Process flow diagram (PFD): Overall plant of HBD/SAF from micro-algae
Light gas
Naphtha
SAF
HBD
Micro-algae cultivation
Crude biooil by HTL
De-oxygenation
Cracking/ isomerization
Distillation/ purification
Lim et al. (2021), Utilization of microalgae for bio-jet fuel production in the aviation sector: Challenges and perspective, Renewable and Sustainable Energy Reviews, 149, 111396.

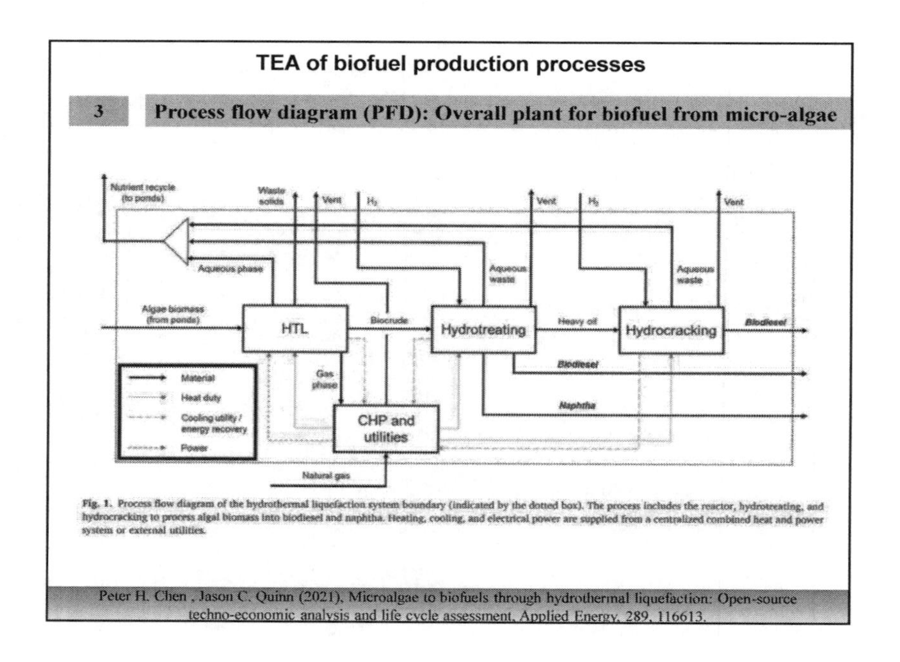

TEA of biofuel production processes
3
Process flow diagram (PFD): Overall plant for biofuel from micro-algae
HTL
Hydrotreating
Hydrocracking
CHP and utilities
Peter H. Chen , Jason C. Quinn (2021), Microalgae to biofuels through hydrothermal liquefaction: Open-source techno-economic analysis and life cycle assessment, Applied Energy, 289, 116613.

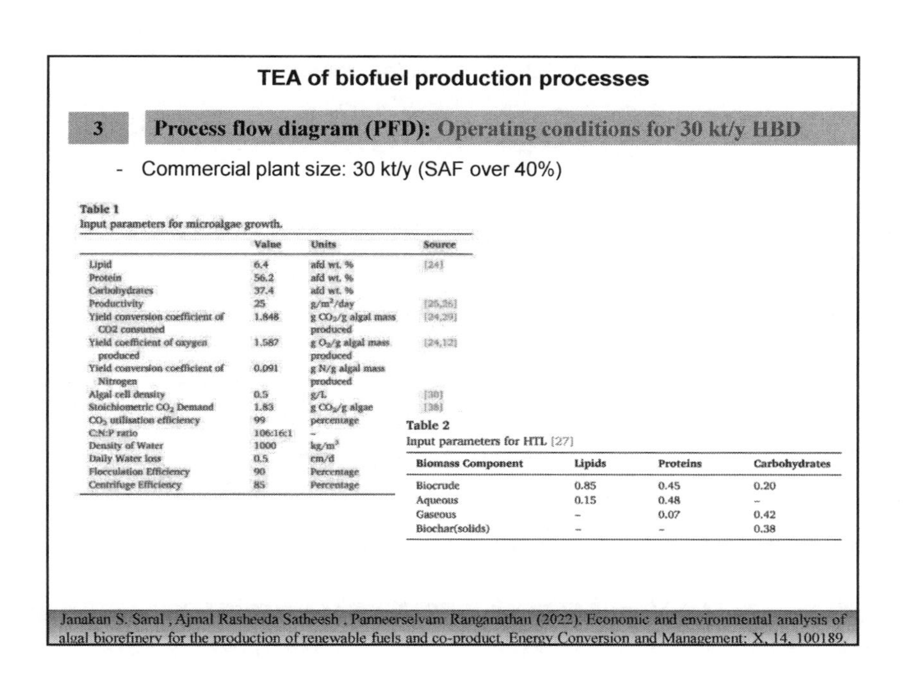

Table 1
Input parameters for microalgae growth.

	Value	Units	Source
Lipid	6.4	afd wt. %	[24]
Protein	56.2	afd wt. %	
Carbohydrates	37.4	afd wt. %	
Productivity	25	$g/m^2/day$	[25,26]
Yield conversion coefficient of CO2 consumed	1.848	g CO_2/g algal mass produced	[24,29]
Yield coefficient of oxygen produced	1.587	g O_2/g algal mass produced	[24,12]
Yield conversion coefficient of Nitrogen	0.091	g N/g algal mass produced	
Algal cell density	0.5	g/L	[30]
Stoichiometric CO_2 Demand	1.83	g CO_2/g algae	[38]
CO_2 utilisation efficiency	99	percentage	
C:N:P ratio	106:16:1	–	
Density of Water	1000	kg/m^3	
Daily Water loss	0.5	cm/d	
Flocculation Efficiency	90	Percentage	
Centrifuge Efficiency	85	Percentage	

Table 2
Input parameters for HTL [27]

Biomass Component	Lipids	Proteins	Carbohydrates
Biocrude	0.85	0.45	0.20
Aqueous	0.15	0.48	–
Gaseous	–	0.07	0.42
Biochar(solids)	–	–	0.38

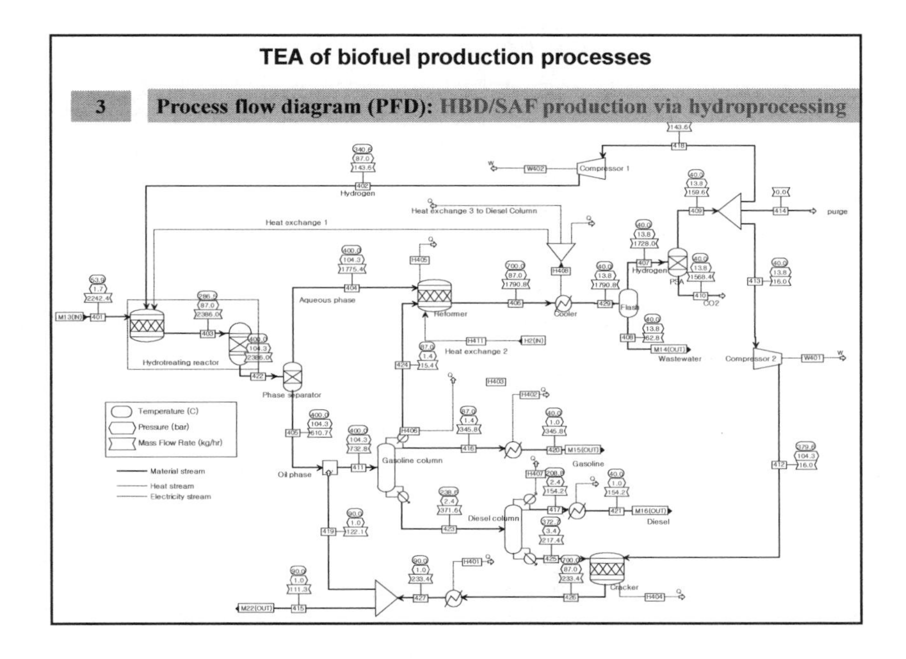

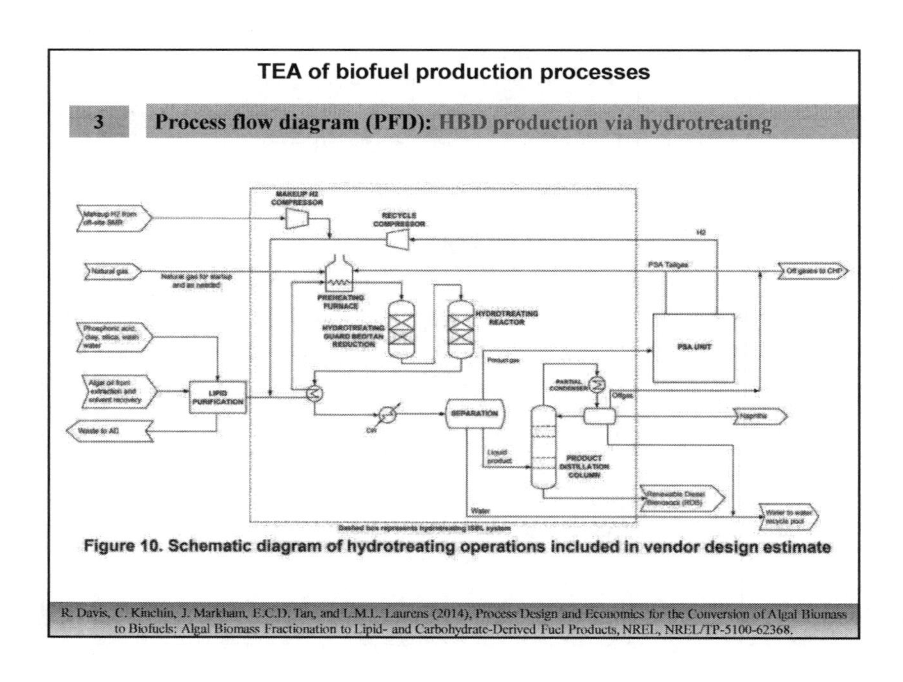
TEA of biofuel production processes
3
Process flow diagram (PFD): HBD production via hydrotreating
MAKEUP H2 COMPRESSOR
RECYCLE COMPRESSOR
H2
PSA Tailgas
PREHEATING FURNACE
HYDROTREATING GUARD BED/TAN REDUCTION
HYDROTREATING REACTOR
PSA UNIT
LIPID PURIFICATION
SEPARATION
PARTIAL CONDENSER
Offgas
PRODUCT DISTILLATION COLUMN
Water
Figure 10. Schematic diagram of hydrotreating operations included in vendor design estimate
R. Davis, C. Kinchin, J. Markham, E.C.D. Tan, and L.M.L. Laurens (2014), Process Design and Economics for the Conversion of Algal Biomass to Biofuels: Algal Biomass Fractionation to Lipid- and Carbohydrate-Derived Fuel Products, NREL, NREL/TP-5100-62368.

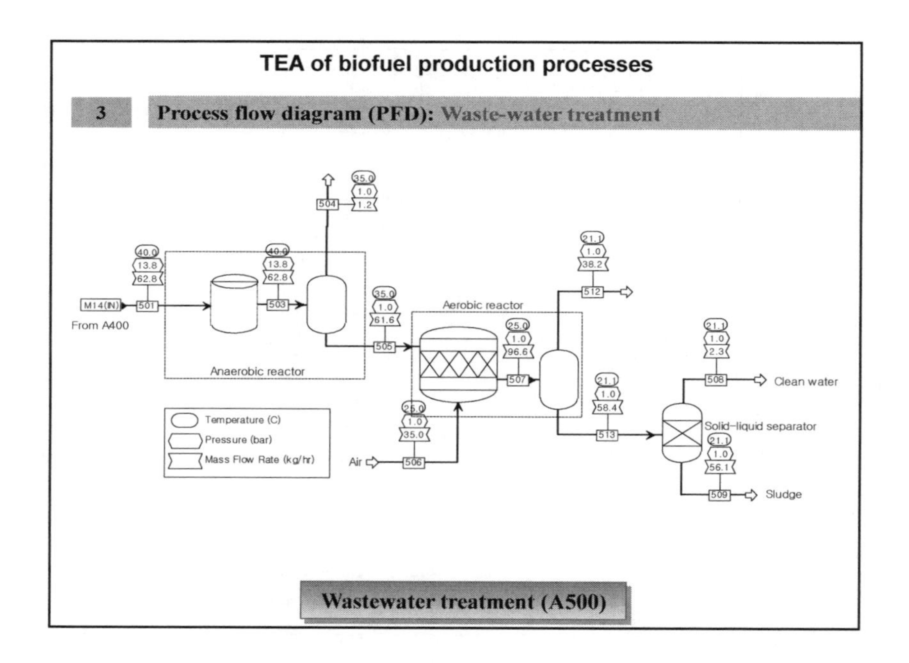
TEA of biofuel production processes
3
Process flow diagram (PFD): Waste-water treatment
35.0
1.0
1.2
504
40.0
13.8
62.8
M14(IN)
501
From A400
503
Anaerobic reactor
35.0
1.0
61.6
505
Aerobic reactor
25.0
1.0
96.6
507
21.1
1.0
38.2
512
21.1
1.0
58.4
513
21.1
1.0
2.3
508
Clean water
Solid-liquid separator
21.1
1.0
56.1
509
Sludge
25.0
1.0
35.0
Air
506
Temperature (C)
Pressure (bar)
Mass Flow Rate (kg/hr)
Wastewater treatment (A500)

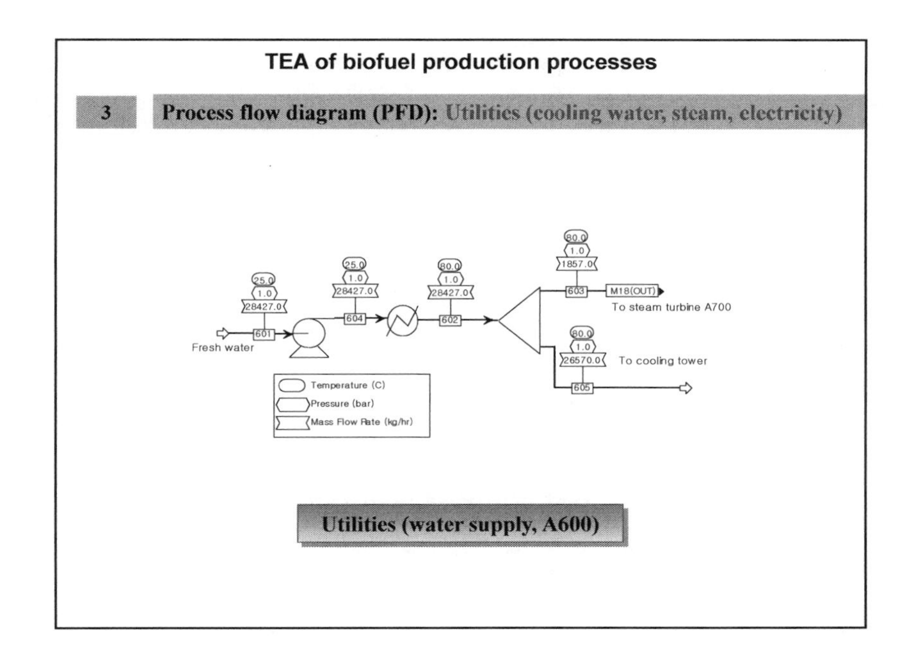

TEA of biofuel production processes
3
Process flow diagram (PFD): Utilities (cooling water, steam, electricity)
25.0
1.0
28427.0
601
Fresh water
25.0
1.0
28427.0
604
80.0
1.0
28427.0
602
80.0
1.0
1857.0
603
M18(OUT)
To steam turbine A700
80.0
1.0
26570.0
To cooling tower
605
Temperature (C)
Pressure (bar)
Mass Flow Rate (kg/hr)
Utilities (water supply, A600)

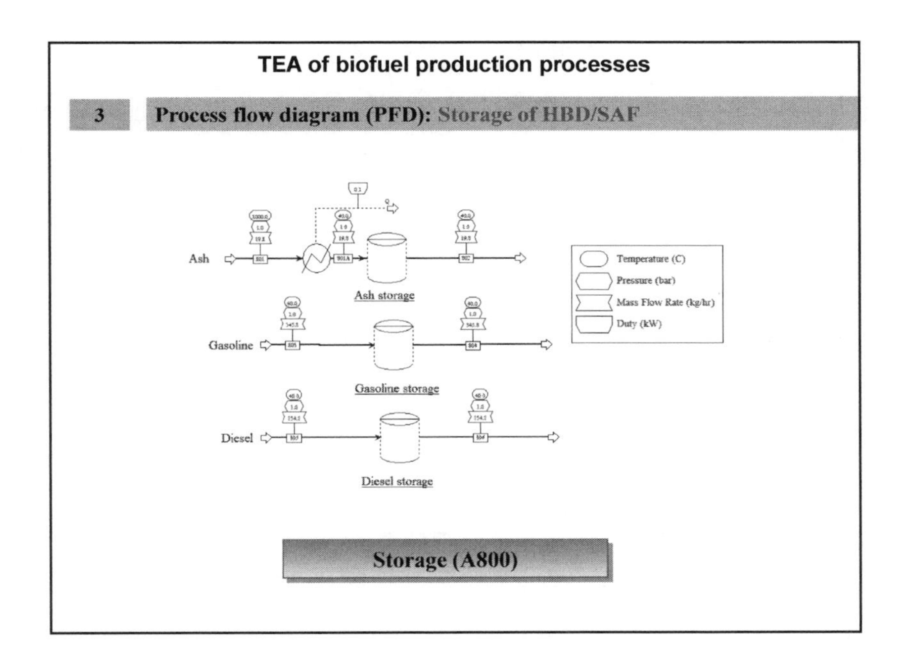

TEA of biofuel production processes
3
Process flow diagram (PFD): Storage of HBD/SAF
Ash
Ash storage
Gasoline
Gasoline storage
Diesel
Diesel storage
Temperature (C)
Pressure (bar)
Mass Flow Rate (kg/hr)
Duty (kW)
Storage (A800)

TEA of biofuel production processes

4 Results and plot of sensitivity: Stream table (1/8)

Stream	M1	M2	M3	M4	M5	M6	M7	M8	M9	M10	M11	M12	M14	M15	M16	M17	M18	M19	M20	M21	M22	M23	M24	M25	M26	M27	M28	M29	M30	M31
Temperature (°C)		20.2	20.0	20.0	25.9	40.0	18.8	40.0	25.9	-21.4	-37.1	20.0	274.0	25.0	25.0	106.3	100.9	100.0	100.0	100.0	232.8	-15.6	181.0	20.0	274.9	20.0	-118.0	-38.5	-1.4	16.8
Pressure (bar)	1.0	2.0	1.0	1.0	38.9	20.0	37.6	20.0	1.9	13.8	27.6	19.9	58.6	19.8	1.0	5.5	19.6	19.6	19.6	19.6	19.6	5.5	10.0	1.0	58.6	1.0	1.0	27.6	6.9	81.0
Total flow (kg/h)	416.7	757.7	341.0	2,188.7	394.3	1,103.4	248.4	48.6	677.0	418.4	10.0	0.6	162.1	839.1	13.8	2.9	773.8	19.8	8.4	11.4	43.4	3,364.4	36.0	36.0	587.9	750.0	773.8	252.8	3,364.4	1,533.9
Enthalpy (kW)	-480.5	-3,995.4	-3,515.0	-78.2	-1.2	-4,781.8	-1.1	-15.5	-756.7	-1,056.8	-21.5	-0.3	-390.0	-1,444.7	-61.3	-4.1	-1,393.1	-10.5	-4.7	-5.8	-16.6	-7,161.1	-131.7	-160.1	-2,139.1	-3,332.2	-1,496.1	-38.8	-7,122.1	-12.8
Component flow rate (kg/h)																														
H_2O	0.000	341.000	341.000	20.088	0.000	0.000	0.000	0.000	0.000	0.000	0.000	0.000	162.138	1.306	18.800	0.000	1.306	0.000	0.000	0.000	0.000	0.000	36.031	36.031	587.863	750.000	1.306	0.000	0.000	0.000
N_2	0.000	0.000	0.000	1,683.275	17.298	28.359	229.041	0.001	27.855	0.339	0.000	0.000	0.000	27.855	0.000	0.285	27.855	0.000	0.000	0.000	0.000	0.000	0.000	0.000	0.000	0.000	27.955	221.944	0.000	1,422.996
O_2	0.000	0.000	0.000	505.057	376.918	0.000	17.588	0.000	0.000	0.000	0.000	0.000	0.000	0.000	0.000	0.071	0.000	0.000	0.000	0.000	0.000	0.000	0.000	0.000	0.000	0.000	0.000	17.317	0.000	116.739
H_2	0.000	0.000	0.000	0.000	0.000	39.489	0.000	0.000	39.440	0.019	0.000	0.000	0.000	57.437	0.000	0.000	26.920	0.000	0.000	0.000	0.000	0.000	0.000	0.000	0.000	0.000	26.920	0.006	0.000	0.000
CO	0.000	0.000	0.000	0.000	0.000	553.771	0.000	0.010	553.240	1.247	0.000	0.004	0.000	508.178	0.000	0.000	224.346	0.000	0.000	0.000	0.000	0.000	0.000	0.000	0.000	0.000	224.346	0.242	0.000	0.000
CO_2	0.000	0.000	0.000	0.000	0.000	469.843	0.000	0.392	48.239	407.429	0.000	0.032	0.000	441.136	0.000	0.000	441.136	0.000	0.000	0.000	0.000	0.000	0.000	0.000	0.000	0.000	441.136	13.315	0.000	0.000
C	0.000	0.000	0.000	0.000	0.000	0.000	0.000	14.679	0.000	0.000	0.000	0.000	0.000	0.000	0.000	0.000	0.000	0.000	0.000	0.000	0.000	0.000	0.000	0.000	0.000	0.000	0.000	0.000	0.000	0.000
CH_4	0.000	0.000	0.000	0.000	0.000	8.120	0.000	0.001	7.854	0.235	0.000	0.000	0.000	7.854	0.000	0.000	54.126	0.000	0.000	0.000	0.000	0.000	0.000	0.000	0.000	0.000	54.126	0.020	0.000	0.000
Phenol	0.000	0.000	0.000	0.000	0.000	0.891	0.000	23.128	0.000	0.000	0.000	0.574	0.000	0.000	0.000	0.000	0.000	0.000	0.000	0.000	0.000	0.116	0.000	0.000	0.000	0.000	0.000	0.000	0.116	0.000
H_2S	0.000	0.000	0.000	0.000	0.000	1.376	0.000	0.004	0.036	1.496	0.000	0.000	0.000	0.036	0.000	0.144	0.036	0.000	0.000	0.000	0.000	0.002	0.000	0.000	0.000	0.000	0.036	0.034	0.002	0.000
NH_3	0.000	0.000	0.000	0.000	0.000	0.000	0.000	0.000	0.000	0.000	0.000	0.000	0.000	0.000	0.000	0.000	0.000	0.000	0.000	0.000	0.000	0.000	0.000	0.000	0.000	0.000	0.000	0.000	0.000	0.000
$C_{10}H_8$	0.000	0.000	0.000	0.000	0.000	0.000	0.000	0.000	0.000	0.000	0.000	0.000	0.000	0.000	0.000	0.000	0.000	0.000	0.000	0.000	0.000	0.000	0.000	0.000	0.000	0.000	0.000	0.000	0.000	0.000
AIR	0.000	0.000	0.000	0.000	0.000	0.000	0.000	0.000	0.000	0.000	0.000	0.000	0.000	0.000	0.000	0.000	0.000	0.000	0.000	0.000	0.000	0.000	0.000	0.000	0.000	0.000	0.000	0.000	0.000	0.000
NO_2	0.000	0.000	0.000	0.000	0.000	0.000	0.000	0.000	0.000	0.000	0.000	0.000	0.000	0.000	0.000	0.000	0.000	0.000	0.000	0.000	0.000	0.000	0.000	0.000	0.000	0.000	0.000	0.000	0.000	0.000
Argon	0.000	0.000	0.000	0.100	0.185	0.000	0.016	0.000	0.000	0.000	0.000	0.000	0.000	0.000	0.000	0.000	0.000	0.000	0.000	0.000	0.000	0.000	0.000	0.000	0.000	0.000	0.000	0.016	0.000	0.100
Methanol	0.000	0.000	0.000	0.000	0.000	0.000	0.000	0.000	0.188	1.130	10.000	0.000	0.000	0.188	0.000	2.395	0.000	0.000	0.000	0.000	0.000	3,364.324	0.000	0.000	0.000	0.000	0.000	0.032	3,364.324	0.000
Wax	0.000	0.000	0.000	0.000	0.000	0.000	0.000	0.000	0.000	0.000	0.000	0.000	0.000	0.000	0.000	0.000	0.000	0.000	0.000	0.000	43.444	0.000	0.000	0.000	0.000	0.000	0.000	0.000	0.000	0.000
Gasoline	0.000	0.000	0.000	0.000	0.000	0.000	0.000	0.000	0.000	0.000	0.000	0.000	0.000	0.000	0.000	0.000	0.000	8.415	8.415	0.000	0.000	0.000	0.000	0.000	0.000	0.000	0.000	0.000	0.000	0.000
Diesel	0.000	0.000	0.000	0.000	0.000	0.000	0.000	0.000	0.000	0.000	0.000	0.000	0.000	0.000	0.000	0.000	0.000	11.407	0.000	11.407	0.000	0.000	0.000	0.000	0.000	0.000	0.000	0.000	0.000	0.000
Coal	416.700	416.700	0.000	0.000	0.000	0.000	0.000	0.000	0.000	0.000	0.000	0.000	0.000	0.000	0.000	0.000	0.000	0.000	0.000	0.000	0.000	0.000	0.000	0.000	0.000	0.000	0.000	0.000	0.000	0.000
Ash	0.000	0.000	0.000	0.000	0.000	0.000	0.000	10.377	0.000	0.000	0.000	0.000	0.000	0.000	0.000	0.000	0.000	0.000	0.000	0.000	0.000	0.000	0.000	0.000	0.000	0.000	0.000	0.000	0.000	0.000

T, P, Q, E, and x_i for each stream
온도, 압력, 유량, 에너지, 조성 등

TEA of biofuel production processes

4 Results and plot of sensitivity: Mapping and sizing (2/8)

Table S1.2. Equipment list of the scenarios 1:1000 t/d coal A to liquid.

Area	ID	Equipment	Type	Size*
A100	A100.101T	Coal tank	Vertical process vessel	V_{total}: 5 m³; D: 1.4 m; H: 3.2 m
	A100.102CR	Coal crusher	Rotary crusher	Power: 15 kW, F: 41.6 t/hr
	A100.103T	Powder coal tank	Vertical process vessel	V_{total}: 5 m³; D: 1.4 m; H: 3.2 m
	A100.104M	Coal - water mixer	Agitated-tank open top	V_{total}: 14.1 m³; D: 3.0 m; H: 2.0 m
	A100.104T	Coal slurry tank	Vertical process vessel	V_{total}: 340 m³; D: 10.0 m; H: 4.4 m
	A100.105P	Coal slurry pump	Slurry pump	F: 0.8 l/s
A200	A200.201GAS	Entrained-bed gasifier	Reed et al. (2007)	-
	A200.202HE	Syngas cooler	Air cooler	A: 1920 m²
	A200. 204HE	Packed boiler unit	Boiler	F: 7500 kg/h
A300	A300.301C	Air cooler	Fixed tube, float, head, u-tube exchanger	A: 147 m²
	A300.302COMP	Air compressor	Centrifugal compressor - horizontal	Gas F: 164,000 m³/hr, Outlet P: 6.3 bar
	A300.303SE	Air moisture separator	Vertical process vessel	V_{total}: 43.4 m³; D: 3.81 m; H: 3.81 m
	A300.304C	Gas cooler	Fixed tube, float, head, u-tube exchanger	A: 272 m²
	A300.308HP	High pressure air distillation column	Ryan et al. (2010)	-
	A300.309EXP	Gas expander	Turbo expander	Gas F: 848 m³/hr, Outlet P: 1.5 bar
	A300.310LP	Low pressure air distillation column	Ryan et al. (2010)	-
	A300.314EXP	Gas expander	Turbo expander	Gas F: 6000 m³/hr, Outlet P: 1.2 bar
	A300.315COMP	Oxygen compressor	Centrifugal compressor - horizontal	Gas F: 23,800 m³/hr, Outlet P: 41 bar
	A300.317C	Oxygen cooler	Fixed tube, float, head, u-tube exchanger	A: 199 m²
	A300.320COM	Nitrogen compressor	Centrifugal compressor - horizontal	Gas F: 13,700 m³/hr, Outlet P: 27.6 bar
	A300.321COM	Nitrogen compressor	Centrifugal compressor - horizontal	Gas F: 464 m³/hr, Outlet P: 81 bar
A400	A400.401STR	Heat exchanger	Fixed tube, float, head, u-tube exchanger	A: 7.28 m²
	A400.402C	Cooler	Fixed tube, float, head, u-tube exchanger	A: 23 m²
	A400.403C	Cooler	Fixed tube, float, head, u-tube exchanger	A: 23 m²
	A400.404F-flash vessel	Flash	Vertical process vessel	V_{total}: 11.7 m³; D: 2.0 m; H: 3.8 m
	A400.405H2SAB-tower	H2S absorption tower	Packed tower	D: 4.6 m; H: 23.8 m
	A400.406CO2AB-tower	CO2 absorption tower	Packed tower	D: 4.6 m; H: 13.9 m
	A400.407C	Cooler	Fixed tube, float, head, u-tube exchanger	A: 112 m²
	A400.408HE	Heat exchanger	Fixed tube, float, head, u-tube exchanger	A: 3.18 m²
	A400.410F-flash vessel	Flash	Vertical process vessel	V_{total}: 49.5 m³; D: 2.7 m; H: 8.4 m
	A400.411STR	CO2 separator	Vertical process vessel	V_{total}: 11.7 m³; D: 2.0 m; H: 3.8 m
	A400.412N2STR-tower	N2 stripper	Packed tower	D: 4.58 m; H: 18.9 m
	A400.413F-flash vessel	Flash	Vertical process vessel	V_{total}: 5.9 m³; D: 1.4 m; H: 4.0 m
	A400.415H2SST-cond	H2S stripper - condenser	Fixed tube, float, head, u-tube exchanger	A: 1.34 m²

V, D, H, or A for each equipment
각 장치의 부피, 직경, 높이, 면적 등

TEA of biofuel production processes

4 Results and plot of sensitivity: TCI by factorial method (3/8)

$$TCI = FCI + WC = (1+d)(1+c)\sum_{i=1}^{M}(PEC_i(a_i+b))$$

S1.3. Total installed cost (TIC) and total capital investment (TCI) of 1000 t/d coal A to liquid in details.

Area	Component Name	Component Type	C_I ($)	C_E ($)	C_{ID} ($)	a_i
A100	A100.101T	DVT CYLINDER	145,700	18,600	16,554	7.83
	A100.102CR	ECR ROTARY	25,500	16,900	15,041	1.51
	A100.103T	DVT CYLINDER	145,700	18,600	16,554	7.83
	A100.104M	DAT OPEN TOP	198,300	110,800	98,612	1.79
	A100.104T	DVT CYLINDER	580,100	238,200	211,998	2.44
	A100.105P	EP SLURRY	31,200	11,200	9,968	2.79
A200	A200.201GAS	Reed et al. 2007 NREL	18,912,128	9,456,064	8,415,897	2.00
	A200.202HE	DHE AIR COOLER	6,441,200	1,169,800	1,041,122	5.51
	A200. 204HE	ESTBBOILER	1,168,900	697,700	620,953	1.68
	A300.301C	DHE TEMA EXCH	142,500	37,100	33,019	3.84
	A300.302COMP	DGC CENTRIF	13,517,000	12,273,200	10,923,148	1.10
	A300.303SE	DVT CYLINDER	248,700	77,500	68,975	3.21
A300	A300.304C	DHE TEMA EXCH	200,400	65,100	57,939	3.08
	A300.308HP	Ryan et al. 2010 NREL	1,287,421	643,710	572,902	2.00
	A300.309EXP	DTURTURBOEXP	284,000	107,200	95,408	2.65
	A300.310LP	Ryan et al. 2010 NREL	8,599,998	4,299,999	3,826,999	2.00
	A300.314EXP	DTURTURBOEXP	298,100	90,200	80,278	3.30
	A300.315COMP	DGC CENTRIF	4,227,700	3,644,700	3,243,783	1.16
	A300.317C	DHE TEMA EXCH	630,300	323,700	288,093	1.95
	A300.320COM	DGC CENTRIF	15,943,900	13,841,000	12,318,490	1.15
	A300.321COM	DGC CENTRIF	3,050,700	2,477,000	2,204,530	1.23
	A400.401STR	DHE TEMA EXCH	69,000	11,600	10,324	5.95
	A400.402C	DHE TEMA EXCH	79,900	13,700	12,193	5.83

FCI, WC, and TCI
각 장치별 구입비, 직간접 설치비 합을 통한 총 투자비

TEA of biofuel production processes

4 Results and plot of sensitivity: Energy consumption for TPC (4/8)

TPC=(raw material cost)+(utility cost)+(fixed cost)

Table 4-2. Energy consumption of four Cases for plant capacity of 10 t/d coal.

Area	Equipment	Case 1 Coal A to liquid	Case 2 Coal A to SNG
A100	102CR Coal crusher (kWe)	0.04	0.04
	105P Coal slurry pump (kWe)	0.01	0.01
A200	201GAS gasifier (kWe/kWth)	956.97	956.98
	202HE Cooler (kWc)	-156.64	-156.64
	302COMP compressor (kWe)	171.74	171.74
	304C cooler (kWc)	-169.75	-169.75
A300	308HP condenser (kWc)	-103.16	-103.16
	309EXP expander (kWe)	-0.85	-0.85
	314EXP expander (kWe)	-0.36	-0.36
	315COMP compressor (kWe)	68.79	68.79
	317C cooler (kWc)	-69.04	-69.04
	320C compressor (kWe)	307.3	307.3
	322HE cooler (kWc)	-311.01	-311.01
	321 Compressor (kWe)	63.64	63.64
	323HE cooler (kWc)	-69.15	-69.15
A400	402C Heater (kWth)	14.46	14.46
	403C cooler (kWc)	-3.28	-3.28
	407C cooler (kWc)	-9.11	-9.11
	415H2SST condenser (kWc)	-0.86	-0.86
	415H2SST reboiler (kWth)	26.24	26.24
	418HE cooler (kWc)	-113.14	-113.14

Electricity, Cooling water, steam
전기, 냉각수, 스팀 사용량

TEA of biofuel production processes

4 *Results and plot of sensitivity: TCI, TPC, ASR, ROI, PBP (5/8)*

TCI/TPC/ASR/ROI of 30 kt/y HBD/SAF production from microalgae

		Case 1	Case 2
Financial values	TCI (Total capital investment, $M)	64.53	44.64
	TPC (Total production cost, $M/yr)	34.32	52.07
	ASR (Annual sale revenue, $M/yr)	57.14	68.29
	DC (depreciation cost, $M/yr)	3.07	2.13
	GPavg (average gross profit, $M/yr)	19.75	14.09
	Incorporation Income tax ($M/yr)	4.34	3.10
	CFavg (average cash flow, $M/yr)	10.48	7.40
	EP4 ($M/yr)	9.14	6.47
Economic criteria	ROI (return on investment, %)	14.17	14.50
	PBP (payback period, yr)	5.86	5.75
	IRR (Internal rate of return, %))	23.6	23.3

TEA of biofuel production processes

4 *Results and plot of sensitivity: MFSP (6/8)*

MFSP (minimum fuel selling price) with 30% equity of 30 kt/y HBD/SAF

	gasoline (kg/hr)	diesel (kg/hr)	total fuel (kg/hr)	Mean annual cost (TPC+DC+tax+15% ROI, $/hr)[a]	MFSP ($/kg)[b]	MFSP ($/l)[c]
Case 1	3,458	1,542	5,000	4,625.6	0.93	0.69
Case 2	4,471	1,779	6,250	5,342.5	0.85	0.64

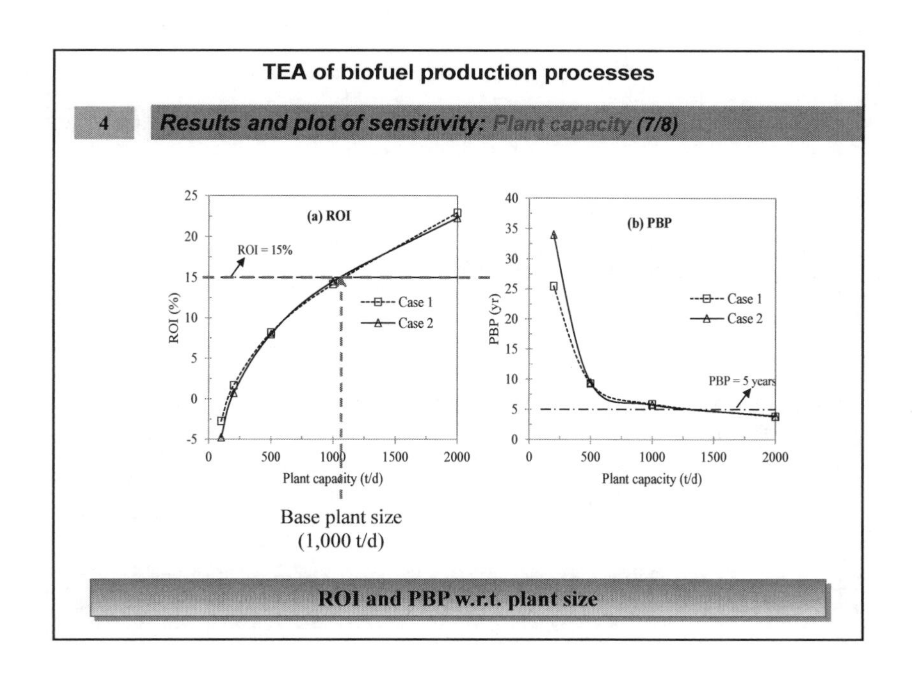
TEA of biofuel production processes
4
Results and plot of sensitivity: Plant capacity (7/8)
(a) ROI
ROI = 15%
ROI (%)
Case 1
Case 2
Plant capacity (t/d)
Base plant size
(1,000 t/d)
(b) PBP
PBP (yr)
PBP = 5 years
Plant capacity (t/d)
ROI and PBP w.r.t. plant size

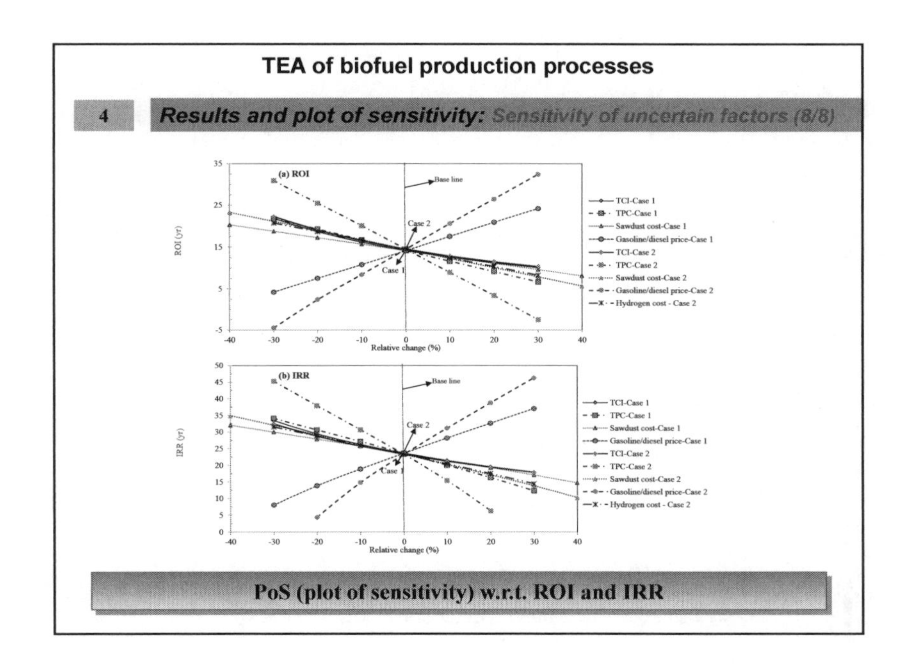
TEA of biofuel production processes
4
Results and plot of sensitivity: Sensitivity of uncertain factors (8/8)
(a) ROI
(b) IRR
Base line
Case 1
Case 2
Relative change (%)
PoS (plot of sensitivity) w.r.t. ROI and IRR

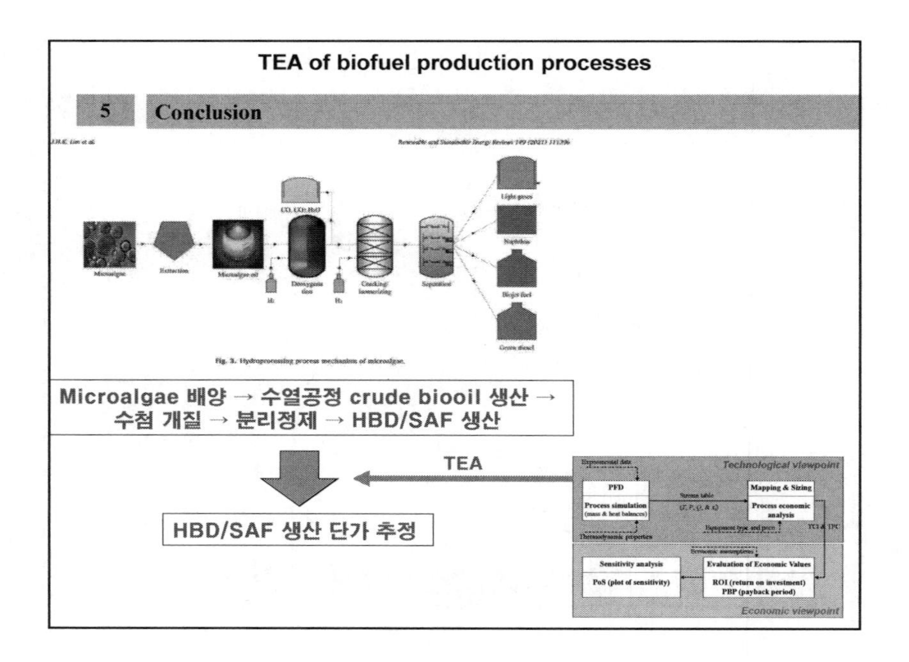
TEA of biofuel production processes
5
Conclusion
Microalgae 배양 → 수열공정 crude biooil 생산 →
수첨 개질 → 분리정제 → HBD/SAF 생산
TEA
HBD/SAF 생산 단가 추정
Technological viewpoint
PFD
Process simulation (mass & heat balances)
Mapping & Sizing
Process economic analysis
Sensitivity analysis
PoS (plot of sensitivity)
Evaluation of Economic Values
ROI (return on investment)
PBP (payback period)
Economic viewpoint

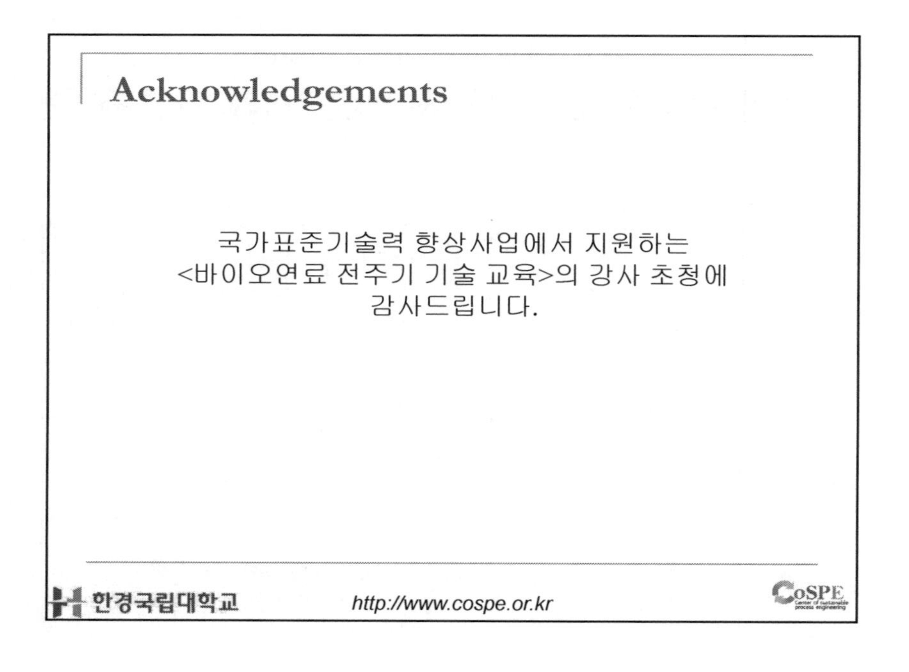
Acknowledgements
국가표준기술력 향상사업에서 지원하는
<바이오연료 전주기 기술 교육>의 강사 초청에
감사드립니다.
한경국립대학교
http://www.cospe.or.kr
CoSPE

한지훈 교수

POSTECH 화학공학과
부교수

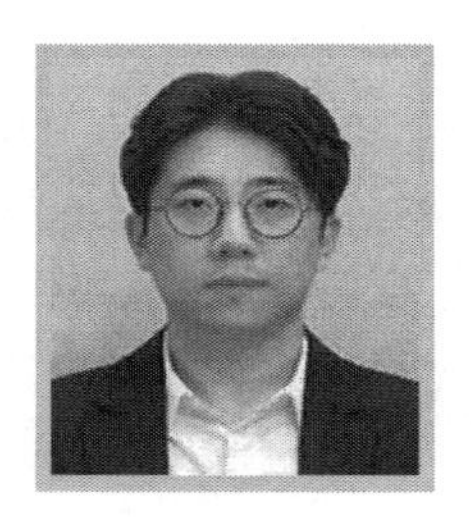

2023~	한국차세대과학기술한림원(Y-KAST) 회원
2014~2022	전북대학교 화학공학부 조/부/정교수
2012	POSTECH 화학공학과 박사

전주기 평가 (Life Cycle Assessment, LCA)는 기술 또는 제품에 대한 주요 생애 주기 단계 (원료채취부터 폐기단계까지, Cradle-to-Grave)의 잠재적 환경적 영향을 평가하기 위한 프레임워크 또는 도구입니다. 바이오연료 관점에서, 주요 생애 주기 단계는 바이오매스 생산, 바이오연료 전환, 바이오연료 수송, 바이오연료 사용 및 폐기하는 것이 포함됩니다. 본 발표의 첫 번째 파트는 ISO 14040 및 14044를 따른 LCA 방법론의 핵심 개념을 간략하게 요약하고, 세부 방법론의 주요 단계인 1) 목표 및 범위 정의, 2) 전 과정 목록 분석, 3) 전 과정 영향 평가, 4) 전 과정 결과 해석을 다루겠습니다. 본 발표의 두 번째 파트는 목질계 바이오매스에서 바이오에탄올을 생산하기 위한 다른 두 기술, 1) 효소 가수분해 후 발효와 2) 비효소 화학적 촉매 가수분해 후 발효의 전주기 평가 사례를 소개한다. 특히, 해당 두 기술의 주요 세 가지 환경 영향 범주인 기후 변화 (Climate Change), 화석 연료 고갈 (fossil depletion) 및 초/미세먼지 배출 (air pollutant)에 대한 전주기 평가 결과를 제시한다. 마지막으로, 다양한 바이오매스로부터 지속 가능한 바이오에너지 및 바이오연료 (가솔린, 디젤 및 제트 연료)의 생산을 위한 바이오리파이너리 기술 및 시스템의 확장을 주로 다루고자 한다.

바이오연료
전주기기술
무 료 교 육

전주기평가(LCA) 개론 및 바이오연료 적용 사례

한지훈 교수
포항공과대학교

Outline

1

PART I LCA: methodology

PART II LCA: applications

PART III Other works and concluding remarks

2

PART I

LCA: methodology

What is LCA?

3

- **Life cycle assessment** or **LCA** is a methodology used to evaluate the environmental impacts of a product or system by looking at its entire life cycle.

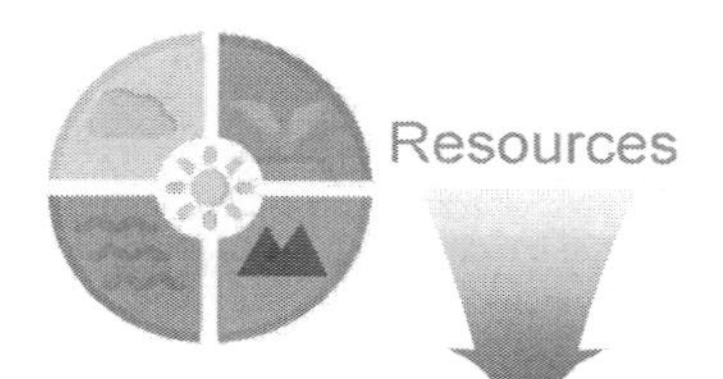

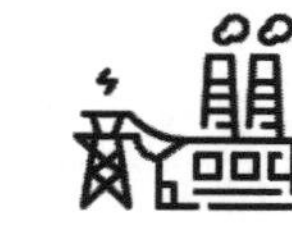

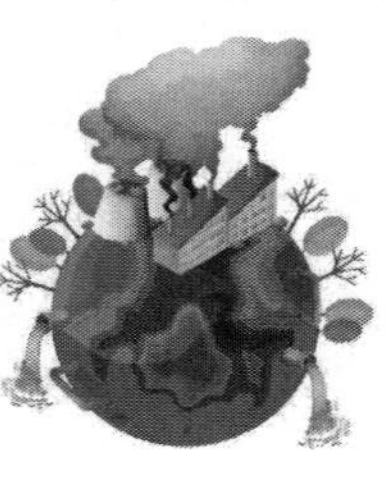

What is Life Cycle Thinking? 4

LCA of Biomass-to-Fuels Strategies

✓ Focus on the full life cycle

- from ***well to wheels*** for fuels and from material mining to vehicle disposal for automobiles

✓ Includes GHG and pollutants emissions

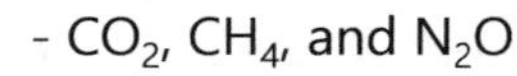

- CO_2, CH_4, and N_2O
- VOC, CO, NOx, SOx, PM_{10}, and $PM_{2.5}$

✓ GREET® Model by Argonne National Laboratory

- The Greenhouse gases, Regulated Emissions, and Energy use in Transportation Model

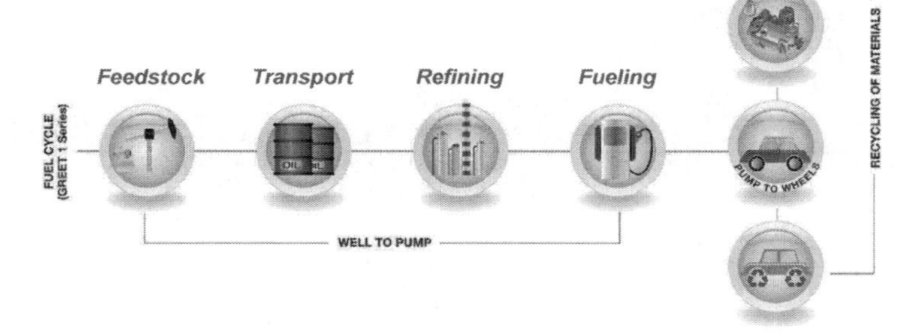

How Do We Use LCA? 5

- ISO 14040 and 14044 are international standards that provide frameworks and guidelines for conducting LCAs.

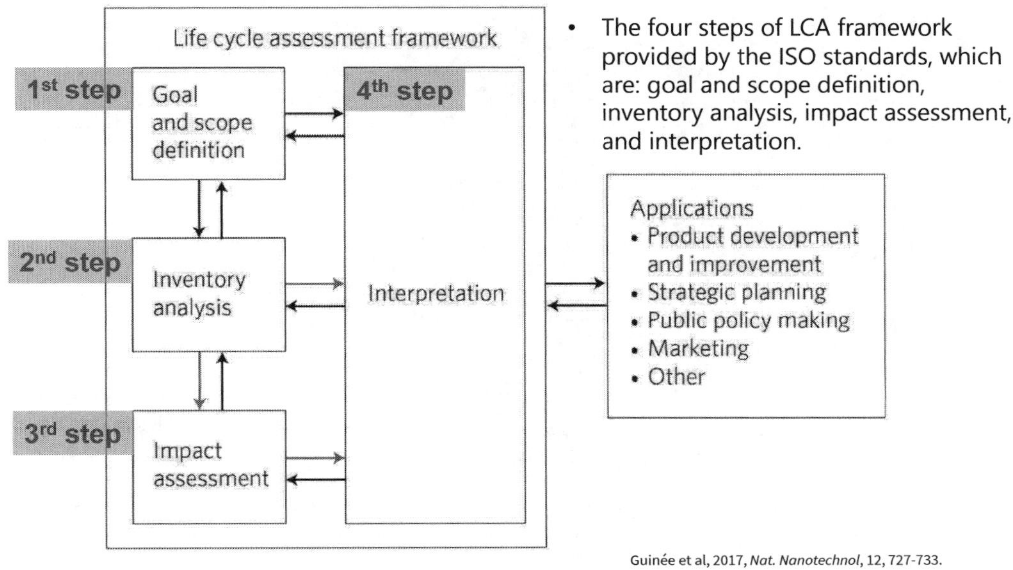

- The four steps of LCA framework provided by the ISO standards, which are: goal and scope definition, inventory analysis, impact assessment, and interpretation.

Guinée et al, 2017, *Nat. Nanotechnol*, 12, 727-733.

Life Cycle Assessment (LCA) 6

- ISO는 1993년 환경경영표준화 기술위원회(TC 207)를 설립하고 산하에 6개의 분과위원회(SC)를 구성하여 LCA, 환경라벨링, 온실가스경영 및 관련 활동 등에 대한 국제표준 제정 중이며 현재 신규 15건의 표준을 개/제정 진행 중임

분과위원회	분과위원회 명칭	제정	제정 중
SC1	(영문) Environmental management systems (국문) 환경경영시스템	10	1
SC2	(영문) Environmental auditing and related environmental investigations (국문) 환경심사 및 조사	3	1
SC3	(영문) Environmental labelling (국문) 환경라벨링	8	1
SC4	(영문) Environmental performance evaluation (국문) 환경성과평가	7	2
SC5	(영문) Life cycle assessment (국문) 전과정평가	15	4
SC7	(영문) Greenhouse gas and climate change management and related activities (국문) 온실가스경영 및 관련 활동	13	6

<ISO/TC 207 분과위원회 및 표준 제정 현황>

- ISO/SC5에서는 **탄소발자국** 산정의 근간이 되는 제품 및 조직의 전과정에서 발생하는 환경영향을 정량화하기 위한 LCA 방법론에 대한 국제표준을 관리하고 있으며, 대표적으로 ISO 14040, 14044, 14046, 14072, 14074, 14076이 있음

ISO규격	통상명칭	규격의 개요	제/개정 연도
ISO 14040	LCA 원리 및 구조	• LCA를 수행하기 위한 4가지 단계를 표준화하고, 각 단계별 원리 및 구조를 설명한 표준 - LCA 4단계 : 목적 및 범위 정의, 전과정 목록분석, 영향평가, 해석	2020
ISO 14044	LCA 요구사항 및 지침	• LCA 4단계에 대하여 각 단계별로 수행해야 할 사항에 대하여 정의하고 가이드를 제공하는 표준	2020
ISO 14046	물발자국	• LCA에서 고려하고 있는 영향범주인 물 부족에 대하여 정량화하기 위한 원리, 요구사항 및 가이드를 제공하는 표준	2014
ISO/TS 14072	조직 LCA 요구사항 및 지침	• 제품이 아닌 조직(사업장 등)을 대상으로 LCA 수행 시 고려해야 할 사항 및 가이드라인을 제공하는 표준	2014
ISO/DTS* 14074	정규화, 가중화 및 전과정 해석	• 전과정 영향평가 단계에서 선택적인 분석에 해당하는 정규화, 가중화에 대한 가이드를 제공하는 표준	제정 중 (2019~)
ISO/WD** 14076	환경 기술경제성 평가	• 환경-기술경제성 평가 best practice를 기반으로 수행을 위한 원리, 요구사항 및 가이드를 제공하는 표준	제정 중 (2022~)

<ISO/SC5 국제표준 제/개정 현황>

이종석 외, 2022, *탄소발자국 국제표준화 및 정책동향*, 3(8), 녹색기술센터 보고서

Carbon Footprints with LCA 7

- A CO_2 balance at product level (product **carbon footprint**) is an application of the LCA methodology that focuses specifically on greenhouse gas emissions.

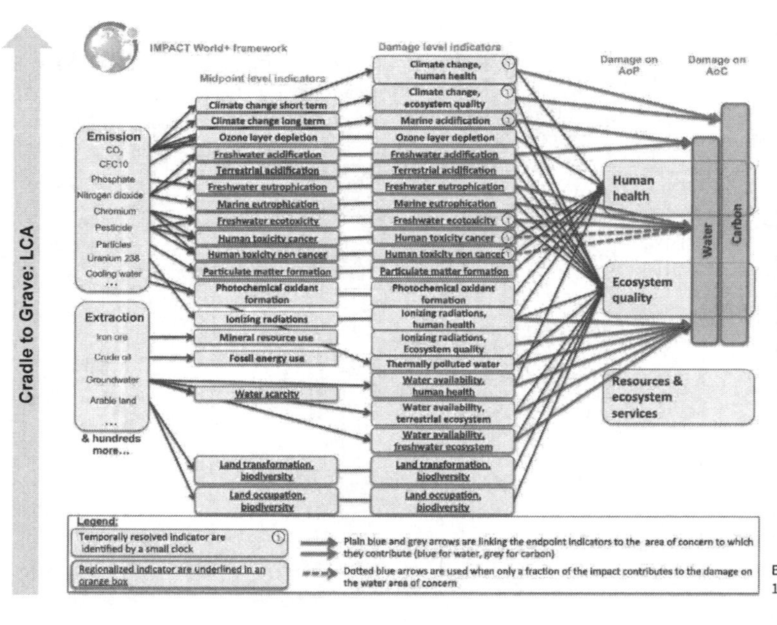

- 탄소발자국(Carbon footprint)은 제품의 원료채취, 생산, 수송·유통, 사용, 폐기 등 전과정에서 발생하는 온실가스가 기후변화에 미치는 영향(kg CO2-eq)을 의미
- LCA를 통하여 다양한 환경영향범주(Impact category)*에 대한 영향을 정량화할 수 있으며 그 중 지구온난화(Global warming)에 영향을 주는 것을 흔히 탄소발자국으로 정의

*자원고갈, 물 부족, 지구온난화, 부영양화, 산성화, 생태독성 등

Bulle et al, 2019, *Int J Life Cycle Assess*, 24, 1653-1674.

Life Cycle Assessment (LCA)

ISO/WD TS 14076
Eco-Technoeconomic Analyses (eTEAs)
환경 기술경제성평가

eTEAs are used to assess and evaluate the **economic** and **environmental impacts** of different types of processes when applied in practice.
This methodology applies to process systems at **any size or scale**.

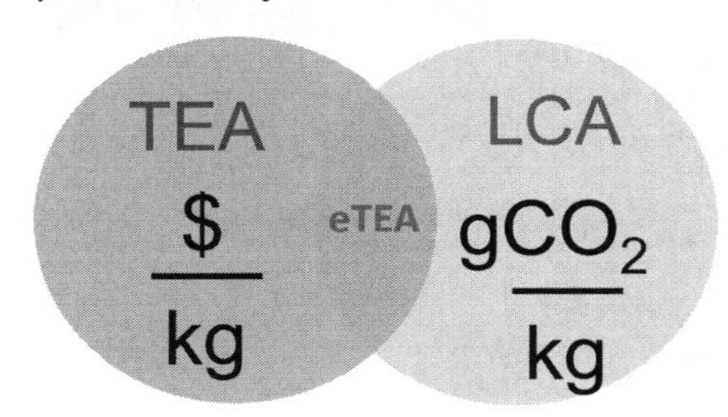

- ISO/SC5에서는 **탄소발자국** 산정의 근간이 되는 제품 및 조직의 전과정에서 발생하는 환경영향을 정량화하기 위한 LCA 방법론에 대한 국제표준을 관리하고 있으며, 대표적으로 ISO 14040, 14044, 14046, 14072, 14074, **14076**이 있음

ISO규격	통상명칭	규격의 개요	제/개정 연도
ISO 14040	LCA 원리 및 구조	• LCA를 수행하기 위한 4가지 단계를 표준화하고, 각 단계별 원리 및 구조를 설명한 표준 - LCA 4단계 : 목적 및 범위 정의, 전과정 목록분석, 영향평가, 해석	2020
ISO 14044	LCA 요구사항 및 지침	• LCA 4단계에 대하여 각 단계별로 수행해야 할 사항에 대하여 정의하고 가이드를 제공하는 표준	2020
ISO 14046	물발자국	• LCA에서 고려하고 있는 영향범주인 물 부족에 대하여 정량화하기 위한 원리, 요구사항 및 가이드를 제공하는 표준	2014
ISO/TS 14072	조직 LCA 요구사항 및 지침	• 제품이 아닌 조직(사업장 등)을 대상으로 LCA 수행 시 고려해야 할 사항 및 가이드라인을 제공하는 표준	2014
ISO/DTS* 14074	정규화, 가중화 및 전과정 해석	• 전과정 영향평가 단계에서 선택적인 분석에 해당하는 정규화, 가중화에 대한 가이드를 제공하는 표준	제정 중 (2019~)
ISO/WD** 14076	환경 기술경제성 평가	• 환경-기술경제성 평가 best practice를 기반으로 수행을 위한 원리, 요구사항 및 가이드를 제공하는 표준	제정 중 (2022~)

<ISO/SC5 국제표준 제/개정 현황>

이종석 외, 2022, *탄소발자국 국제표준화 및 정책동향*, 3(8), 녹색기술센터 보고서

PART II

LCA: applications

Biorefinery with Feasibility Study

10

"Biorefinery is defined as the sustainable processing of biomass into a spectrum of products and energy."

- **Sustainability**
  - **Need to mitigate CO_2 emissions (LCA)**
  - **Need to increase marketability (TEA)**

- **Agricultural Crop Residue**
  - **Corn stover/Kenaf**

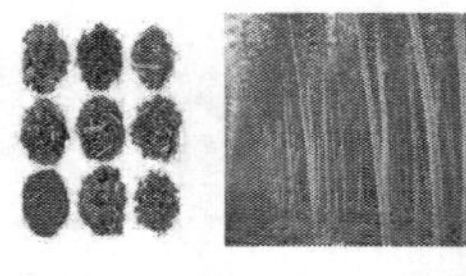
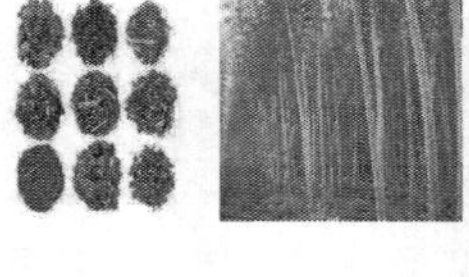

Fuels/Energy

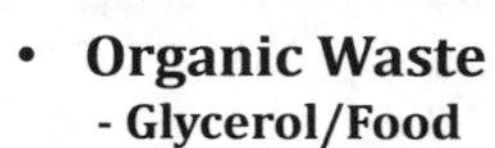

- **Organic Waste**
  - **Glycerol/Food**

Chemicals/Polymers

Feasibility Study of Catalytic Processing

11

Techno-Economic Assessment (TEA) and LifeCycle Assessment (LCA)

I. **Catalytic Cornstover-to-EtOH (cCTE)**

II. **Catalytic Cornstover-to-JFA (cCTJ)**

Prof. Dumesic Prof. Maravelias

- **Agricultural Crop Residue**
  - **Corn stover**

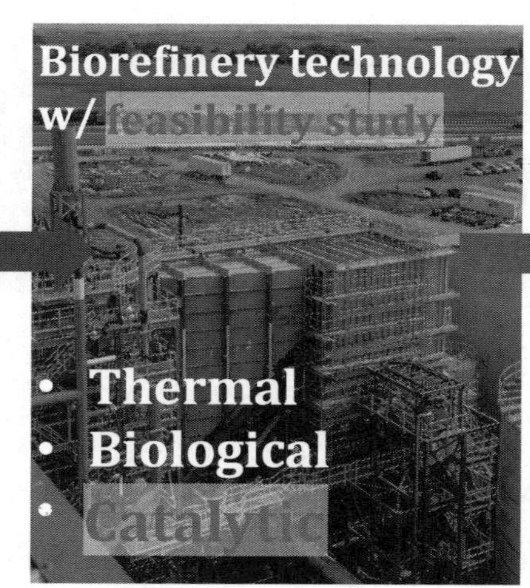

Fuels/Energy

Science (2014)

Energy Environ. Sci. (2020)

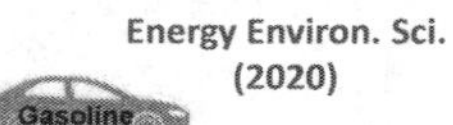

Green Chem. (2014)

Analyzing Experimental Data

Sugars-based EtOH Production

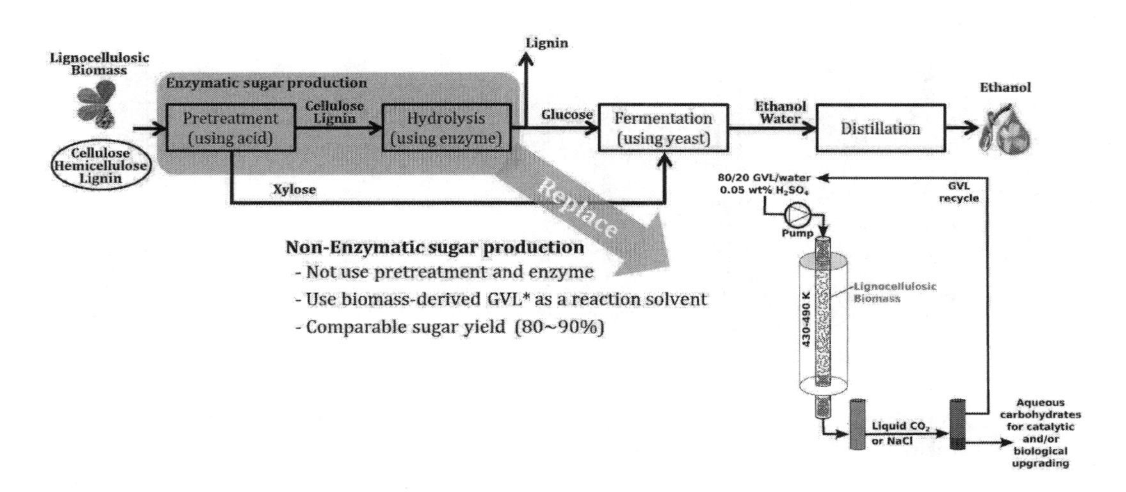

*GVL (γ-valerolactone)

J. Han (4st) et al. *Science* 2014, 343, 277 (IF = 63.798, Top 1%)

Sugars-based EtOH Production 14

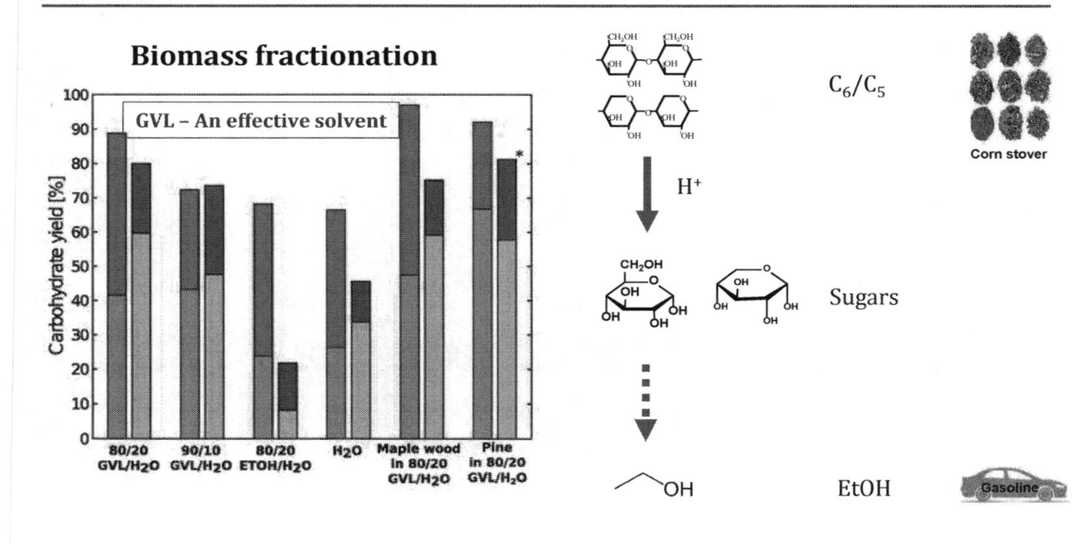

J. Han (4st) et al. *Science* 2014, 343, 277 (IF = 63.798, Top 1%)

Sugars-based EtOH Production 15

Biomass fractionation

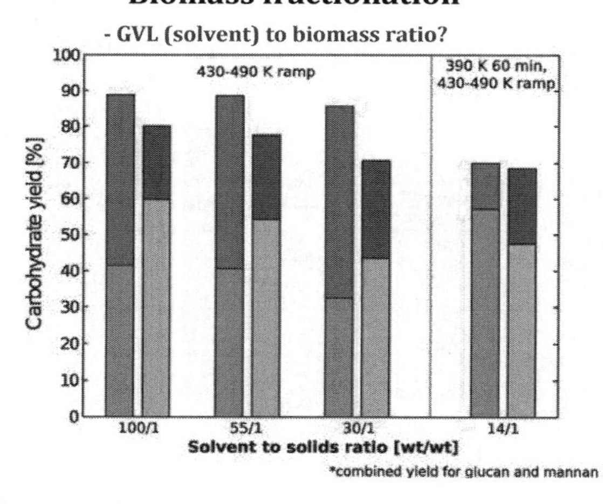

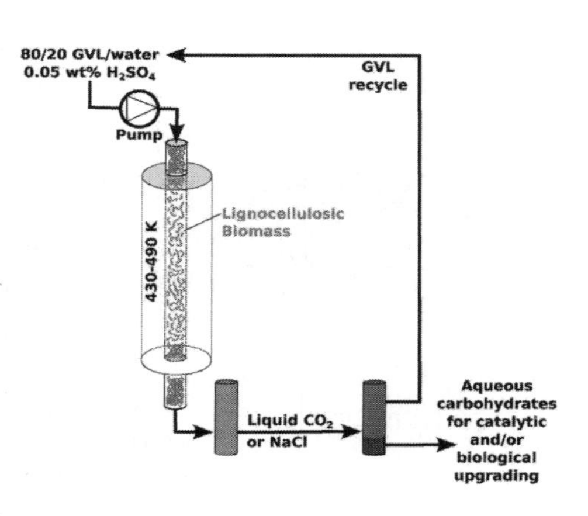

- Experimental catalysis studies at **higher solvent to biomass ratio** (10/1-100/1)
  - → leading to **higher sugars yields** (70% to 90%)
  - → **requiring an efficient separation system**
- Process simulation studies to find the **optimal solvent to biomass ratio (14/1)**
  - → integrating reaction and separation systems to evaluate the sustainable feasibility of the process

J. Han (4st) et al. *Science* 2014, 343, 277 (IF =63.798, Top 1%)

16

Life cycle assessment (LCA)

Research Scope

17

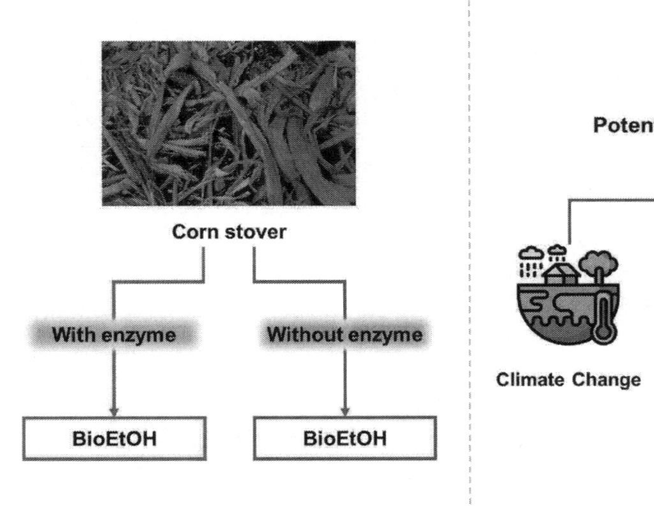

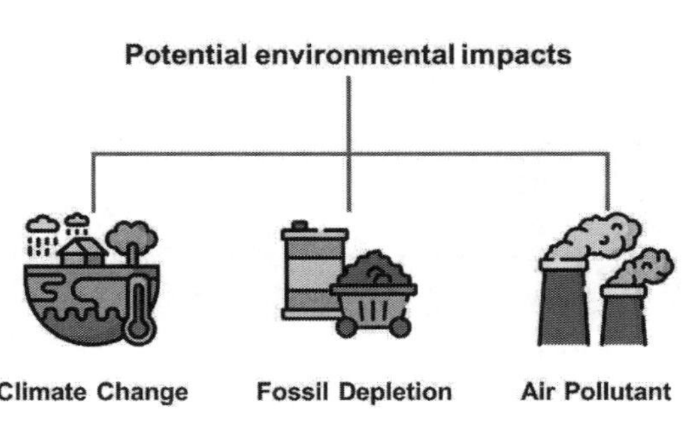

J. Han (1st) et al. ***Bioresour. Technol.*** 2021, 328, 124808 (IF = 11.889, Top 5%)

Methods

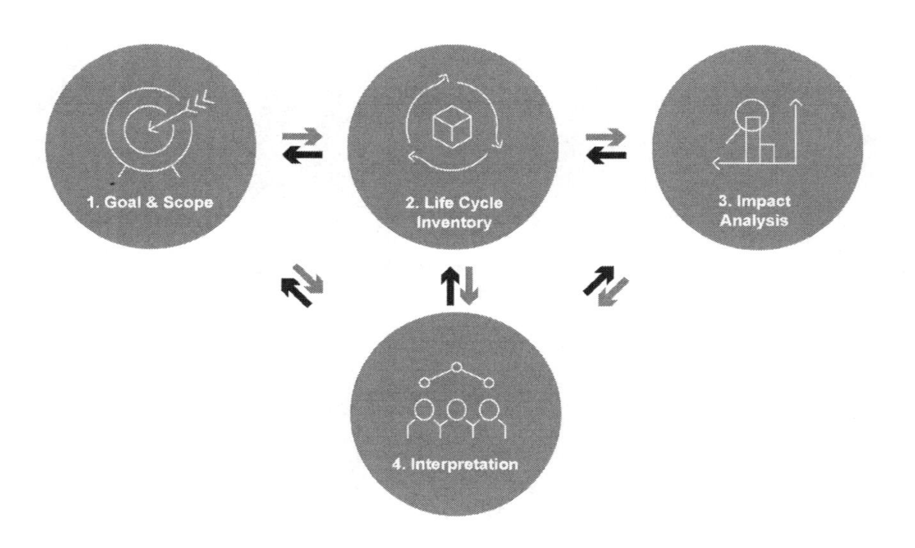

The four phases of Life Cycle Assessment (LCA)

Methods 1) Goal & scope definition

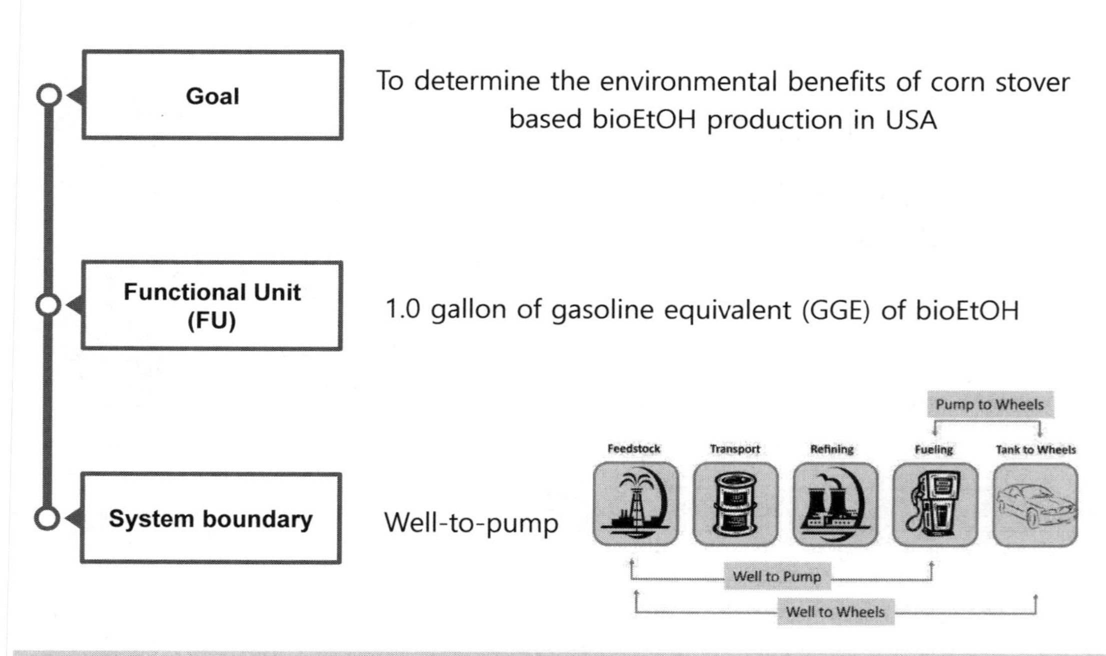

Methods 2) Inventory analysis 20

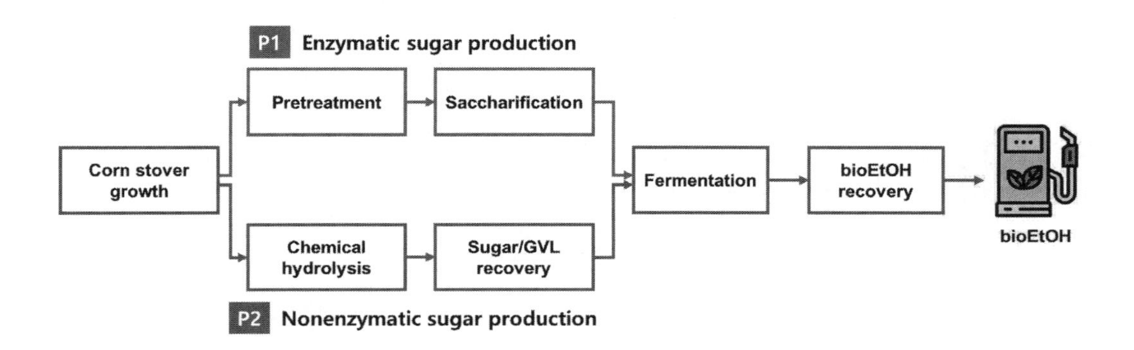

Methods 2) Inventory analysis 21

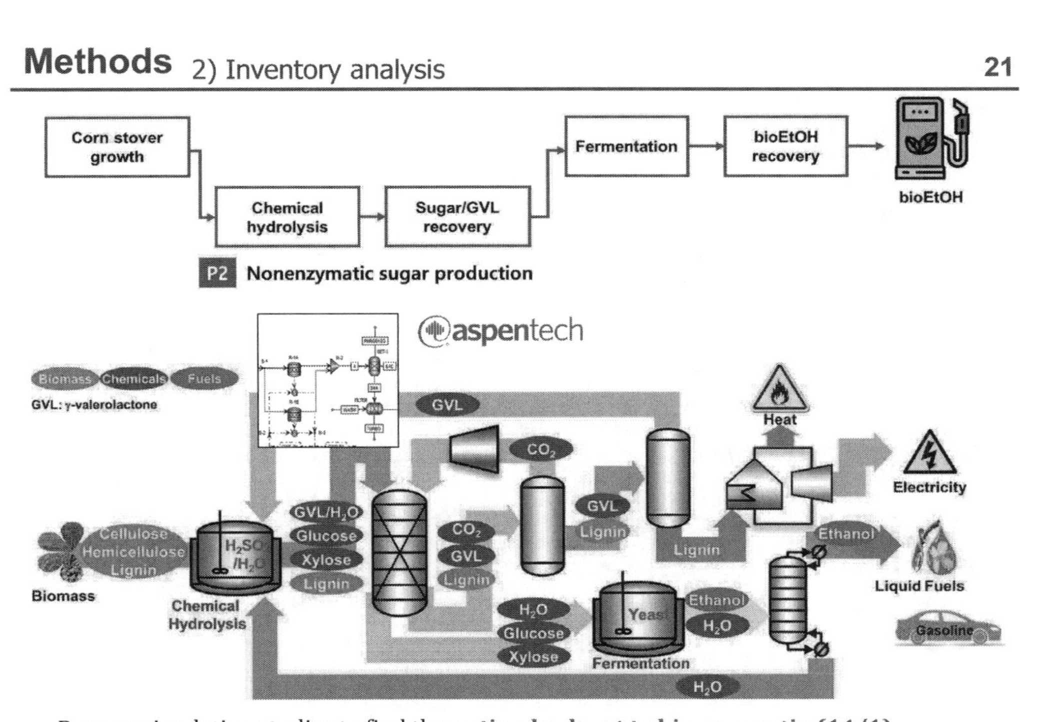

- Process simulation studies to find the **optimal solvent to biomass ratio (14/1)**
  → integrating reaction and separation systems to evaluate the sustainable feasibility of the process

J. Han (1st) et al. ***Bioresour. Technol.*** 2015, 182, 258 (IF = 11.889, Top 5%)

Methods 2) Inventory analysis

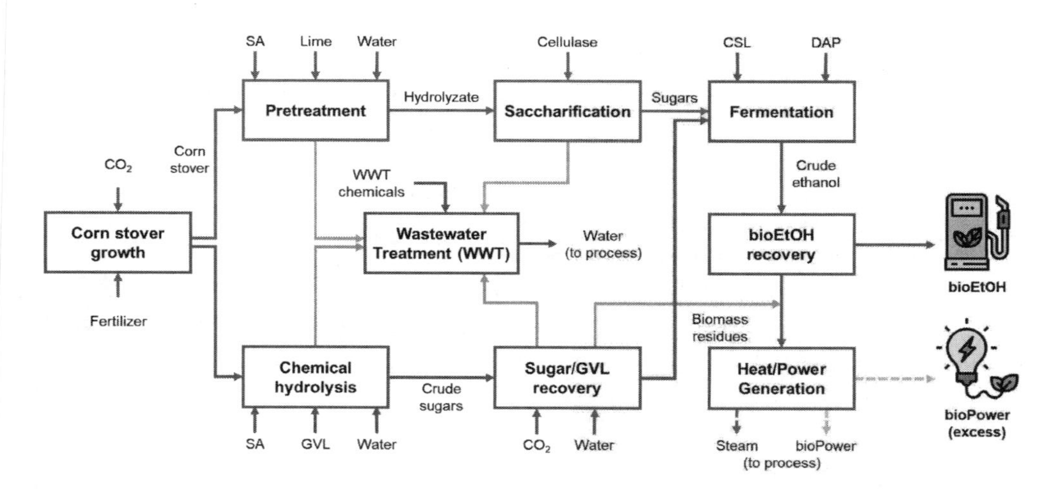

Table 1. Material and energy flow based on the functional unit (GGE of bioEtOH)

	Corn stover (kg)	Sulfuric acid (kg)	Cellulase (kg)	CSL* (kg)	DAP** (kg)	Yeast (kg)	Water (gal)	WWT*** chemical (kg)	Electricity (MJ)
P1	17.792	0.597	1.238	0.237	0.030	-	8.948	0.011	12.248
P2	20.768	1.324	-	0.226	-	0.088	2.745	0.006	3.707

CSL* : Corn steep liquor, DAP** : Diammonium Phosphate, WWT*** : Wastewater treatment

J. Han (1st) et al. ***Bioresour. Technol.*** 2021, 328, 124808 (IF = 11.889, Top 5%)

Methods 3) Impact analysis & 4) Interpretation

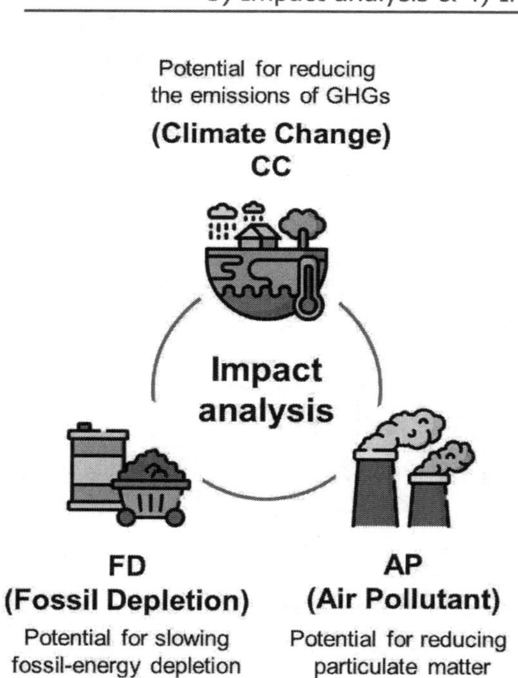

GREET LIFE-CYCLE MODEL

Corn stover growth	WWT
Pretreatment (P1)	Saccharification (P1)
Chemical hydrolysis (P2)	Sugar/GVL recovery (P2)
Fermentation	Heat/power generation

Interpretation

to identify the material(s) or utility source(s) that was a key factor with a large impact on the environmental feasibility

J. Han (1st) et al. ***Bioresour. Technol.*** 2021, 328, 124808 (IF = 11.889, Top 5%)

Results & Discussion 1) Environmental impacts

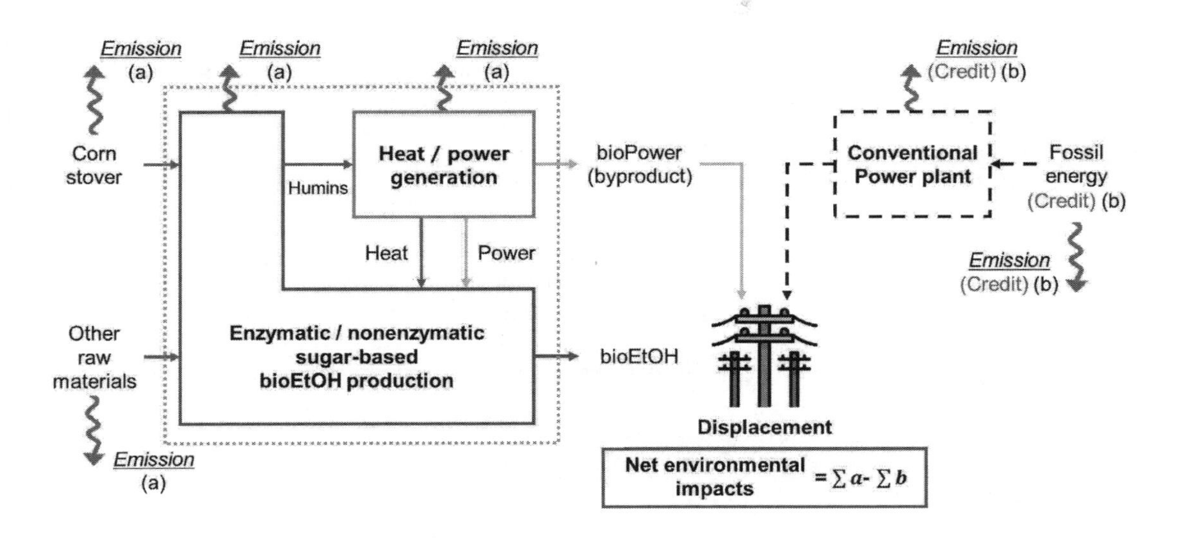

J. Han (1st) et al. *Bioresour. Technol.* 2021, 328, 124808 (IF = 11.889, Top 5%)

Results & Discussion 1) Environmental impacts

Net environmental impacts of the enzymatic and nonenzymatic sugar-based bioEtOH production strategies

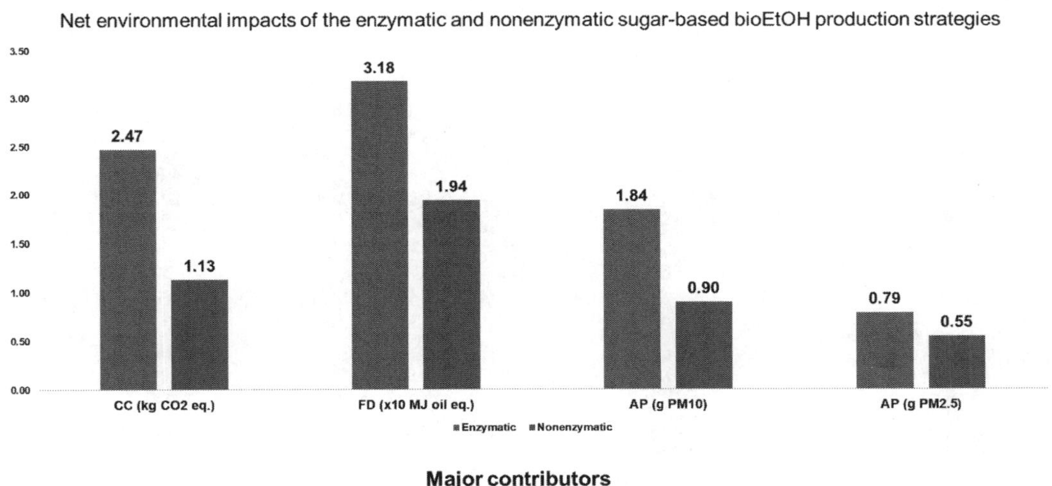

Major contributors

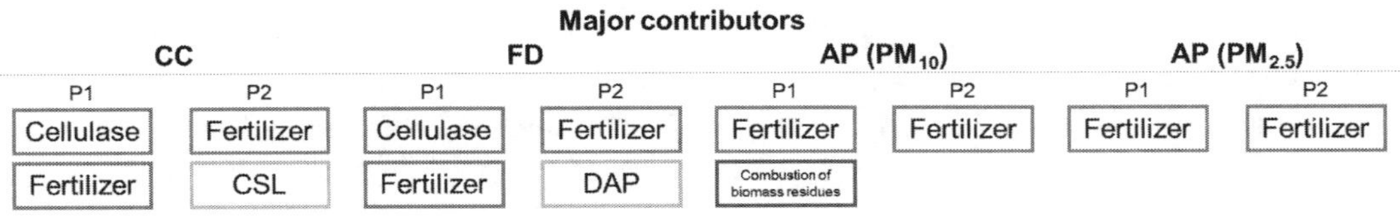

CC		FD		AP (PM_{10})		AP ($PM_{2.5}$)	
P1	P2	P1	P2	P1	P2	P1	P2
Cellulase	Fertilizer	Cellulase	Fertilizer	Fertilizer	Fertilizer	Fertilizer	Fertilizer
Fertilizer	CSL	Fertilizer	DAP	Combustion of biomass residues			

J. Han (1st) et al. *Bioresour. Technol.* 2021, 328, 124808 (IF = 11.889, Top 5%)

Results & Discussion 2) Scenario uncertainty analysis 26

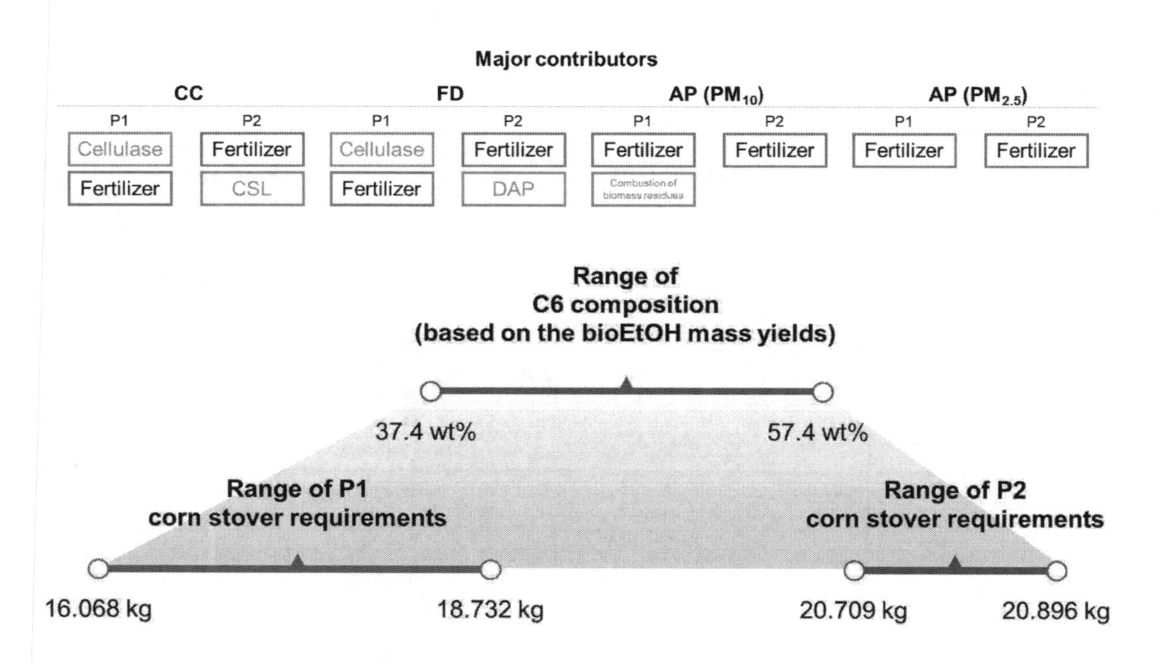

J. Han (1st) et al. *Bioresour. Technol.* 2021, 328, 124808 (IF = 11.889, Top 5%)

Results & Discussion 2) Scenario uncertainty analysis 27

P1 : Enzymatic sugar production

P2 : Nonenzymatic sugar production

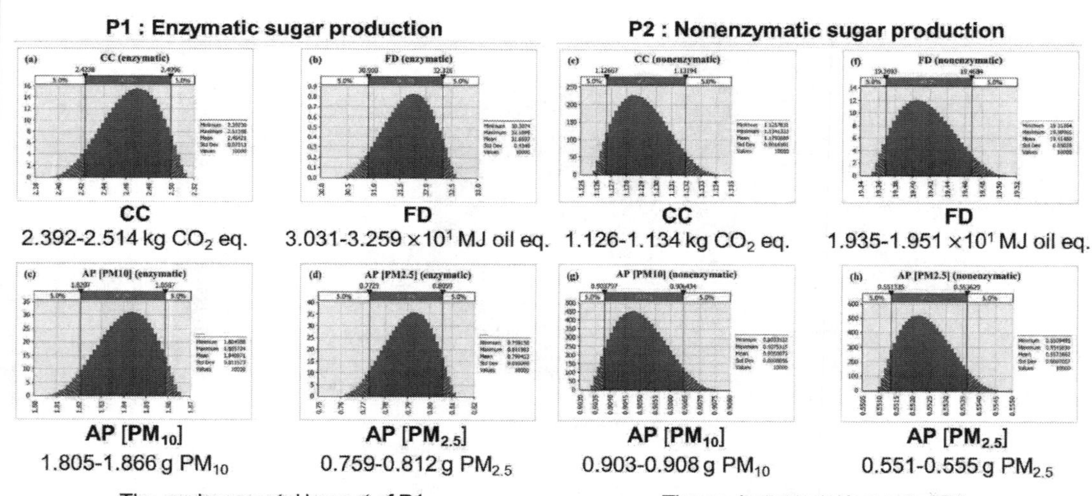

The environmental impact of P1 varied within **3%** of the base value

The environmental impact of P2 varied within **0.5%** of the base value

J. Han (1st) et al. *Bioresour. Technol.* 2021, 328, 124808 (IF = 11.889, Top 5%)

Conclusions

Environmental impact

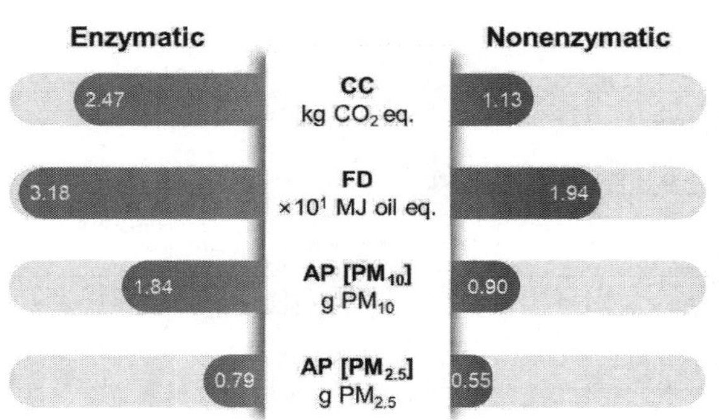

The **nonenzymatic** sugar-based strategy had lower environmental impact than the enzymatic sugar-based strategy.

Uncertainty analysis

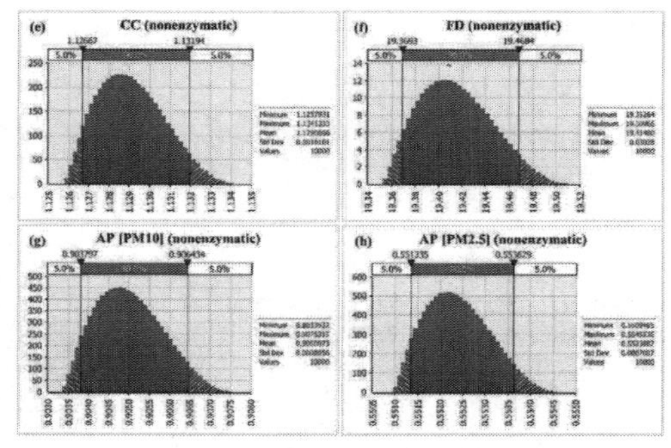

The **nonenzymatic** sugar-based strategy is the more environmentally feasible option when considering the uncertainty in corn stover composition.

J. Han (1st) et al. ***Bioresour. Technol.*** 2021, 328, 124808 (IF = 11.889, Top 5%)

Can we use GVL as an intermediate for production of value-added products?

GVL: a Renewable Solvent and Platform Molecule

30

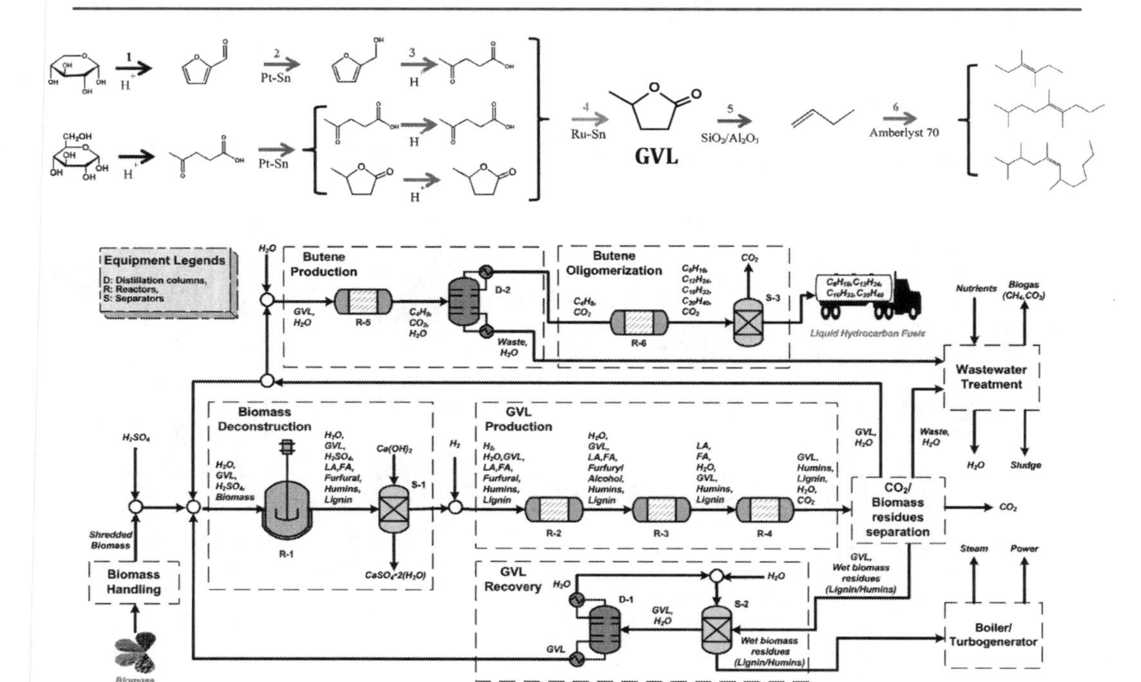

J. Han (1st) et al. *Green Chem.* 2014, 16, 653 (IF = 11.034, Top 15%)

GVL: a Renewable Solvent and Platform Molecule

31

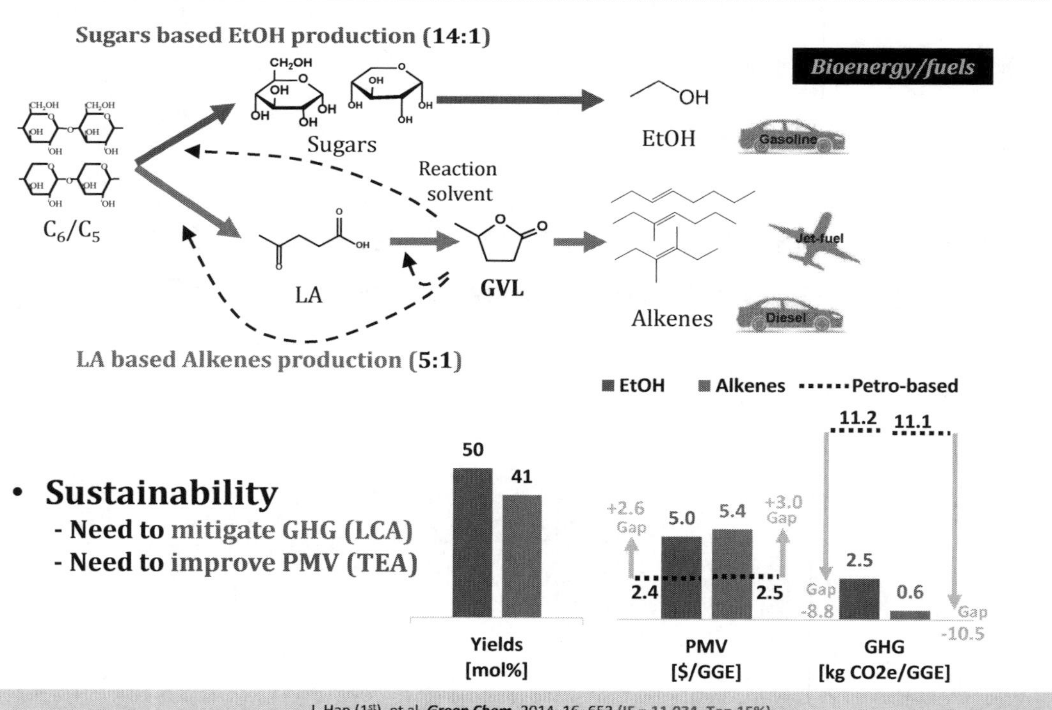

J. Han (1st) et al. *Green Chem.* 2014, 16, 653 (IF = 11.034, Top 15%)

32

PART III

Other works and concluding remarks

33

Is it also environmentally feasible when a biorefinery is proved to be economically competitive?

Sustainable development of biorefineries: integrated assessment method for co-production pathways

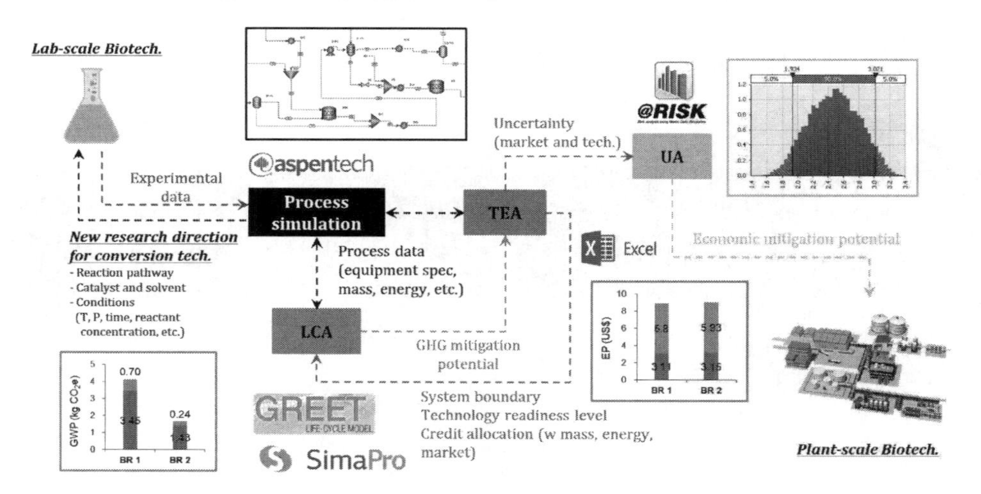

J. Han (1st) et al. *Energy Environ. Sci.* 2020, 13, 2233 (IF = 39.714, Top 1%)

Energy & Environmental Science

ANALYSIS

View Article Online

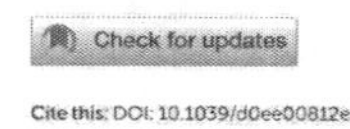

Cite this: DOI: 10.1039/d0ee00812e

Sustainable development of biorefineries: integrated assessment method for co-production pathways†

Jaewon Byun[a] and Jeehoon Han*[ab]

Biorefining is a promising technology for coproducing bioenergy and bioproducts to increase the benefit and sustainability relative to petroleum-driven products. Although several feasibility studies with certain valuations or materials have been conducted, a thorough analysis of the integration of bio-base products with sustainable bioenergy production is needed. This study conducts a comprehensive investigation of recently published feasibility studies on biorefining. Five challenges are found to be particularly important: system boundaries, technological level, allocation, environmental concerns, and uncertainty. A case study on 10 biorefinery pathways to bioproducts integrated with bioethanol (bioEtOH) is examined *via* a coincident feasibility assessment that concentrated on the proposed issues, as well as on certain technological, economic, and environmental aspects. When 25% of bioEtOH was replaced by furandicarboxylic acid (FDCA), 15.3–16.7 MJ of FDCA per gasoline gallon equivalent (GGE) of bioEtOH is produced, leading to economic mitigation potentials of US$2.40–2.48 per GGE.

Received 13th March 2020, Accepted 7th May 2020

DOI: 10.1039/d0ee00812e

rsc.li/ees

<Back cover>

Research Projects (ongoing) 36

바이오매스 유래 윤활유급 화학제품 제조를 위한 바이오-화학 융합 원천기술 개발

- 6세부책임

<환경성, 경제성평가>

Funded by NRF 한국연구재단 (기후변화대응기술개발사업, 125억 2020.06.01 ~ 2024.12.31)

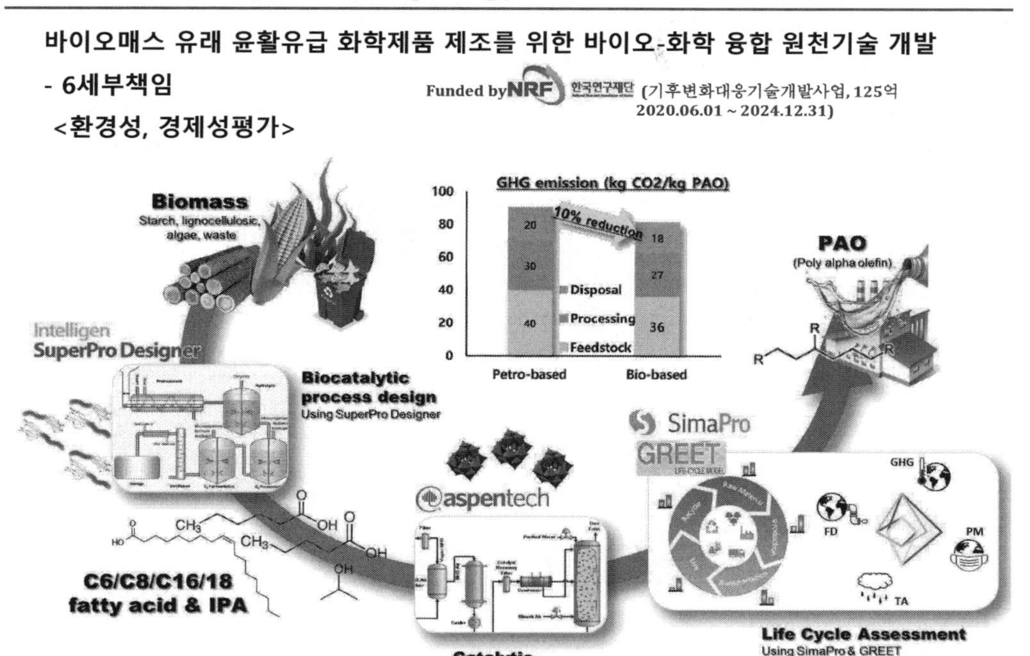

Closing Remarks 37

- Life Cycle Assessment (LCA) is a powerful tool for evaluating energy technology strategies and policy options on a common basis. We discussed the key concepts in LCA methodology following ISO 14040 and 14044.

- Results from LCA studies showed that the nonenzymatic sugar-based strategy had lower environmental impact than the enzymatic sugar-based strategy. Results of the stochastic analysis showed that the nonenzymatic sugar-based strategy is the more environmentally feasible option when considering the uncertainty in corn stover composition.

- We identified the major challenges of LCA at low TRL and discussed key approaches to overcome these challenges. As the application of LCA is broadening, the reliability of LCA is becoming more important.

- Overall, further research should focus on 1) supporting the consistent appraisals of emerging technologies at low TRL, and 2) integration of LCA with TEA for simultaneous evaluation of environmental and economic aspects of emerging technologies.

Thank you for your attention !!

Tel. 054-279-2274
Email. jhhan@postech.ac.kr

Homepage. http://pse.postech.ac.kr

공정시스템공학 연구실 (포항공과대학교)
Process Systems Engineering Lab.
(POSTECH)

본 교육교재는 산업통상자원부의 국가 표준 기술력 향상 사업인 '수송 및 발전 분야의 바이오연료 보급 활성화 기반 조성' 과제의
수행 일환으로 제작되었습니다. (과제번호20025784)

바이오연료 전주기기술 무료교육

발　행 | 2023년 12월 05일
저　자 | 김재곤, 박대원, 상병인, 서정길
펴낸이 | 한건희
펴낸곳 | 주식회사 부크크
출판사등록 | 2014.07.15.(제2014-16호)
주　소 | 서울특별시 금천구 가산디지털1로 119 SK트윈타워 A동 305호
전　화 | 1670-8316
이메일 | info@bookk.co.kr

ISBN | 979-11-410-5701-5

www.bookk.co.kr